BARATAS

Obras do autor publicadas pela Editora Record

Headhunters
Sangue na neve
O sol da meia-noite
Macbeth
O filho

Série Harry Hole
O morcego
Baratas
Garganta vermelha
A Casa da Dor
A estrela do diabo
O redentor
Boneco de Neve
O leopardo
O fantasma
Polícia
A sede
Faca

JO NESBØ

BARATAS

Tradução de
CHRISTIAN SCHWARTZ E LILIANA NEGRELLO

3ª edição

EDITORA RECORD
RIO DE JANEIRO • SÃO PAULO
2024

CIP-BRASIL. CATALOGAÇÃO NA PUBLICAÇÃO
SINDICATO NACIONAL DOS EDITORES DE LIVROS, RJ

N371b
3ª ed.
    Nesbø, Jo, 1960-
    Baratas/ Jo Nesbø; tradução de Christian Schwartz, Liliana Negrello. – 3ª ed. – Rio de Janeiro: Record, 2024.

    Tradução de: Cockroaches
    ISBN 978-85-01-10807-4

    1. Romance norueguês. I. Schwartz, Christian. II. Negrello, Liliana. III. Título.

16-36862

CDD: 839.82
CDU: 821.111(481)

Título original norueguês:
Kakerlakkene

Copyright © Jo Nesbø, 1998
Publicado mediante acordo com Salomonsson Agency.

Traduzido a partir do inglês *Cockroaches*.

Texto revisado segundo o Acordo Ortográfico da Língua Portuguesa de 1990.

Todos os direitos reservados. Proibida a reprodução, no todo ou em parte, através de quaisquer meios. Os direitos morais do autor foram assegurados.

Direitos exclusivos de publicação em língua portuguesa somente para o Brasil adquiridos pela
EDITORA RECORD LTDA.
Rua Argentina, 171 – Rio de Janeiro, RJ – 20921-380 – Tel.: (21) 2585-2000, que se reserva a propriedade literária desta tradução.

Impresso no Brasil

ISBN 978-85-01-10807-4

Seja um leitor preferencial Record.
Cadastre-se no site www.record.com.br e receba informações sobre nossos lançamentos e nossas promoções.

Atendimento e venda direta ao leitor:
sac@record.com.br

Circula entre os noruegueses que moram na Tailândia o boato de que um de seus embaixadores, morto em um acidente de carro em Bangkok, na verdade foi assassinado em circunstâncias muitíssimo misteriosas. Não há prova nenhuma que corrobore essa versão, mas isso rende uma boa história.

Nenhum acontecimento ou personagem deste livro deve ser confundido com pessoas ou fatos reais. A realidade é estranha demais para servir a esse propósito.

Bangkok, 23 de fevereiro de 1998

Parte Um

1

Terça-feira, 7 de janeiro

O semáforo mudou para verde, e o rugido de caminhões, carros, motos e *tuk-tuks* tornou-se cada vez mais alto, a ponto de Dim ver a vitrine da loja de departamentos Robinson's vibrar. Os veículos começaram a pôr-se em movimento, e a vitrine, que exibia um vestido de seda longo e vermelho, desapareceu atrás deles na escuridão.

Ela tinha pegado um táxi. Em vez de um ônibus lotado ou um *tuk-tuk* enferrujado, um táxi com ar condicionado e um motorista que ficasse de boca fechada. Reclinou a cabeça no encosto e tentou apreciar o passeio. Sem problemas. Uma lambreta passou a toda, e a garota no banco do carona, agarrada a uma camiseta vermelha com capacete, lançou-lhes um olhar distraído. Segure firme, pensou Dim.

Na Rama IV Road, o taxista parou atrás de um caminhão cuja fumaça do escapamento era tão preta e espessa que Dim não conseguia enxergar o número da placa. Depois de filtrada pelo ar-condicionado do carro, a fumaça era resfriada e se tornava quase inodora. Quase. Discretamente ela abanou a mão diante do nariz para mostrar seu desconforto, e o motorista, ao vê-la pelo espelho retrovisor, mudou de pista. Sem problemas.

A vida dela sempre foi assim. Na fazenda onde havia crescido, eram seis meninas. Seis eram demais, de acordo com o pai. Dim tinha 7 anos quando, parada à beira da estrada, tossindo em meio à poeira amarelada, sua família despediu-se com um aceno da carroça que levava a irmã mais velha aos solavancos pela estradinha à margem do canal de água barrenta. A irmã tinha recebido roupas limpas, uma passagem de trem para Bangkok e um endereço em Patpong escrito no verso de um cartão de visita; havia chorado feito uma cachoeira, mesmo com Dim acenando para ela com tanta força que sentia que sua mão ia cair. A mãe, acariciando a cabeça da filha, tinha dito que não seria fácil, mas que tampouco seria ruim. Pelo menos a irmã não teria que andar de fazenda em fazenda como um *kwai*, como ela própria fizera antes de se casar. Além disso, a srta. Wong havia prometido cuidar bem da menina. O pai, assentindo e cuspindo bétele por entre os dentes escurecidos, acrescentara que os *farangs* pagavam bem por meninas novinhas nos bares.

Dim não entendeu o que sua mãe quis dizer com *kwai*, mas não fez perguntas. Sabia, claro, que um *kwai* era um búfalo. Assim como a maioria das pessoas nas fazendas vizinhas, sua família também não tinha recursos para comprar um búfalo, de modo que, quando chegava a época em que os campos de arroz precisavam ser arados, alugavam um dos animais na região. Somente mais tarde Dim soube que a menina que acompanhava o búfalo também era chamada de *kwai*, uma vez que seus serviços faziam parte do negócio. Era a tradição. Esperava poder encontrar um fazendeiro antes de estar velha demais.

Um dia, quando Dim tinha 15 anos, o pai a chamou enquanto avançava com dificuldade pela plantação de arroz alagada, o sol às suas costas, o chapéu na mão. Ela não respondeu imediatamente; ergueu-se e olhou fixamente para os cumes verdes ao redor da pequena fazenda, fechou os olhos, ficou ouvindo o som dos jacamins no meio da folhagem e inalou o aroma dos eucaliptos e das seringueiras. Sabia que era sua vez.

No primeiro ano, eram quatro meninas dividindo um quarto e todo o restante entre si: cama, comida e roupas. Este último item era especialmente importante, pois, se não estivessem bem-vestidas, não seriam notadas pelos melhores clientes. Dim aprendeu sozinha a dançar, a sorrir, a perceber quais homens estavam ali apenas para beber e quais queriam sexo. Seu pai havia combinado de antemão com a srta. Wong que o lucro seria enviado para sua casa, de modo que Dim quase não viu a cor do dinheiro nos primeiros anos. Contudo, a srta. Wong ficou satisfeita com a moça e passou, pouco a pouco, a reter uma quantia maior para ela.

A srta. Wong tinha motivos para estar contente. Dim trabalhava duro, e os clientes gastavam com bebida. A cafetina tinha mesmo que estar satisfeita por ela ter continuado lá, porque em algumas ocasiões Dim por pouco não a abandonara. Um japonês quis se casar com ela, mas mudou de ideia quando Dim exigiu dinheiro para a passagem de avião. Um americano, depois de adiar a viagem de volta para casa, levou-a consigo para Phuket e lhe deu de presente um anel de diamante. Ela o penhorou no dia seguinte à partida dele.

Alguns clientes pagavam pouco e, se ela se queixasse, ainda a escorraçavam; outros a denunciavam à srta. Wong, caso ela não aceitasse fazer tudo o que desejavam. Não entendiam que, uma vez que pagavam para Dim se afastar do bar, a srta. Wong já estava com seu dinheiro no bolso e Dim se tornava dona de seu próprio negócio. Seu próprio negócio. Ela pensou no vestido vermelho da vitrine. Sua mãe tinha razão: não era fácil, mas também não era tão ruim assim.

E ela conseguiu manter sempre o sorriso inocente e a gargalhada feliz. Os clientes gostavam disso. Talvez esse houvesse sido o motivo de terem lhe oferecido a vaga que Wang Lee anunciara no *Thai Rath* como GRH, ou Gerente de Relacionamento com Hóspedes. Wang Lee era um chinês de pele escura que administrava um hotel barato na Sukhumvit Road, e os clientes eram principalmente estrangeiros com pedidos especiais, mas nada tão especial que ela não pudesse satisfazê-los. Na verdade, ela gostava mais daquele trabalho do que de ficar horas dançando no bar. Além disso, Wang Lee pagava bem. A única desvantagem era o tempo que demorava para chegar lá saindo de seu apartamento em Banglamphu.

Trânsito desgraçado! De novo estavam metidos em um engarrafamento, e ela disse ao motorista que desceria ali mesmo, ainda que isso significasse ter de atravessar seis pistas para chegar ao hotel, do outro lado da estrada. Ao sair do táxi, o ar a envolveu como uma toalha quente e úmida. Procurou uma brecha no tráfego, a mão tapando a boca, ciente de que esse gesto não fazia a menor diferença, de que não havia como respirar melhor em Bangkok. Pelo menos não sentia o cheiro.

Esgueirou-se por entre os veículos, contornou uma picape cuja caçamba estava apinhada de rapazes que assobiaram para ela e quase perdeu as sandálias de salto por causa de um Toyota desgovernado. Mas chegou ao outro lado.

Wang Lee ergueu o olhar ao vê-la entrar na recepção deserta.

— Noite sem movimento? — perguntou Dim.

Ele assentiu, contrariado. Haviam tido várias assim ao longo do último ano.

— Você já comeu?

— Já — mentiu ela. Ele tinha boas intenções, mas Dim não estava muito a fim do macarrão empapado que Lee costumava preparar no quartinho dos fundos.

— Você vai ter que esperar — disse ele. — O *farang* quis tirar um cochilo antes. Vai ligar quando estiver pronto.

Ela gemeu.

— Você sabe que eu tenho que estar de volta no bar antes da meia-noite, Lee.

Ele deu uma olhada no relógio.

— Espera aí uma hora.

Dim deu de ombros e se sentou. Um ano antes, Lee provavelmente a teria enxotado dali por falar com ele daquele jeito, mas agora precisava de cada centavo que pudesse ganhar. Ela podia ir embora, claro, mas teria sido uma longa viagem perdida. Além disso, devia um favor a Lee; já tinha trabalhado para cafetões piores.

Depois de apagar o terceiro cigarro, Dim lavou a boca com o chá chinês amargo de Lee e se levantou para dar uma olhada na maquiagem no espelho do balcão.

— Vou lá acordar o cara — disse.

— Humm. Está apressadinha?

Ela apanhou a bolsa.

Seus saltos estalaram no cascalho do caminho para carros, por entre os quartos do hotel. O quarto 120 ficava bem nos fundos. Ela não viu nenhum carro do lado de fora, mas a janela estava acesa, de modo que o cliente talvez já tivesse acordado. Uma brisa suave levantou sua saia curta, mas não foi suficiente para refrescá-la. Dim ansiava pelas monções, por chuva. Da mesma forma que, depois de algumas semanas de enchentes, ruas enlameadas e mofo na lavanderia, ansiaria pelos meses sem vento, secos.

Bateu à porta com os nós dos dedos, de leve, já preparando o sorriso tímido que acompanharia a pergunta que estava na ponta da língua: *"Qual é o seu nome?"* Mas nada. Bateu de novo e deu uma olhada no relógio. Talvez conseguisse pechinchar algumas centenas de *baht* no preço do vestido, mesmo na Robinson's. Girou a maçaneta e descobriu, para sua surpresa, que a porta estava destrancada.

O sujeito estava deitado de bruços na cama, e a primeira impressão que Dim teve foi de que ele dormia. Então viu o brilho do cabo de vidro azul da faca despontando no amarelo espalhafatoso do paletó. Difícil dizer qual teria sido o primeiro pensamento dentre todos os que passaram a mil pelo cérebro da moça, mas definitivamente um deles foi o de que, de fato, havia sido uma viagem perdida. Em seguida, ela finalmente recobrou o controle sobre as cordas vocais. O grito, no entanto, foi abafado pelo ressoar estrondoso da buzina de um caminhão desviando de um *tuk-tuk* desatento na Sukhumvit Road.

2

Quarta-feira, 8 de janeiro

"Teatro Nacional", anunciou a voz sonolenta e nasalada nos alto-falantes antes de as portas do bonde se abrirem e Dagfinn Torhus sair para a escuridão fria e úmida. O ar pinicava seu rosto recém-barbeado, e, no halo das luzes neons de Oslo, ele podia ver sua respiração gélida saindo pela boca.

Era início de janeiro, e ele sabia que o clima melhoraria à medida que o inverno avançasse. Os fiordes congelariam, e o ar se tornaria mais seco. Pôs-se a caminhar pela Drammensveien em direção ao Ministério das Relações Exteriores. Alguns táxis solitários cruzaram seu caminho; fora isso, as ruas estavam praticamente desertas. No topo do prédio em frente, os números vermelhos do relógio do edifício Gjensidig reluziam contra o céu negro do inverno, informando que ainda eram seis da manhã.

Ao chegar à porta, sacou o crachá. "Cargo: Diretor" estava escrito acima de um Dagfinn Torhus dez anos mais novo. Na foto, ele olhava direto para a câmera, queixo proeminente, olhar determinado por trás dos óculos de armação de aço. Passou o crachá, digitou a senha e empurrou a pesada porta de vidro do Victoria Terrasse.

Nem todas as portas tinham se aberto com aquela facilidade desde que chegara ali trinta anos antes, quando tinha 25. Na Escola de Diplomacia, instituto mantido pelo Ministério das Relações Exteriores para os aspirantes à carreira diplomática, não se entrosara muito bem com os outros alunos por causa de seu forte sotaque de Østerdal e de seu jeito provinciano, como dissera um de seus colegas grã-finos de Bærum no primeiro ano. Os demais, filhos de acadêmicos, políticos ou integrantes da nata das Relações Exteriores, na qual agora pretendiam ingressar, tinham estudado política, economia e direito. Filho de fazendeiro, Torhus se formara na Escola de Agronomia em Ås. Não que se incomodasse muito com isso, mas sabia que boas amizades eram algo importante para a carreira. Como ainda precisava aprender os códigos de sociabilidade, Torhus se esforçou ainda mais. Apesar das diferenças, todos ali tinham em comum o fato de possuírem apenas vagas noções de seus objetivos na vida e a certeza de que só um caminho importava: o que levava à ascensão.

Torhus suspirou e assentiu para o segurança, que, pela abertura na parte de baixo do guichê de vidro, passou-lhe os jornais e um envelope.

— Mais alguma...?

O guarda balançou a cabeça.

— Sempre o primeiro a chegar, Torhus. O envelope é do Departamento de Comunicações. Foi entregue ontem à noite.

Torhus observou os números dos andares piscarem um após o outro conforme o elevador subia. Tinha essa ideia de que cada andar representava certo período de sua carreira e por isso, toda manhã, acabava fazendo uma retrospectiva.

No primeiro andar, via os dois primeiros anos do curso de diplomacia, as longas e descompromissadas discussões sobre política e história e as aulas de francês nas quais havia se empenhado muito.

O segundo andar representava o período probatório. Fora alocado em Canberra por dois anos, depois na Cidade do México por mais três. Cidades maravilhosas, por sinal; não, não podia reclamar. Certo, tinha colocado Londres e Nova York como suas duas primeiras opções, mas esses eram locais que todo mundo também havia pleiteado, de modo que tinha se preparado mentalmente para não considerar uma derrota caso não fosse designado para uma das duas cidades.

No terceiro andar, estava de volta à Noruega, sem os benefícios generosos dos postos no exterior nem o auxílio-moradia que lhe permitiram viver uma vida despreocupada e farta. Conheceu Berit, ela ficou grávida e, quando chegou a hora de se candidatar a um novo posto no exterior, o segundo bebê já estava a caminho. Berit era da mesma região que ele e todos os dias ligava para a mãe. Torhus decidiu esperar um pouco mais, optando por trabalhar como um mouro em relatórios quilométricos sobre comércio bilateral com países em desenvolvimento e em discursos para o ministro das Relações Exteriores. Enquanto isso, ganhava reconhecimento a caminho dos andares superiores do prédio. Em nenhum outro setor da burocracia governamental a concorrência é tão feroz quanto no Ministério das Relações Exteriores, onde é muito óbvia a noção de hierarquia. Dagfinn Torhus começou a trabalhar lá como um soldado no front: manteve a cabeça baixa, a retaguarda protegida e, quando teve alguém na mira, atirou todas as vezes. Pelo caminho ganhou tapinhas nas costas e, como sabia que estava começando a ser "notado", tentou explicar a Berit que provavelmente poderia conseguir um posto em Paris ou Londres. Porém, pela primeira vez em um casamento até então monótono, ela bateu o pé. Ele acabou cedendo.

A possibilidade de ascender na carreira desapareceu quase sem deixar vestígios, e de repente ele se deparou, certa manhã, no espelho do banheiro, com um diretor jogado a escanteio, um burocrata de influência moderada que jamais conseguiria dar o salto necessário para chegar ao quinto andar, não com quase dez anos para se aposentar. A não ser que tirasse da manga uma cartada sensacional, claro. Mas era o tipo de jogada que, ao mesmo tempo que podia levá-lo a uma promoção, facilmente podia também deixá-lo no olho da rua.

Torhus continuou a fazer o de sempre: tentar se manter um passo à frente dos outros. Era o primeiro a chegar ao escritório todas as manhãs, de modo a poder ler na paz e no silêncio os jornais e os faxes, e, quando os demais assumiam seus lugares à mesa, esfregando os olhos de sono, ele já tinha em mente o que dizer nas reuniões matinais. Era como se a ambição fizesse parte do seu sangue.

Destrancou a porta de sua sala e hesitou um momento antes de acender a luz. Também havia uma história por trás disso, a qual infelizmente tinha vazado e, conforme ele sabia, tornou-se lenda nos círculos do Ministério. Muitos anos antes, o então embaixador americano em Oslo ligou para Torhus, bem cedo certa manhã, e perguntou o que ele achou das declarações do presidente Carter na noite anterior. Torhus tinha acabado de entrar pela porta da sala; não havia lido os jornais nem os faxes, e isso o impediu de responder à pergunta. O incidente arruinou seu dia, é claro. E a coisa ficou ainda pior: na manhã seguinte, o embaixador ligou quando ele abria o jornal, perguntando sobre como os acontecimentos da noite afetariam a situação no Oriente Médio. Na manhã do outro dia, tudo de novo. Torhus, assaltado por dúvidas e sem muita informação, gaguejou alguma resposta incoerente.

Passou a chegar ao escritório ainda mais cedo, mas o embaixador parecia ter um sexto sentido, pois a cada manhã o telefone tocava no exato momento em que Torhus se acomodava na cadeira.

Foi só quando descobriu que o embaixador se hospedava no pequeno Aker Hotel, bem em frente ao Ministério das Relações Exteriores, que Torhus conseguiu ligar os pontos. O embaixador, que, conforme era de conhecimento geral, gostava de acordar cedo, naturalmente havia percebido que a luz no escritório de Torhus era a primeira a ser acesa e resolvera pregar uma peça no zeloso diplomata. Em resposta, ele comprou uma luminária e, na manhã seguinte, leu todos os jornais e faxes antes de acender a luz da sala. Teve de fazer isso por quase três semanas antes que o embaixador desistisse da brincadeira.

Naquele momento, porém, Dagfinn Torhus não dava a mínima para o embaixador fanfarrão. Tinha aberto o envelope do Departamento de Comunicações e, na cópia do fax criptografado em que se via o carimbo de ULTRASSECRETO, leu uma mensagem que o fez derramar café em cima das anotações espalhadas sobre a mesa. O texto era sucinto e deixava muita margem à imaginação, mas em essência dizia basicamente que o embaixador da Noruega na Tailândia, Atle Molnes, havia sido encontrado com uma faca cravada nas costas em um hotel de reputação duvidosa em Bangkok.

Torhus leu o fax mais uma vez antes de devolvê-lo à mesa.

Atle Molnes, democrata-cristão, ex-político, ex-presidente do Comitê de Finanças, agora passava a ser um ex-tudo. Aquilo era tão inacreditável que ele se obrigou a olhar na direção do Aker Hotel, para ver se não havia ninguém lá, espiando por atrás das cortinas. O remetente da mensagem, como seria de esperar, era a Embaixada da Noruega em Bangkok. Torhus praguejou. Por que isso tinha de acontecer justo agora, e justo em Bangkok? Deveria informar primeiro o secretário de Estado, Askildsen? Não; ele não demoraria a saber. Torhus deu uma olhada no relógio e tirou o telefone do gancho para ligar para o ministro das Relações Exteriores.

Bjarne Møller bateu de leve na porta e a abriu. As vozes se aquietaram na sala de reuniões, e os rostos se voltaram para ele.

— Este é Bjarne Møller, chefe da Divisão de Homicídios — disse a comissária de polícia, indicando com um gesto que o recém-chegado se sentasse. — Møller, apresento a você o secretário de Estado, Bjørn

Askildsen, do gabinete do primeiro-ministro, e o diretor de RH do Ministério das Relações Exteriores, Dagfinn Torhus.

Møller os cumprimentou com um movimento de cabeça, puxou uma cadeira e tentou acomodar as pernas incrivelmente compridas debaixo da grande mesa oval de carvalho. Tinha a impressão de já ter visto o rosto jovem e delicado de Askildsen na televisão. Do gabinete do primeiro-ministro? Devia ser coisa séria.

— Que bom que você conseguiu vir, mesmo tendo sido avisado tão em cima da hora — disse o secretário de Estado, tamborilando os dedos na mesa nervosamente. — Comissária, poderia fazer um breve resumo do que estávamos discutindo?

Vinte minutos antes, Møller tinha recebido um telefonema da comissária de polícia. Sem maiores explicações, ela lhe dera quinze minutos para ir até o edifício do Ministério das Relações Exteriores.

— Atle Molnes foi encontrado morto em Bangkok, provavelmente assassinado — começou a comissária.

Møller percebeu o diretor Torhus revirar os olhos por trás dos óculos de armação de aço e, após tomar conhecimento do resto da história, entendeu a reação dele. Definitivamente só uma policial afirmaria que um sujeito encontrado com uma faca nas costas, que atravessou a coluna vertebral até o pulmão e o coração, "provavelmente" tinha sido assassinado.

— Ele foi encontrado por uma mulher em um quarto de hotel...

— Em um bordel, digamos assim — interrompeu o homem dos óculos de armação de aço. — Por uma prostituta.

— Tive uma conversa com um colega em Bangkok — retomou a comissária de polícia. — Sujeito bastante sensato. Ele prometeu abafar o caso por algum tempo.

O primeiro instinto de Møller foi perguntar por que esperar para tornar público o assassinato. Uma cobertura imediata da imprensa muitas vezes levava a polícia a testemunhas com lembranças nítidas e evidências ainda recentes. Mas algo lhe dizia que a pergunta seria considerada muito ingênua. No lugar dessa, fez outra: por quanto tempo esperavam poder manter aquilo abafado?

— Tempo suficiente para que a gente possa chegar a uma versão palatável dos fatos, espero — respondeu o secretário de Estado. — A que temos no momento não serve, como você pode ver.

A que temos no momento? Então a versão que correspondia à realidade havia sido avaliada e rejeitada. Por ser relativamente novo no cargo, até aquele momento Møller havia escapado de ter de lidar com políticos, mas sabia que, quanto maior a posição que assumiam na hierarquia, mais difícil era mantê-los a distância.

— Entendo que a versão que temos cria uma situação desconfortável, mas o que você quer dizer quando afirma que ela "não serve"?

A comissária de polícia lançou um olhar de repreensão para Møller. O secretário de Estado, por sua vez, não pareceu se abalar.

— Não estamos com muito tempo, Møller, mas deixa eu dar a você umas lições rápidas sobre política. Tudo o que vou dizer aqui é estritamente confidencial, claro. — Askildsen ajeitou instintivamente o nó da gravata, um gesto que Møller reconheceu de suas entrevistas na televisão. — Bom, pela primeira vez na história do pós-guerra, temos um partido de centro com chances razoáveis de sobrevivência. Não porque conta com apoio parlamentar para isso, mas porque tem um primeiro-ministro que, por acaso, está aos poucos se tornando um dos políticos mais populares do país.

A comissária e o diretor do Ministério das Relações Exteriores sorriram.

— Essa popularidade, porém, repousa na mesma base frágil que é fundamental para qualquer político: confiança. O mais importante não é ser simpático ou carismático, mas inspirar confiança. Sabe por que Gro Harlem Brundtland foi uma primeira-ministra tão popular, Møller?

Møller não fazia ideia.

— Não foi pelo seu charme, mas porque as pessoas acreditavam que ela era a pessoa que dizia ser. Confiança: eis a palavra-chave.

Os demais em torno da mesa assentiram. Aquilo claramente era um pré-requisito para participar daquela reunião.

— Ora, o embaixador Molnes e nosso atual primeiro-ministro eram bem próximos; não apenas eram amigos, mas tinham uma carreira política bem semelhante. Estudaram juntos, ascenderam juntos na hierarquia do partido, lutaram pela modernização do movimento jovem e até dividiram um apartamento quando, ainda bem jovens, foram eleitos para o Parlamento. Molnes voluntariamente abriu mão do protagonismo quando os dois, sempre juntos, se viram na condição de prováveis herdeiros da liderança do partido. O amigo ofereceu apoio total ao primeiro-ministro, o que evitou um duelo incômodo dentro do partido. Tudo isso quer dizer, obviamente, que o primeiro-ministro tem uma enorme dívida de gratidão com Molnes.

Askildsen umedeceu os lábios e olhou pela janela.

— Em outras palavras, o embaixador Molnes não era um diplomata de formação e jamais teria ido parar em Bangkok se não fosse o primeiro-ministro mexendo os pauzinhos. Talvez soe como nepotismo, mas um nepotismo aceitável, introduzido e praticado com frequência pelo Partido Socialista. Reiulf Steen não tinha nenhuma experiência como diplomata quando foi nomeado embaixador no Chile.

O olhar do secretário de Estado voltou a se concentrar em Møller com um brilho travesso.

— Tenho certeza de que nem preciso dizer o quanto a confiança das pessoas no primeiro-ministro pode ser abalada se vier a público que um amigo e correligionário, pessoalmente nomeado por ele, foi flagrado em um hotel barato. E assassinado lá, ainda por cima.

O secretário fez sinal para a comissária de polícia prosseguir, mas Møller não se conteve.

— Quem não tem um amigo que já foi a um bordel?

O sorriso de Askildsen esmoreceu.

O diretor do Ministério das Relações Exteriores com os óculos de armação de aço tossiu.

— Já dissemos tudo o que você precisa saber, Møller. Por favor, deixe as decisões por nossa conta. Precisamos de alguém que nos assegure que essa investigação não acabe tomando... um rumo infeliz. Naturalmente todos queremos a captura do assassino ou assassinos, mas as circunstâncias do crime devem permanecer sob sigilo até segunda ordem. Pelo bem do país. Entendeu?

Møller baixou os olhos, fitando as próprias mãos. Pelo bem do país. Cacete. Ele vinha de uma família em que as pessoas não eram boas em cumprir ordens. Seu pai nunca conseguiu subir na hierarquia policial.

— A experiência nos ensina que é difícil ocultar a verdade, *herr* Torhus.

— De fato. Vou assumir a responsabilidade por essa operação no que diz respeito ao Ministério das Relações Exteriores. Como você pode ver, a questão é muito delicada e exigirá estreita cooperação com a polícia tailandesa. Como a embaixada está envolvida, temos certo espaço para manobra, imunidade diplomática e tudo o mais, mas estamos andando na corda bamba. Gostaríamos, portanto, de que o enviado à Tailândia fosse alguém com talentos investigativos excepcionais e experiência em cooperação internacional entre polícias; alguém capaz de nos dar resultados.

Torhus parou e encarou Møller, que estava se perguntando por que sentia aquela instintiva má vontade em relação ao diplomata de queixo proeminente.

— A gente podia montar uma equipe com...
— Nada de equipe, Møller. Dá muito na vista. Além disso, a comissária acha que dificilmente uma divisão inteira teria boas relações com a polícia local. Um homem.
— Um homem?
— A comissária já sugeriu um nome, que consideramos uma boa indicação. Agora gostaríamos de ouvir sua opinião sobre ele. Segundo o que a comissária apurou em uma conversa com um colega em Sydney, o homem em questão fez um trabalho notável no inverno passado, no caso do assassinato de Inger Holter.
— Li a história nos jornais — comentou Askildsen. — Impressionante. Certamente ele é o nosso homem.

Bjarne Møller engoliu em seco. Quer dizer que a comissária de polícia havia sugerido mandar Harry Hole para Bangkok? Agora ficava claro o motivo de ele ter sido convocado para a reunião: deveria assegurá-los de que Hole era o melhor que tinham a oferecer, o homem perfeito para a empreitada.

O olhar de Møller percorreu a mesa. Política, poder e influência. Aquele era um jogo que ele não sabia nem por onde começar a entender, mas percebeu que, de um jeito ou de outro, aquela dinâmica funcionaria a seu favor, que o que quer que dissesse ali traria consequências para sua carreira. A comissária de polícia havia assumido o risco de sugerir um nome. Provavelmente um daqueles homens havia solicitado que as qualificações de Hole fossem endossadas por seu superior imediato. Møller olhou para a chefe, tentando decifrar sua expressão. Claro, Hole podia se sair bem. E, caso Møller desaconselhasse enviá-lo na missão, a comissária não ficaria mal na foto? Pediriam que sugerisse uma alternativa, e aí a cabeça *dele* é que seria posta a prêmio caso o indicado pusesse tudo a perder.

Møller fitou o quadro acima da comissária de polícia: Trygve Lie, o secretário-geral da ONU, o encarava imperiosamente. Ele também era um político. Pelas janelas, Møller viu os telhados dos prédios de apartamentos à meia-luz do inverno, a Fortaleza de Akershus e, no topo do Hotel Continental, um cata-vento agitando-se com as lufadas de vento congelante.

Bjarne Møller tinha consciência de que era um policial competente, mas o jogo ali era outro, um jogo cujas regras ele não conhecia. Que conselho teria dado seu pai naquela situação? Ora, ainda que o velho Møller nunca tivesse precisado lidar com política, sempre soubera o que um sujeito precisava fazer caso quisesse ser levado a sério; portanto, proibira o filho de ingressar na Academia de Polícia antes de ter completado a primeira parte do curso de direito. Ele seguira as instruções do pai, que, ao sair da cerimônia de formatura, tomado pela emoção, pigarreava sem parar enquanto estapeava as costas do filho, até que o rapaz precisasse lhe pedir que parasse com aquilo.

— É uma excelente sugestão — Bjarne Møller ouviu-se dizer em alto e bom som.

— Ótimo — falou Torhus. — A razão pela qual queríamos uma opinião tão prontamente é, claro, a urgência da situação. Ele vai ter que largar tudo que estiver fazendo; viajará amanhã mesmo.

Bom, talvez esse seja exatamente o tipo de trabalho de que Harry precisa nesse momento, pensou Møller.

— Aceite nossas desculpas por sermos obrigados a privá-lo de um homem tão importante — disse Askildsen.

Bjarne Møller, chefe da Divisão de Homicídios, precisou se conter para não cair na gargalhada.

3

Quarta-feira, 8 de janeiro

Foram encontrá-lo no Schrøder's da Waldemar Thranes Gate, um antigo e respeitável restaurante localizado entre as zonas leste e oeste de Oslo. O lugar era mais antigo do que respeitável, para falar a verdade. O aspecto respeitável se devia em grande parte à decisão das autoridades de tombar aquele salão marrom enfumaçado. Mas isso não incluía a clientela: velhos bebuns — um bando perseguido e ameaçado de extinção —, eternos estudantes e sedutores decadentes, que já tinham passado de seu prazo de validade.

Assim que a corrente de ar que soprou porta adentro permitiu-lhes um rápido vislumbre em meio à cortina de fumaça, os dois policiais avistaram o homem que procuravam sentado a uma mesa sob um retrato da Igreja Aker. O cabelo loiro era espetado de tão curto, e a barba de três dias no rosto afilado e marcado já nascia grisalha, embora o sujeito dificilmente aparentasse ter mais de 35 anos. Estava sozinho, a postura ereta, trajando seu casaco de abotoamento duplo como se estivesse prestes a ir embora a qualquer momento. Como se a cerveja que estava diante dele em cima da mesa não fosse uma fonte de prazer, mas uma tarefa que precisava cumprir.

— Disseram que a gente encontraria você aqui — falou o policial mais velho, sentando-se diante dele. — Meu nome é Waaler.

— Está vendo o sujeito sentado ali no canto? — perguntou Harry, sem erguer a vista.

Waaler se virou e viu um velho magricela com o olhar fixo em um copo de vinho tinto, oscilando para a frente e para trás. Parecia estar congelando de frio.

— Chamam ele de o último dos moicanos.

Harry levantou a cabeça e sorriu. Seus olhos, que lembravam bolas de gude azuis e brancas por trás de um emaranhado de veias vermelhas, se concentraram na camisa de Waaler.

— Marinha mercante — falou, a dicção meticulosa. — Parece que era comum ter uma porção deles por aqui há alguns anos, mas agora não sobrou quase nenhum. O velho sobreviveu a dois bombardeios na guerra. Acha que é imortal. Semana passada, depois que o restaurante fechou, topei com ele dormindo em um monte de neve na Glückstadsgata. As ruas estavam vazias, a noite, escura como breu, e fazia dezoito graus negativos. Quando dei umas sacudidas nele, tentando reanimar o sujeito, ele simplesmente olhou pra mim e me mandou ir pro inferno.

Harry riu.

— Olha só, Hole...

— Fui até a mesa dele ontem à noite e perguntei se lembrava do que tinha acontecido, que eu tinha evitado que ele morresse congelado. Sabe o que ele disse?

— Møller quer ver você, Hole.

— O sujeito disse que era imortal. "Posso engolir o fato de ser um marinheiro mercante que as pessoas querem ver pelas costas neste país de merda", ele falou. "Mas é de dar pena quando nem São Pedro quer olhar pra minha cara." Ouviram essa? "Nem São Pedro."

— Temos ordens para conduzi-lo à delegacia.

Outra cerveja surgiu com um baque à frente de Hole.

— Pode trazer a conta, Rita — pediu ele.

— Deu 280 — respondeu a moça, sem precisar verificar seus papéis.

— Meu Deus — resmungou o policial mais jovem.

— Pode ficar com o troco, Rita.

— Ah, obrigada. — A moça se retirou.

— Melhor atendimento da cidade — explicou Harry. — Às vezes ela percebe que a gente está chamando sem nem precisarmos levantar o braço.

Waaler franziu a testa, fazendo saltar uma veia que mais parecia uma minhoca azul.

— Não estamos com tempo pra sentar aqui e ficar ouvindo suas divagações de bêbado, Hole. Sugiro que você deixe essa última cerveja aí e...

Harry já tinha levado cuidadosamente o copo aos lábios e começado a beber.

Waaler se inclinou para a frente, tentando manter a voz baixa.

— Eu já ouvi falar de você, Hole. E não gostei do que ouvi. Acho que já devia ter sido expulso da corporação há anos. Caras como você fazem com que as pessoas percam o respeito pela polícia. Mas não é pra isso que viemos aqui. Viemos pra levá-lo com a gente. O chefe da Divisão de Homicídios é um cara legal. Talvez dê outra chance a você.

Hole soltou um arroto, e Waaler recuou.

— Outra chance de quê?

— De mostrar do que você é capaz — disse o policial mais jovem com um sorriso pueril.

— Vou mostrar a você do que sou capaz. — Hole sorriu e inclinou a cabeça para trás, levando o copo de novo à boca.

— Para com isso, Hole! — As bochechas de Waaler ficaram vermelhas enquanto ele observava o sobe e desce do pomo de adão sob o queixo não barbeado.

— Satisfeito? — perguntou Hole, pousando o copo vazio à sua frente.

— Nosso trabalho aqui...

— Estou me lixando pro trabalho de vocês. — Hole abotoou a jaqueta. — Se Møller quiser alguma coisa comigo, ele que me ligue ou espere eu chegar ao trabalho amanhã. Agora estou indo pra casa e não quero ver a cara de vocês pelas próximas doze horas. Senhores...

— Harry ergueu seu corpo de um metro e noventa e dois de altura.

— Seu babaca arrogante — praguejou Waaler, balançando-se na cadeira. — Perdedor do cacete. Se aqueles jornalistas que escreveram sobre você depois do caso da Austrália soubessem que você não tem colhões para...

— Colhões pra que, Waaler? — Hole continuava sorrindo. — Pra prender rapazes de 16 anos bêbados porque usam cabelo moicano?

O policial mais novo olhou para Waaler. No ano anterior, ele ouvira boatos na Academia de Polícia de que alguns jovens punks haviam sido presos por beber cerveja em público e tinham apanhado na cadeia com laranjas enroladas em toalhas úmidas.

— Você nunca entendeu nada de *esprit de corps*, Hole — retomou Waaler. — Só pensa em si mesmo. Todo mundo sabe quem estava dirigindo a viatura em Vinderen e como um bom oficial arrebentou o crânio no poste de uma cerca. Aquilo aconteceu porque você é um bêbado, Hole, e estava bêbado ao volante daquele carro. Você devia estar feliz da vida pelos chefes terem resolvido varrer tudo pra debaixo do tapete. Se não tivessem que se preocupar com a família da vítima e a reputação da corporação...

O policial mais jovem que acompanhava Waaler aprendia alguma coisa nova todos os dias. Naquela tarde, por exemplo, aprendeu que era uma ideia bastante idiota ficar se balançando em uma cadeira enquanto insultava alguém, pois você estaria bastante indefeso caso a pessoa insultada resolvesse acertar um soco bem na sua cara. Como as quedas de clientes eram frequentes no Schrøder's, não houve mais do que alguns segundos de silêncio antes do burburinho das conversas ser retomado.

Enquanto ajudava Waaler a se levantar do chão, o policial mais jovem viu de relance a jaqueta de Hole desaparecendo porta afora.

— Uau, nada mau pra quem bebeu oito cervejas, hein? — disse, calando-se assim que viu a expressão no rosto de Waaler.

Harry caminhava distraído pela calçada coberta de neve da Dovregata. Os nós dos dedos não doíam; a dor ou o arrependimento viriam na manhã do dia seguinte.

Ele não bebia em horário de trabalho. Já havia feito isso antes, e, segundo o Dr. Aune, cada recaída começava onde a anterior havia terminado.

O médico, uma espécie de clone rechonchudo e grisalho de Peter Ustinov, tinha rido tanto que seu queixo duplo chegara a tremer ao ouvir a explicação de Harry de que estava mantendo distância de seu velho inimigo uísque e ficando só na cerveja. Porque não gostava muito de cerveja.

— Você já ficou na pior e, quando abrir a garrafa, vai ficar na pior de novo. Não tem meio-termo na abstinência, Harry.

Bom. Com algum esforço estava conseguindo chegar em casa com as próprias pernas, além de, em geral, ser capaz de tirar a roupa sozinho e comparecer ao trabalho no dia seguinte. Nem sempre tinha sido assim. Harry chamava aquilo de meia abstinência. Precisava de uns bons goles para cair na cama e dormir, e só.

Uma mulher com o rosto encoberto por um chapéu felpudo preto passou por ele e o cumprimentou. Era alguém que ele conhecia? Naquele último ano tinha recebido cumprimentos similares de um monte de gente, especialmente após a entrevista na tevê em que Anne Grosvold lhe perguntara qual era a sensação de atirar em um assassino em série.

— Bom, melhor que a de sentar aqui pra responder perguntas como essa — respondera ele com um sorriso contrariado. A frase se transformara no hit do momento, a mais repetida, ao lado da declaração de um político que, ao defender uma medida na área agrícola, dissera: "Ovelhas são animais legais."

Harry enfiou a chave na fechadura de seu apartamento na Sofies Gate. Não sabia exatamente por que tinha se mudado para Bislett. Talvez porque seus vizinhos em Tøyen tivessem passado a olhar esquisito para ele, mantendo distância, o que de início Harry interpretara como sinal de respeito.

Tudo bem, no novo prédio os vizinhos o deixavam em paz, embora sempre aparecessem no corredor para verificar se estava tudo bem nas raras ocasiões em que ele escorregava em um degrau e rolava escada abaixo até o patamar.

Essas quedas tinham começado somente em outubro, depois de ele ter chegado a um beco sem saída no caso de sua irmã. Naquele momento, Harry perdera o fôlego e voltara a ter pesadelos. E só conhecia um jeito de se manter a salvo deles.

Tentara se recuperar levando a irmã para a cabana em Rauland, mas ela continuava muito retraída desde o estupro e já não tinha o riso solto de outrora. Ele ligara então para seu pai algumas vezes, mas as conversas não tinham sido muito longas, durando apenas o suficiente para indicar que o velho queria ser deixado em paz.

Harry fechou a porta do apartamento, gritou avisando que tinha chegado em casa e assentiu com satisfação ao não ouvir qualquer resposta. Há monstros de todas as formas e tamanhos, mas se, ao chegar em casa, eles não estivessem à sua espreita na cozinha, Harry teria alguma chance de uma noite de sono tranquila.

4

Quinta-feira, 9 de janeiro

O vento frio bateu tão de repente que, ao sair de casa, Harry se sentiu sufocado. Olhou para o céu avermelhado por entre as casas e abriu a boca para diminuir o gosto de bile e Colgate.

Em Holbergs Plass, pegou o bonde que descia chacoalhando pela Welhavensgate. Conseguiu um lugar para sentar e abriu o *Aftenposten*. Mais um caso de pedofilia. Três nos últimos meses, todos envolvendo noruegueses pegos em flagrante na Tailândia.

O editorial lembrava os leitores da promessa de campanha do primeiro-ministro de que reforçaria as investigações de crimes sexuais, inclusive daqueles que envolviam noruegueses no exterior, e exigia que o governo se pronunciasse sobre quando mostraria resultados à população.

O secretário de Estado, Bjørn Askildsen, do gabinete do primeiro-ministro, comentava o trabalho conjunto com o governo tailandês para aprimorar as investigações.

"É urgente!", dizia o editorial do *Aftenposten*. "O público espera que medidas sejam tomadas. Não é certo um ministro cristão permitir que esse ultraje siga impune."

— Entre!

Harry abriu a porta e olhou direto para a boca aberta de Bjarne Møller, que bocejava. Møller estava recostado na cadeira, as pernas compridas despontando por debaixo da mesa.

— Aí está você. Fiquei esperando por você ontem, Harry.

— Fiquei sabendo. — Harry se sentou. — Não trabalho quando estou bêbado. Nem bebo quando estou trabalhando. É meio que uma questão de princípios pra mim.

A intenção era soar irônico.

— Policial é policial vinte e quatro horas por dia, Harry, sóbrio ou não. Precisei convencer Waaler a não dar queixa, sabe.

Harry deu de ombros para indicar que já dissera tudo o que tinha a dizer sobre o assunto.

— Tudo bem, Harry, não vamos discutir isso agora. Tenho um trabalho pra você. Um trabalho que você não merece, na minha opinião, mas que eu vou passar pra você mesmo assim.

— Você ficaria feliz se eu dissesse que não quero pegar esse trabalho?

— Não venha dar uma de Philip Marlowe, Harry. Não combina com você — respondeu Møller, brusco. Harry sorriu. Sabia que o chefe gostava dele. — Ainda nem falei do que se trata.

— A julgar pelo fato de que você mandou um carro pra me buscar em horário de folga, não deve ser pra me botar de guarda de trânsito.

— Exato. Então por que você não me deixa terminar de falar?

Harry deu uma risada breve e pouco entusiasmada e se inclinou para a frente na cadeira.

— Posso falar o que penso, chefe?

E você pensa?, Møller quase perguntou, mas se limitou a assentir.

— Não sou o cara mais indicado pra missões importantes agora — prosseguiu Harry. — Acho que você tem visto como estão as coisas. Ou como *não* estão. Faço meu trabalho, cumpro a rotina, tento não atrapalhar ninguém e bato o ponto sóbrio na entrada e na saída. Eu passaria esse trabalho pra um dos outros rapazes, se fosse você.

Møller suspirou, recolheu as pernas com esforço e ficou de pé.

— Posso falar o que *eu* penso, Harry? Se a decisão fosse minha, outra pessoa pegaria a missão. Mas eles querem você. De modo que seria um grande favor pra mim, Harry...

Harry ergueu os olhos, desconfiado. Bjarne Møller tinha livrado sua cara muitas vezes: sabia que era apenas questão de tempo até que tivesse que começar a pagar a dívida.

— Peraí! *Eles*, quem?

— Gente do alto escalão. Gente capaz de transformar minha vida em um inferno, caso não consiga o que quer.

— E o que eu ganho pegando o trabalho?

Møller franziu o cenho, mas sempre tivera dificuldades em assumir uma expressão severa em seu rosto amistoso e jovial.

— O que *você* ganha? Seu salário. Enquanto estiver realizando a tarefa. Pelo amor de Deus, o que *você* ganha!

— Ah, saquei a parada agora, chefe. Aquela gente do alto escalão acha que o detetive que resolveu o caso de Sydney no ano passado deve ser um cara sensacional, e sua tarefa é fazê-lo andar na linha. Estou enganado?

— Harry, por favor, não force a barra.

— Não, não estou enganado. Tampouco me enganei ontem, quando vi a cara do Waaler. Passei a noite pensando nessa situação, e eis a minha sugestão: vou ser um bom menino, vou assumir o trabalho, e, quando eu terminar, você vai me ceder dois investigadores em tempo integral durante dois meses e acesso total a todos os nossos bancos de dados.

— Do que você está falando?

— Você sabe do que eu estou falando.

— Se tem a ver com o estupro da sua irmã, sinto muito, mas vou ter que dizer não, Harry. O caso foi encerrado, lembra?

— Lembro, chefe. Eu me lembro muito bem do relatório que dizia que, como ela tem síndrome de Down, havia a possibilidade de ter inventado o estupro pra esconder o fato de que estaria grávida em decorrência de uma relação casual. É, de fato, lembro sim.

— Não havia nada de concreto...

— Minha irmã não estava escondendo nada. Meu Deus, eu fui até o apartamento dela em Sogn e encontrei, no cesto de roupa suja do banheiro, o sutiã encharcado de sangue. O sujeito ameaçou arrancar os mamilos dela. Minha irmã ficou apavorada. Acha que todo mundo é igual a ela, e, quando um cara de terno a convidou para almoçar e perguntou se não gostaria de ver um filme no quarto de hotel dele, ela simplesmente pensou que ele estava sendo gentil. E, mesmo que ela se lembrasse do número do quarto, o lugar já teria sido aspirado e limpo, e a roupa de cama trocada mais de vinte vezes depois de ela ter sido estuprada ali. Não haveria mesmo nada muito concreto como prova.

— Ninguém se lembra de ter visto um lençol com manchas de sangue...

— Já trabalhei em hotel, Møller. Você ficaria surpreso com a quantidade de lençóis manchados de sangue que se troca em um intervalo de algumas semanas. Porra, as pessoas sangram o tempo inteiro!

Møller balançou a cabeça, decidido.

— Desculpe, você já teve sua chance de provar isso, Harry.

— Não foi suficiente, chefe. Não foi suficiente.

— Nunca é suficiente. Mas uma hora o caso precisa ser encerrado. Com os recursos que temos...

— Certo, me dê carta branca. Por um mês.

Møller de repente levantou a cabeça, um olho fechado. Harry viu que tinha conseguido convencê-lo.

— Seu filho da mãe. Você queria pegar o serviço o tempo todo, né? Mas antes precisava barganhar um pouco.

Harry fez um beicinho e balançou a cabeça negativamente. Møller olhou pela janela e soltou um suspiro.

— Tudo bem, Harry, vou ver o que posso fazer. Mas, se você pisar na bola, vou ser obrigado a tomar algumas decisões que, segundo algumas pessoas na corporação, já deveriam ter sido tomadas há muito tempo. E você sabe o que isso quer dizer, não sabe?

— Levar um pé na bunda, chefe. — Harry sorriu. — Qual é o trabalho?

— Espero que seu terno de verão esteja limpo e que você se lembre de onde colocou seu passaporte. Seu avião parte daqui a doze horas para bem longe daqui.

— Quanto mais longe, melhor.

Harry estava sentado em uma cadeira junto à porta, no intransitável apartamento da irmã em Sogn. Ela estava sentada perto da janela, observando os flocos de neve que caíam à luz do poste da rua, lá embaixo. Fungou algumas vezes. Como estava de costas, Harry não podia ver se era por causa de um resfriado ou porque ele ia viajar. Fazia dois anos que ela morava no abrigo e, diante das circunstâncias, vinha conseguindo administrar sua vida razoavelmente bem. Depois do estupro e do aborto, Harry tinha levado algumas roupas e uma nécessaire com alguns itens pessoais e se mudara para o apartamento no abrigo, mas não havia demorado muito para sua irmã dar um basta na situação. Ela já era adulta agora.

— Logo estarei de volta.

— Quando?

Estava tão próxima da janela que sua respiração se condensava e desenhava uma rosa no vidro sempre que ela falava.

Harry foi se sentar atrás da irmã e pousou uma das mãos nas costas dela. Pelo leve tremor que sentiu ao toque, ele pôde ver que ela estava prestes a cair no choro.

— Volto assim que pegar os bandidos.

— Você está indo atrás do...?

— Não, não dele. Vou pegá-lo depois. Você já falou com o papai hoje?

Ela fez que não com a cabeça. Harry soltou um suspiro.

— Se ele não ligar, quero que você ligue pra ele. Pode fazer isso por mim?

— O papai nunca fala nada — sussurrou ela.

— Ele está triste porque a mamãe morreu.

— Mas já faz tanto tempo.

— É por isso que está na hora de a gente fazer ele voltar a falar, e você precisa me ajudar. Você vai fazer isso? Vai?

Ela se virou sem dizer uma palavra, abraçou o irmão e enterrou a cabeça no pescoço dele.

Ele acariciou o cabelo dela e sentiu a camisa ficando úmida.

A mala estava pronta. Harry tinha ligado para Ståle Aune para contar que viajaria para Bangkok a trabalho. Aune não tivera muito a dizer em resposta, e Harry tampouco sabia por que havia ligado. Talvez porque fosse bom avisar a alguém que poderia sentir sua falta? Harry descartou a ideia não muito brilhante de telefonar para o pessoal do Schrøder's.

— Tome as injeções de vitamina B que eu dei a você — aconselhara Aune.

— Pra que elas servem?

— Facilitam a vida, caso você pretenda se manter sóbrio. Novos ares, Harry. Pode ser um bom começo, sabe.
— Vou pensar.
— Só pensar não adianta, Harry.
— Eu sei. É por isso que eu não preciso das injeções.

Encostado no muro, um dos rapazes do albergue que ficava mais adiante na rua tremia em sua jaqueta jeans justa e tragava um cigarro, vendo Harry colocar a mala no porta-malas do táxi.
— Dando o fora?
— Ahã.
— Pro sul?
— Bangkok.
— Sozinho?
— Isso aí.
— Nem precisa dizer mais nada.
Ergueu o polegar para Harry e deu uma piscadela.

Harry pegou o bilhete de embarque com a atendente atrás do balcão de check-in e se virou.
— Harry Hole?
O sujeito com óculos de armação de aço fitava-o com um sorriso triste.
— E você é...?
— Dagfinn Torhus, do Ministério das Relações Exteriores. Queríamos desejar boa sorte. E ter certeza de que você entendeu que se trata de um trabalho.... delicado. Afinal de contas, foi tudo tão repentino...
— Agradeço a preocupação. Já entendi que meu trabalho é descobrir um assassino sem fazer muito alarde. Møller me deu instruções quanto a isso.
— Ótimo. Discrição é fundamental. Não confie em ninguém. Nem mesmo em funcionários que se apresentem como estando a serviço do Ministério. Podem ser gente do... bom... do *Dagbladet*, por exemplo.
Torhus abriu a boca, como se esboçasse um sorriso, mas Harry notou que ele falava sério.

— Os repórteres do *Dagbladet* não têm crachá do Ministério, *herr* Torhus. Nem usam paletó em pleno janeiro. A propósito, vi nos relatórios que você é meu contato no Ministério.

Torhus assentiu, então projetou o queixo para a frente e passou a falar baixo:

— Seu avião vai decolar daqui a pouco, por isso não vou detê-lo por mais tempo. Só precisa ouvir o que tenho a dizer.

Tirou as mãos dos bolsos do paletó e as entrelaçou à frente do corpo.

— Qual é a sua idade, Hole? Trinta e três? Trinta e quatro? Você ainda tem uma carreira inteira pela frente. Andei fazendo minhas próprias investigações, como pode ver. Você é talentoso, e tem gente no alto escalão que claramente gosta de você. Que protege você. Isso não precisa mudar enquanto as coisas continuarem indo bem. Mas não é preciso muito para que um dia você caia do cavalo e, fácil, fácil, leve junto seus parceiros. E aí se dá conta de que esses supostos amigos de repente sumiram do mapa. Então tente manter os pés bem firmes no chão, Hole. Para o bem de todos. Ouça o conselho bem-intencionado de um patinador de gelo veterano. — Torhus tinha um sorriso nos lábios, mas seus olhos analisavam Harry atentamente. — Sabe de uma coisa, Hole? Sempre que venho ao Aeroporto de Fornebu, tenho essa sensação deprimente de que alguma coisa está acabando. De que algo está acabando e algo novo, começando.

— Sério? — falou Harry, pensando se teria tempo de tomar uma cerveja antes do embarque. — Bem, de vez em quando isso pode ser bom. Um novo começo, quero dizer.

— Vamos torcer pra que seja — disse Torhus. — Vamos torcer pra que seja assim.

Parte Dois

5

Sexta-feira, 10 de janeiro

Harry Hole ajeitou os óculos escuros e olhou para a fila de táxis do lado de fora do Aeroporto Internacional Don Mueang. Tinha a sensação de que havia acabado de entrar em um banheiro e alguém tinha ligado o chuveiro com água escaldante. Sabia que o segredo para lidar com altos níveis de umidade era ignorar o desconforto. Deixar o suor escorrer e pensar em outra coisa. Pior ainda era a claridade. Penetrava o plástico barato dos óculos escuros e entrava nos olhos alcoolizados, aumentando a dor de cabeça que até ali não passara de um leve latejar nas têmporas.

— Taxímetro ou duzentos e cinquenta *baht*, senhor?

Harry tentou se concentrar no que o taxista estava dizendo. O voo tinha sido um inferno. Na livraria do aeroporto de Zurique só encontrara livros em alemão, e no avião tivera de assistir a *Free Willy 2*.

— Pode ser no taxímetro — respondeu Harry.

Ao lado dele, um dinamarquês tagarela, que havia decidido fazer vista grossa para o fato de Harry estar bêbado, passou a despejar conselhos sobre como evitar que lhe passassem a perna na Tailândia, claramente um tema inesgotável. Devia achar que os noruegueses eram sujeitos encantadoramente ingênuos e que todo dinamarquês tinha por dever protegê-los de aproveitadores

— Você tem que pechinchar tudo — dizia ele. — A ideia é essa, entende?

— E se eu não fizer isso?

— Vai ferrar com tudo.

— Como assim?

— Vai contribuir pro aumento dos preços, e isso tornará a Tailândia mais cara pra todo mundo.

Harry deu uma boa olhada no sujeito, que usava uma camisa bege da Marlboro e sandálias de couro novas, e decidiu beber um pouco mais.

— Surasak Road, 111 — falou Harry. O motorista sorriu, colocou a mala no porta-malas e segurou a porta de trás para ele, que entrou no carro e reparou no volante do lado direito.

— Na Noruega, a gente se queixa dos ingleses por insistirem em andar pela esquerda — comentou Harry enquanto seguiam pela rodovia. — Mas recentemente fiquei sabendo que há muito mais pessoas no mundo que se sentam do lado direito pra dirigir do que eu imaginava. Sabe por quê?

O motorista deu uma olhada pelo retrovisor, abrindo ainda mais o sorriso.

— Surasak Road, certo?

— Porque na Índia os carros andam na mão-inglesa — murmurou Harry, aliviado ao ver que a rodovia cortava em linha reta, feito uma flecha cinza, a paisagem de arranha-céus sob o nevoeiro. Sentia que bastariam algumas curvas para fazê-lo vomitar a omelete da Swissair no banco de trás.

— Por que o taxímetro não está ligado?

— Surasak Road, quinhentos *baht*, certo?

Harry se recostou no banco e olhou para o céu. Bom, apenas ergueu os olhos, pois não havia céu para ser visto, só uma abóbada enevoada iluminada por um sol que ele tampouco conseguia ver. Bangkok, a Cidade dos Anjos. Os anjos usavam máscaras, cortavam o ar com uma faca e tentavam se lembrar de que cor era o céu em tempos passados.

Ele devia ter adormecido, pois, quando abriu os olhos, o carro estava parado. Endireitou-se no banco e viu que estavam cercados de veículos. Lojinhas e oficinas se espremiam ao longo da calçada abarrotada; todos ali pareciam saber para onde estavam indo. E estavam com pressa de chegar. O motorista havia aberto uma janela, e uma cacofonia de ruídos urbanos agora se misturava ao som do rádio. Dentro do carro escaldante, o cheiro era de escapamento e suor.

— Engarrafamento?

O motorista fez que não com a cabeça e sorriu.

Harry rangeu os dentes. O que ele tinha lido em algum lugar? Algo sobre todo o chumbo que a gente inala e que vai parar, mais cedo ou mais tarde, no cérebro. E causa perda de memória. Ou seria psicose?

Como que por milagre, o trânsito voltou a fluir de repente, e motos e lambretas enxamearam-se ao redor do táxi como abelhas furiosas, atravessando os cruzamentos sem o menor respeito à vida ou à integridade física. Harry contou quatro acidentes evitados por um triz.

— Incrível não ter acidentes por aqui — disse para quebrar o silêncio.

O motorista o fitou pelo retrovisor e sorriu.

— Tem acidentes. Muitos.

Quando enfim chegaram à delegacia na Surasak Road, Harry já tinha decidido: não gostava daquela cidade. Pretendia prender a respiração, cumprir sua tarefa e pegar o primeiro, não necessariamente o melhor, avião de volta para Oslo.

Na delegacia, Harry recebeu as boas-vindas de um jovem policial que se apresentou como Nho. Corpo esbelto, cabelo curto e um rosto franco e amistoso. Harry sabia que aquela expressão mudaria em poucos anos.

O elevador estava cheio e fedia; entrar nele era como ser enfiado em um saco de roupas de ginástica suadas. Harry era muito mais alto que os demais. Um sujeito olhou para o norueguês e riu, impressionado. Outro fez uma pergunta para Nho e, em seguida, dirigiu-se a Harry:

— Ah, Noruega. Terra de... de... como ele chama mesmo? Por favor, me ajuda a lembrar...

Harry sorriu e tentou fazer um gesto de desculpas, mas não havia espaço.

— Isso, isso, bem famoso! — insistiu o homem.

— Ibsen? — tentou Harry. — Nansen?

— Não, não, mais famoso!

— Hamsun? Grieg?

— Não, não.

O sujeito os acompanhou com um olhar severo quando eles saíram do elevador no quarto andar.

— Bem-vindo a Bangkok, Harry.

O chefe de polícia era baixo e moreno, e era evidente que tinha decidido dar uma demonstração de que o pessoal na Tailândia sabia como cumprimentar à maneira ocidental. Apertou a mão de Harry, chacoalhando-a com entusiasmo e um sorriso radiante.

— Desculpe por não termos ido buscá-lo no aeroporto, mas o trânsito em Bangkok... — Apontou para a janela atrás de si. — Não é longe, mas...

— Entendo, senhor — respondeu Harry. — A embaixada me disse a mesma coisa.

Os dois homens se encararam no silêncio que se seguiu. O chefe de polícia sorriu. Ouviram uma batida à porta.

— Entra!

Uma cabeça raspada apareceu na fresta da porta.

— Pode entrar, Crumley. O detetive norueguês chegou.

— Ah, o detetive.

A cabeça ganhou um corpo, e Harry precisou piscar duas vezes para ter certeza de que não estava tendo uma alucinação. Liz Crumley tinha ombros largos e era quase da altura dele; a cabeça careca exibia uma mandíbula pronunciada, dois olhos intensamente azuis e uma boca que mais parecia um risco fino. O uniforme consistia em uma camisa azul-clara, tênis enormes da Nike e uma saia.

— Liz Crumley, inspetora aqui da Homicídios — apresentou o chefe de polícia.

— Ouvi falar que você é um grande investigador, Harry — disse ela com um escancarado sotaque americano. Parou diante de Harry, com a mão nos quadris.

— Bom, não sei se é bem assim...

— Não é? Você deve ser muito bom pra mandarem você resolver um caso do outro lado do mundo, não acha?

— É, imagino que sim.

Harry semicerrou os olhos. Tudo de que não precisava naquele momento era de uma mulher tão direta e assertiva.

— Estou aqui pra ajudar. Isso *se* eu puder ajudar — disse ele, forçando um sorriso.

— Então talvez seja o caso de se manter sóbrio, né, Harry?

O chefe de polícia, atrás dela, soltou uma risada alta e esganiçada.

— Eles são assim — continuou a mulher em alto e bom som, como se o chefe de polícia não estivesse ali. — Fazem tudo que podem pra evitar constrangimentos a quem quer que seja. É o que ele está tentando fazer por você agora, Harry, fingindo que o que eu disse era só uma brincadeira. Mas não era. Sou responsável pela Homicídios aqui e, quando não gosto de alguma coisa, falo mesmo. Isso é considerado falta de educação neste país, mas já mantenho essa prática há dez anos.

Harry fechou os olhos.

— Pela cor do seu rosto, vejo que está constrangido, mas um investigador bêbado não me serve de nada, e tenho certeza de que você sabe disso. Volte amanhã. Vou ver alguém pra levá-lo ao seu apartamento.

Harry fez que não com a cabeça e pigarreou.

— Medo de avião.

— Como é?

— Morro de medo de avião. Alguns gins-tônicas ajudam. E, se meu rosto está vermelho, é porque o álcool está começando a evaporar pelos poros.

Liz Crumley ficou um bom tempo encarando-o. Então coçou a cabeça reluzente.

— Sinto ouvir isso, detetive. Está sofrendo muito com os efeitos do jet lag?

— Estou de olhos bem abertos.

— Que bom. Chegou bem a tempo de repassarmos rapidamente as conclusões da perícia; paramos em seu apartamento no caminho até a cena do crime. Aquela ali é sua mesa de trabalho.

— Tem alguém ocupando a mesa — observou Harry.

— Não essa. Aquela.

— Ali?

Harry identificou uma cadeira espremida diante de uma longa mesa com pessoas sentadas umas ao lado das outras. O espaço da mesa que lhe era destinado não comportava mais do que um bloco de notas e um telefone.

— Vou ver se consigo algo melhor, caso sua estada por aqui se estenda.

— Espero sinceramente que isso não aconteça — murmurou Harry.

A inspetora convocou todos para a sala de reuniões. Mais precisamente: Nho; Sunthorn, um rapaz com cara de bebê e expressão séria; e Rangsan, o investigador mais antigo do departamento.

Rangsan sentou-se à mesa de reunião aparentemente imerso na leitura de seu jornal, mas ainda assim fez alguns comentários ocasionais em tailandês, os quais Liz anotava meticulosamente em seu caderninho de capa preta.

— Certo — disse ela, fechando o caderninho. — Nós cinco vamos tentar desvendar esse caso. Como temos um colega norueguês na equipe, a partir de agora nossa comunicação será sempre em inglês. Rangsan é nosso homem na perícia. É com você agora.

Rangsan dobrou o jornal cuidadosamente e pigarreou. Seus cabelos rareavam, e ele sempre usava os óculos na ponta do nariz, atados a um cordão no pescoço. Para Harry, sua figura lembrava um professor fatigado observando ao redor com expressão sarcástica e levemente paternal.

— Falei com Supawadee, da perícia. Como era de esperar, encontraram um monte de impressões digitais no quarto do hotel, mas nenhuma que pertencesse à vítima.

As demais digitais não haviam sido identificadas.

— E não vai ser tarefa fácil — acrescentou Rangsan. — Ainda que a clientela do hotel não seja muito numerosa, deve ter impressões digitais de pelo menos umas cem pessoas lá.

— Não encontraram nada na maçaneta da porta? — quis saber Harry.

— Temo que encontraram coisas até demais. E nada conclusivo.

Liz pôs os pés calçados com tênis Nike em cima da mesa.

— Molnes provavelmente foi direto para a cama; não tinha por que perambular pelo quarto e deixar rastros por toda parte. Pelo menos duas pessoas tocaram na maçaneta da porta depois do assassinato: Dim, a prostituta, e Wang, o proprietário do hotel.

Ela assentiu para Rangsan, que voltou ao jornal.

— A necropsia revelou o que pressupomos desde o início: que o embaixador foi morto com a faca. A arma perfurou o pulmão esquerdo e, em seguida, o coração, fazendo o pericárdio se encher de sangue.

— Tamponamento cardíaco — interveio Harry.

— Como é?

— É como isso se chama. Mais ou menos como colocar um algodão em um sino. O coração não consegue mais bater e se afoga no próprio sangue.

Liz fez uma careta.

— Certo, vamos deixar de lado o relatório da perícia por enquanto e dar uma olhada na cena do crime. Harry, daremos um tempo pra você se acomodar e, em seguida, vamos buscá-lo pra irmos ao hotel.

No elevador lotado, Harry ouviu uma voz conhecida.

— Lembrei, lembrei! Solskjær! Solskjær!

Harry ergueu a cabeça e sorriu, assentindo.

Então aquele era o norueguês mais famoso do mundo. Um jogador de futebol, atacante reserva em um time de uma cidade industrial da Inglaterra, superava todos os exploradores, pintores e escritores. Parando para pensar, Harry concluiu que o sujeito provavelmente tinha razão.

O apartamento arranjado pela embaixada ficava em um complexo elegante em frente ao Shangri-La Hotel. Era pequeno e espartano, mas tinha banheiro, um ventilador ao lado da cama e vista para o extenso e turvo rio Chao Phraya. Harry parou junto à janela. Barcos compridos e estreitos de madeira cruzavam o rio, remexendo a água suja atrás de si com suas hélices propulsoras. Na margem oposta, novos hotéis e lojas de departamento se agigantavam sobre uma massa disforme de casas de tijolos brancos. Era difícil ter noção da extensão da cidade, que desaparecia atrás de uma névoa de tom dourado encardido sempre que alguém tentava olhar além de alguns quarteirões, mas Harry presumiu que fosse grande. Muito grande. Abriu uma das janelas, e um rugido veio da rua. Tinha perdido os tampões de ouvido da Swissair no elevador, e só agora percebia o quanto era ensurdecedor o ruído da cidade. Dali conseguia enxergar a viatura de Liz Crumley estacionada junto à calçada lá embaixo, do tamanho de um carrinho de brinquedo. Abriu uma lata de cerveja quente que tinha trazido do avião e confirmou, com prazer, que uma Singha não era tão ruim quanto as cervejas norueguesas. Agora o restante do dia parecia mais suportável.

6

Sexta-feira, 10 de janeiro

A inspetora esqueceu a mão na buzina do jipe Toyota.
— Essa não é maneira tailandesa de fazer as coisas. — Ela riu.
— Não funciona. Se a gente buzina, eles não deixam passar. Tem algo a ver com o budismo. Mas não consigo resistir. Pelo amor de Deus, eu venho dos Estados Unidos.

Liz buzinou de novo, e os motoristas em volta fizeram questão de olhar para o outro lado.

— Então ele continua lá, no quarto do hotel? — quis saber Harry, abafando um bocejo.

— Ordens do alto escalão. Em geral, a gente faz a necropsia o mais rápido possível e manda pra cremação no dia seguinte, mas queriam que você visse o corpo antes. Não me pergunte por quê.

— Sou um grande investigador, ou você já se esqueceu disso?

Ela olhou de soslaio para Harry e percebeu que havia um trecho de pista livre. Pisou fundo.

— Nem comece com as gracinhas. Não pense que todo mundo aqui vai achar você o máximo só porque é um *farang*; muito pelo contrário.

— *Farang*?

— Branquelo. Gringo. Meio depreciativo, meio neutro, tudo depende de como se usa a palavra. Só lembre que não há nada de errado com a autoestima dos tailandeses, mesmo se eles tratarem você com educação. Para sua sorte, Sunthorn e Nho estão de serviço hoje; com certeza você conseguirá impressioná-los. Para o seu bem, espero que sim. Porque, se fizer papel de bobo, você pode ter sérias dificuldades de trabalhar com o pessoal do departamento.

— Tive a impressão de que era você quem comandava o departamento.

— Isso é o que eu acho.

Tinham pegado a rodovia. Ignorando os protestos do motor, Liz mantinha o pé fundo no acelerador. Já começava a escurecer, e a oeste um sol vermelho-cereja se punha entre os arranha-céus.

— A poluição pelo menos serve pra nos proporcionar esses belos poentes — comentou ela em resposta aos pensamentos de Harry.

— Fale sobre a prostituição aqui — pediu Harry.

— É uma praga quase tão grande quanto o trânsito.

— Já percebi. Mas o que tem mais saída aqui, como funciona? É prostituição de rua tradicional, com cafetões e bordéis comuns, ou há também prostitutas autônomas? E elas vão aos bares, fazem strip, colocam anúncios no classificado do jornal, encontram clientes em shoppings?

— Tudo isso e mais um pouco. Se algo relacionado à prostituição não foi tentado em Bangkok, é porque ainda não existe. Mas a maioria trabalha em inferninhos, onde dançam e tentam persuadir os clientes a consumir mais bebida. E, claro, ficam com uma porcentagem. O dono do bar não assume nenhuma responsabilidade pelas meninas; apenas fornece a elas a vitrine onde se colocar à venda e, em troca, elas concordam em ficar no bar até fechar. Quando um cliente quer sair com uma das meninas, é obrigado a comprar a liberdade dela pelo resto da noite. O dono do bar embolsa o dinheiro, mas a moça, na maioria das vezes, sai satisfeita por não ter que passar a noite toda se contorcendo em cima do palco.

— Parece ser um grande negócio pro dono do bar.

— Uma vez que o tempo da moça tenha sido comprado, tudo que ela faturar fora dali vai direto pro próprio bolso.

— A moça que encontrou o corpo do embaixador trabalha em um desses bares?

— Sim. Em um dos inferninhos da King Crown, em Patpong. Sabemos também que o proprietário do hotel gerencia uma espécie de serviço customizado pra clientes estrangeiros com gostos específicos. Mas fazer a moça falar vai ser muito difícil, porque na verdade a prostituição é ilegal na Tailândia. Até agora, tudo que ela disse é que estava hospedada no hotel e se enganou de porta.

Liz explicou que Atle Molnes provavelmente tinha chamado a garota quando chegara ao hotel, mas o recepcionista, que também era o proprietário, negava ter feito qualquer outra coisa além de alugar o quarto.

— Chegamos.

Liz estacionou em frente a um prédio baixo de tijolos brancos.

— Os melhores bordéis de Bangkok parecem ter um fraco por nomes gregos — comentou sarcasticamente a inspetora, descendo do carro. Harry ergueu os olhos e viu um grande letreiro em neon anunciando o nome do hotel: *Olympussy*. O "m" piscava de vez em quando, ao passo que o "l" tinha apagado de vez, dando ao lugar uma melancolia que lembrou Harry dos restaurantes suburbanos da Noruega.

O hotel era idêntico a seus similares americanos de beira de estrada, com uma série de quartos duplos em volta de um pátio, uma vaga de estacionamento diante de cada um. Ao longo da parede havia uma varanda na qual os hóspedes podiam se acomodar em cadeiras de vime cinzentas e estragadas pela exposição à chuva.

— Lugar bacana.

— Você pode não acreditar, mas, quando foi construído, durante a Guerra do Vietnã, isso aqui era um dos lugares mais animados da cidade. Foi construído para os soldados americanos que apareciam aqui em RR.

— RR?

— Repouso e Recuperação. Popularmente conhecido como CC: Coito e Chapação. Os rapazes eram trazidos de avião de Saigon pra uma licença de dois dias. A indústria do sexo no país não seria o que é hoje se não fossem os militares americanos. Uma das ruas aqui até foi oficialmente batizada de Soi Cowboy.

— E por que não ficavam por lá mesmo? Isso aqui é quase uma área rural.

— Os soldados que tinham mais saudades de casa preferiam trepar totalmente à maneira americana: em um carro ou em um quarto de hotel de beira de estrada. Foi pra isso que construíram esse aqui. Os rapazes podiam alugar carros americanos no estacionamento. Tinha até cerveja americana nos frigobares.

— Uau. Como você sabe de tudo isso?

— Minha mãe me contou.

Harry se virou para Liz, mas, mesmo com as letras que ainda funcionavam no letreiro do *Olympussy* lançando uma luz neon azulada sobre o crânio exposto da mulher, estava escuro demais para que ele conseguisse captar a expressão da policial. Ela colocou um boné antes de entrar na recepção.

O quarto tinha uma decoração simples, mas o carpete cinzento de tão sujo já havia visto dias melhores. Harry estremeceu. Não por causa do paletó amarelo que tornava supérfluo qualquer outro procedimento de identificação do corpo — só um integrante do Partido Democrata Cristão e do Partido Progressista usaria voluntariamente um paletó daqueles. Tampouco por causa da faca com ornamentos orientais que prendera o paletó às costas do embaixador e o deixava largo nos ombros, conferindo-lhe um aspecto desagradável. Estremeceu simplesmente devido à temperatura congelante do quarto. Liz explicara que, como a vida útil dos corpos sob aquele clima era muito curta e eles haviam recebido a informação de que esperariam no mínimo quarenta e oito horas pelo detetive norueguês, decidiram ligar no máximo tanto o ar-condicionado quanto o ventilador do aposento.

As moscas, ainda assim, não davam trégua, e um enxame delas levantou voo quando Nho e Sunthorn cuidadosamente rolaram o corpo, deitando-o de costas. Os olhos vidrados de Atle Molnes estavam voltados para baixo, como se ele tentasse enxergar os bicos de seus sapatos Ecco. A franja pueril fazia o embaixador parecer ter menos idade do que os seus 52 anos. Caída na testa e descolorida de sol, ainda parecia vivaz.

— Esposa e filha adolescente — comentou Harry. — Uma das duas veio ver o corpo?

— Não. Informamos à embaixada da Noruega, e eles disseram que avisariam a família. Até agora a ordem foi apenas não deixar ninguém entrar.

— Apareceu alguém da embaixada?

— A encarregada de negócios. Não lembro o nome.

— Tonje Wiig?

— Isso. Manteve a compostura até o momento em que a gente virou o corpo para a identificação.

Harry fitou o embaixador. Teria sido um homem atraente? Um homem que, apesar do paletó horroroso e de uns pneuzinhos, era capaz de fazer bater mais forte o coração de uma jovem encarregada de negócios? A pele bronzeada tinha assumido um aspecto amarelado, e a língua azulada parecia tentar abrir caminho por entre os dentes.

Harry se sentou em uma cadeira e olhou ao redor. A aparência de uma pessoa morta muda rapidamente, e ele já vira corpos suficientes para saber que não conseguia descobrir muita coisa apenas olhando para eles. Atle Molnes tinha levado consigo qualquer segredo que sua personalidade pudesse revelar, e tudo que restava ali era uma casca vazia e abandonada.

Harry pegou uma cadeira e colocou-a mais perto da cama. Os dois jovens policiais se aproximaram dele.

— O que você consegue ver aí? — quis saber Liz.

— Vejo um norueguês depravado que por acaso era embaixador e, portanto, precisa ter a reputação protegida em nome do rei e da nação.

A inspetora ergueu os olhos, surpresa, e examinou Harry mais atentamente.

— Não tem ar-condicionado que disfarce esse fedor — reclamou ele. — Mas isso é problema meu. Quanto a esse cara aqui... — Harry apertou a mandíbula do sujeito. — É *rigor mortis*. Ele está rígido, mas essa rigidez começa a ceder depois de três dias, o que é normal. Apesar da língua azulada, a faca sugere que não houve asfixia, mas isso precisa ser verificado.

— *Já* foi — respondeu Liz. — O embaixador tinha bebido vinho tinto.

Harry murmurou alguma coisa.

— Molnes saiu de seu escritório na hora do almoço — continuou a inspetora —, e já eram quase onze da noite quando a moça o encontrou aqui. Nosso perito diz que a morte ocorreu entre quatro da tarde e dez da noite, o que dá uma ideia mais precisa da hora do crime.

— Entre quatro e dez? É um intervalo de seis horas.

— Correto, detetive.

Liz cruzou os braços.

— Bom, em Oslo, geralmente a hora da morte é estimada dentro de uma margem de vinte minutos pra mais ou pra menos, no caso de corpos que são encontrados depois de algumas horas.

— Isso é porque você vive no Polo Norte. Aqui, a 35 graus, a temperatura de um corpo não cai muito. A hora da morte é calculada pelo *rigor mortis*, por isso é apenas aproximada.

— E quanto aos sinais de *livor mortis*? Depois de cerca de três horas, era pra ocorrer descoloração.

— Sinto muito. Como você pode ver, o embaixador curtia pegar um bronzeado, de modo que a gente não tem como afirmar a hora da morte a partir daí.

Harry correu o dedo indicador pelo tecido do paletó no local onde a faca estava cravada. Um resíduo cinzento, parecido com vaselina, acumulou-se em sua unha.

— O que é isso?

— É evidente que a faca foi lubrificada. Mandamos amostras pra análise.

Harry revistou os bolsos do morto e tirou deles uma carteira marrom surrada. Continha uma nota de quinhentos *baht*, uma credencial do Ministério e a foto de uma menina sorridente no que parecia ser uma cama de hospital.

— Vocês encontraram mais alguma coisa com ele?

— Nadinha. — Liz tinha tirado o boné e procurava espantar as moscas com ele. — Verificamos o corpo e deixamos ele aí.

Harry afrouxou o cinto do morto, baixou as calças dele e voltou a virá-lo de barriga para baixo. Em seguida, levantou o paletó e a camisa.

— Veja. Escorreu um pouco de sangue pelas costas. — Suspendeu o elástico da cueca Dovre. — E por entre as nádegas também. O que significa que ele não foi golpeado deitado na cama. Estava de pé. Medindo a profundidade e o ângulo da facada dá pra calcular a altura do assassino.

— Isso supondo que ele ou ela estivesse na mesma altura da vítima quando a atacou — acrescentou Liz. — Também é possível que o embaixador tenha sido esfaqueado no chão e que o sangue tenha escorrido enquanto ele era levado até a cama.

— Nesse caso haveria sangue no tapete — observou Harry. Ele puxou as calças de volta para cima, afivelou o cinto, virou-se para Liz e a encarou. — E você nem precisaria fazer especulações sobre isso; teria como saber com certeza. Seu pessoal da perícia teria encontrado fibras do carpete no terno inteiro, não?

A inspetora sustentou o olhar, mas Harry percebeu que a havia desmascarado em seu pequeno teste. Ela assentiu e virou as costas para o cadáver.

— Um pouco de vitimologia revela um detalhe que talvez confirme que ele estava à espera de companhia feminina.

— Que detalhe?

— Está vendo o cinto? Antes de eu o afrouxar, estava dois furos mais apertado do que a marca que mostra em qual furo era normalmente usado. Homens de meia-idade com barriga protuberante muitas vezes tentam disfarçá-la antes de encontros com mulheres mais jovens.

Era difícil dizer se Harry havia causado alguma impressão nos colegas. Os policiais ficavam o tempo todo trocando o pé de apoio, e seus jovens rostos eram impassíveis. Liz roeu a unha e arrancou um pedaço dela; em seguida, cuspiu-o por entre lábios franzidos.

— E aqui temos o frigobar. — Harry abriu a porta da pequena geladeira. Cervejas Singha, minigarrafas de Johnnie Walker e Canadian Club. Nada parecia ter sido tocado.

— O que mais temos? — perguntou Harry aos dois jovens policiais.

Os rapazes trocaram olhares, então um deles apontou para o carro no estacionamento.

— O carro.

Saíram do quarto e dirigiram-se ao Mercedes azul-escuro que estava estacionado diante dele, pouco usado e com placas diplomáticas. Um dos policiais abriu a porta do motorista.

— A chave? — quis saber Harry.

— Estava no bolso do paletó do... — O policial indicou o quarto de hotel com um movimento de cabeça.

— Digitais?

O jovem olhou para a inspetora com uma expressão resignada. Ela tossiu.

— É claro que verificamos se havia impressões digitais na chave, Hole.

— A pergunta não era *se* vocês colheram as impressões, mas o que encontraram.

— Nenhuma além das dele. Caso contrário você teria sido informado logo de cara.

Harry mordeu a língua.

Havia lixo espalhado nos bancos e no assoalho do Mercedes. Harry notou algumas revistas, fitas cassete, maços de cigarro vazios, uma lata de Coca-Cola e um par de sandálias.

— O que mais foi encontrado?

Nho sacou uma lista e a leu em voz alta.

— Pare — falou Harry. — Pode repetir esse último item?

— Bilhetes de aposta em corridas de cavalos, senhor.

— Parece que o embaixador gostava de um jogo de azar de vez em quando — disse Liz. — Um esporte bastante popular na Tailândia.

— E o que é isso?

Debruçado sobre o banco do motorista, Harry apanhou uma pequena cápsula parcialmente oculta entre o regulador do assento e o tapete.

O policial consultou a lista, mas logo desistiu de encontrar o item ali.

— Ecstasy líquido é vendido em cápsulas como essa — informou Liz, aproximando-se para ver o objeto.

— Ecstasy? — Harry balançou a cabeça. — Democratas-cristãos de meia-idade podem até andar com prostitutas por aí, mas consumir ecstasy? *Isso* não.

— Vamos ter que verificar — afirmou Liz. Harry podia ver na cara dela que não estava lá muito feliz por terem deixado a cápsula passar.

— Vamos dar uma olhada no porta-malas — sugeriu.

O que o interior do carro tinha de bagunçado, o porta-malas tinha de limpo e arrumado.

— Um sujeito organizado — comentou Harry. — As mulheres da família reinavam absolutas dentro do carro, mas ele mantinha o porta-malas fora do alcance delas.

Uma caixa de ferramentas bem-equipada reluzia à luz da lanterna de Liz. Tudo imaculado ali; só o estuque na ponta de uma chave de fenda denunciava que já tinha sido usada.

— Mais um pouco de vitimologia. Tenho o palpite de que Molnes não era um sujeito prático. Essa caixa de ferramentas jamais chegou perto de um motor de carro. No máximo, a chave de fenda foi usada para pendurar um retrato de família.

Um mosquito aplaudiu sua observação em seu ouvido. Harry espantou o inseto e, ao tocar a própria pele, sentiu-a úmida e fria. O calor não dera trégua, mesmo depois de o sol ter se posto. Agora o vento tinha cessado, e a impressão era de que a umidade subia do chão que pisavam e se condensava no ar a ponto de quase poder ser bebida.

Ao lado do estepe estava o macaco, que aparentemente também nunca havia sido utilizado, e uma pasta fina, de couro marrom, do tipo que se esperaria encontrar no carro de um diplomata.

— O que há na pasta? — quis saber Harry.

— Está lacrada — falou Liz. — Como o carro é, oficialmente, uma extensão do território da embaixada e, portanto, fica fora da nossa jurisdição, não tentamos abri-lo. Mas agora que há um representante da Noruega presente, quem sabe...

— Sinto muito, não tenho status diplomático — respondeu Harry, tirando a pasta do porta-malas e colocando-a no chão. — Mas posso afirmar que esse troço não está mais em território norueguês, então sugiro que vocês abram essa pasta enquanto vou à recepção falar com o dono do hotel.

Harry cruzou o estacionamento a esmo. Seus pés estavam inchados por causa do voo. Sentia uma gota de suor escorrer por dentro da camisa e fazer cócegas; estava desesperado por uma bebida. Tirando isso, a sensação de novamente estar cuidando de um caso sério não era tão ruim assim. Já fazia tempo desde a última missão para a qual havia sido designado. Reparou que o "m" do luminoso agora estava apagado.

Wang Lee, gerente, dizia o cartão de visitas que o sujeito atrás do balcão entregou a Harry, provavelmente como um recado sutil para que voltasse outro dia. O homem magricela e de camisa florida tinha olhos sonolentos e definitivamente parecia não querer conversa com Harry naquele momento. Começou a remexer em uma pilha de papéis e, ao levantar a vista e perceber Harry ainda parado ali, soltou um resmungo.

— Estou vendo que você é um homem ocupado — disse Harry. — Portanto, sugiro que a gente resolva isso o mais rápido possível. Sei que sou estrangeiro aqui, que não sou do seu país...

— Tailandês não. Chinês — foi o que Harry ouviu, acompanhado de outro resmungo.

— Bom, então você também é estrangeiro. A questão é que...

Harry ouviu alguns arquejos vindos de trás do balcão que talvez fossem um riso de escárnio. Fizeram o dono do hotel abrir a boca, de qualquer forma.

— Estrangeiro não. Chinês. Chinês faz Tailândia funcionar. Sem chinês, sem negócio.

— Certo. Você é um homem de negócios, Wang. Pois deixa eu fazer uma proposta. Você administra um bordel neste lugar e pode remexer o quanto quiser nessa papelada porque isso não muda nada.

Wang negou com a cabeça, firme.

— Prostituta não. Hotel. Aluga quarto.

— Relaxa; só o que me interessa é o assassinato. Prender cafetões não é da minha alçada. A menos que eu quisesse fazer isso por conta própria. Por isso falei da proposta. Aqui na Tailândia ninguém fiscaliza gente como você, simplesmente porque são muitos. Tampouco adiantaria denunciá-lo pra polícia. Imagino que um envelope pardo com alguns *baht* pode fazer com que não seja incomodado. Daí você não estar amedrontado com a nossa presença.

O dono do hotel voltou a negar com a cabeça.

— Dinheiro não. Ilegal.

Harry sorriu.

— Da última vez que li algo a respeito disso, a Tailândia estava em terceiro lugar no ranking de países mais corruptos do mundo. Seja legal, por favor, e pare de me tratar como idiota.

Harry se certificou de que falava em voz baixa. Ameaças geralmente funcionam melhor quando feitas em tom neutro.

— O grande problema, pra mim e pra você, é que o cara encontrado morto naquele quarto era um diplomata do meu país. Se eu for obrigado a dizer, num relatório, que a suspeita é de que ele morreu num bordel, isso tudo vai se transformar de repente em uma questão política, e aí seus amigos na polícia não vão ter como ajudá-lo. Um caso desses obrigaria as autoridades a fechar este lugar e mandar você pra cadeia. Assim mostram serviço, mostram que estão mantendo a lei e a ordem, entende?

Era impossível ver naquele rosto inexpressivo se o tiro havia acertado seu alvo.

— Por outro lado, se meu relatório disser que a moça tinha combinado um encontro com o embaixador, e que o hotel foi uma escolha aleatória...

O homem encarou Harry. Piscou, semicerrando os olhos como se tivesse um cisco neles. Então virou as costas, afastou uma cortina que escondia a entrada de uma porta e fez sinal para que Harry o acompanhasse. Atrás da cortina havia uma salinha com uma mesa e duas cadeiras, e Wang apontou uma delas para Harry sentar. Pousou uma xícara à frente do detetive e serviu chá de um bule. O aroma de menta era tão forte que os olhos de Harry arderam.

— Nenhuma das moças quer trabalhar enquanto tiver cadáver lá — disse Wang. — Em quanto tempo dá pra tirar?

Homens de negócios são homens de negócios em qualquer lugar do mundo, pensou Harry, acendendo um cigarro.

— Depende do tempo que a gente levar pra descobrir o que aconteceu aqui.

— Embaixador chegou aqui pelas nove da noite e disse que queria quarto. Folheou catálogo e falou que queria Dim, só precisava descansar antes. Era pra avisar quando ela chegasse. Falei que tinha que pagar por hora mesmo assim. Ele disse tudo bem e pegou chave.

— Catálogo?

Wang entregou a Harry algo que, de fato, se assemelhava a um catálogo. O investigador deu uma folheada. Havia fotos de moças tailandesas trajando figurinos diversos: enfermeira, meia arrastão, espartilhos de couro apertados e chicote, uniforme de colegial com tranças e até vestidas como policiais. Abaixo das fotos, sob o título INFORMAÇÕES, idade, preço e experiência de cada uma. Harry notou que todas alegavam ter entre 18 e 22 anos. Os preços variavam de mil a três mil *baht*, e aparentemente quase todas as moças tinham concluído um curso de idiomas e trabalhavam como enfermeiras.

— Ele estava sozinho? — quis saber Harry.

— Sim.
— Não havia ninguém mais no carro?
Wang balançou a cabeça.
— Como pode ter tanta certeza disso? O Mercedes tem vidros fumê, e você, sentado aqui...
— Geralmente vou lá fora verificar. Pode ter amigo junto. Aí tem que pagar quarto duplo.
— Entendi. Quarto duplo, dobro do preço?
— Dobro não. — Wang voltou a exibir os dentes. — Mais barato dividir.
— E o que aconteceu depois?
— Não sei. Homem saiu com carro até quarto 120, onde está agora. Fica no fundo, no escuro, não consigo ver lá. Liguei pra Dim, ela veio e esperou. Passou um tempo, mandei ela ir até ele.
— E que fantasia ela estava usando? De motorista de bonde?
— Não, não, não — Wang folheou o catálogo até a última página e orgulhosamente exibiu a foto de uma moça tailandesa de vestido curto coberto de lantejoulas prateadas, patins brancos nos pés e sorriso amplo no rosto. Com os pés cruzados e os braços abertos, fazia uma mesura, como se tivesse acabado de executar um número bem-sucedido. O rosto era salpicado de sardas vermelhas.
— E essa aí é pra ser...? — indagou Harry, sem acreditar, lendo o nome sob a foto.
— Isso, isso, ela mesma. Tonya Harding. A que matou outra moça americana, bonita.
— Na verdade, acho que ela não...
— Dim faz essa também, se quiser...
— Não, obrigado — falou Harry.
— Faz muito sucesso. Especialmente com americanos. Ela pode chorar, se você quiser.
Wang fez um gesto simulando choro, os dedos percorrendo o rosto.
— Ela encontrou o embaixador no quarto com uma faca cravada nas costas. E depois disso?
— Dim correu pra cá gritando.
— De patins?
Wang encarou Harry com um olhar de reprovação.

— Patins entra quando calcinha sai.

Harry admirou a praticidade do raciocínio e fez sinal para que o outro continuasse a história.

— Nada mais a dizer, detetive. A gente voltou lá e olhou corpo de novo, aí tranquei porta do quarto e liguei pra polícia.

— Então, de acordo com Dim, a porta não estava trancada quando ela chegou ao quarto. Ela disse se estava entreaberta ou se só estava fechada, mas destrancada?

Wang deu de ombros.

— Porta estava fechada, mas destrancada. Importante isso?

— Nunca se sabe. Você viu mais alguém perto do quarto naquela noite?

Wang balançou a cabeça.

— E onde está o livro de registros? — perguntou Harry. Começava a ficar cansado.

O dono do hotel pareceu despertar, erguendo a cabeça de súbito.

— Não tem livro de registros.

Harry o encarou em silêncio.

— Não tem livro de registros — repetiu Wang. — Por que ia precisar de um? Ninguém vem se tiver que dizer nome e endereço.

— Não sou idiota, Wang. Ninguém está dizendo que os clientes são registrados, mas você mantém uma lista. Só por garantia. Figurões importantes aparecem de vez em quando, e pode ser uma boa ter um livro de registros na manga, caso algum dia surja qualquer problema, certo?

O dono do hotel piscou feito um sapo.

— Não vá se fazer de difícil agora, Wang. Quem não tiver nada a ver com o assassinato não precisa temer. Especialmente figuras públicas. Você tem minha palavra. Então. O livro, por favor.

Tratava-se, na verdade, de um caderninho, e Harry examinou suas páginas preenchidas em letra miúda e caracteres tailandeses.

— Um dos meus colegas vai fazer uma cópia disso — informou.

Os três policiais o esperavam ao lado do Mercedes. Os faróis estavam acesos, iluminando a pasta aberta no chão do pátio.

— Descobriram alguma coisa?

— Parece que o embaixador tinha predileções sexuais incomuns.

— Eu sei. Tonya Harding. Pra mim, *isso* é bizarro.
— Quando vamos poder falar com Dim?
— Amanhã. Ela está trabalhando hoje à noite.

Harry parou diante da pasta. Detalhes das fotografias em preto e branco emergiam à luz amarelada dos faróis. Congelou. Evidentemente já tinha ouvido falar daquilo e até mesmo lido relatórios policiais e conversado com colegas a respeito, mas era a primeira vez que Harry *via* uma criança sendo estuprada por um adulto.

7

Sexta-feira, 10 de janeiro

Seguiam de carro pela Sukhumvit Road, onde hotéis três estrelas, luxuosas mansões e barracos de madeira e telhado de zinco se espremiam uns ao lado dos outros. Harry não via nada disso; o olhar parecia fixo em um ponto bem à sua frente.

— O trânsito está melhor agora — comentou Liz.

— É.

Ela deu um sorriso discreto.

— Desculpe, é que em Bangkok a gente fala sobre o trânsito do mesmo jeito que, em outros lugares, o pessoal comenta sobre o tempo. Você não precisa viver aqui muito tempo pra descobrir por quê. O clima é sempre o mesmo desta época do ano até maio. Dependendo da monção, em algum momento no final do verão começa a chover. E aí é só aguaceiro durante três meses. A única coisa a dizer sobre o tempo é que está calor. E a gente fala isso o ano inteiro, mas não chega a ser o assunto mais interessante do mundo em uma conversa.

— Humm.

— Já o trânsito afeta nosso cotidiano em Bangkok mais do que qualquer maldito tufão. Nunca sei quanto tempo vou levar pra chegar ao trabalho. Pode ser quarenta minutos ou quatro horas. Há dez anos, eram só vinte e cinco minutinhos.

— O que aconteceu desde então?

— Crescimento. Os últimos vinte anos foram um longo *boom* econômico. Os empregos estão aqui, então o pessoal do campo invade a cidade. Mais gente se deslocando pra trabalhar toda manhã, mais bocas pra alimentar e mais demanda por transporte. Os políticos prometem novas estradas e depois ficam só esfregando as mãos, satisfeitos, dizendo que está tudo bem.

— Mas certamente não dá pra reclamar dos bons tempos.

— Não é que eu me ressinta de ver que as pessoas têm tevê morando em barracos de bambu, mas o crescimento foi absurdamente rápido. E, se quer saber minha opinião, crescer por crescer é a mesma lógica de um tumor canceroso. Às vezes quase chego a ficar feliz porque desaceleramos no ano passado. Dá pra sentir o efeito disso no trânsito.

— Quer dizer que já foi pior?

— Com certeza. Olha pra lá... — Liz apontou para um descampado gigantesco onde havia centenas de betoneiras enfileiradas. — Há um ano, estava praticamente vazio, mas agora ninguém mais está construindo, de modo que a frota foi deixada ali, como você pode ver. E o pessoal só vai aos shoppings porque tem ar-condicionado, mas não compram nada.

Seguiram em silêncio por um tempo.

— Quem você acha que está por trás dessa merda? — quis saber Harry.

— Especuladores.

Harry a encarou sem entender.

— Estou falando das fotos.

— Ah. — Foi a vez dela de encará-lo. — Você não gostou nada daquilo, não é?

Ele deu de ombros.

— Sou um cara intolerante. Não consigo deixar de pensar em pena de morte.

A inspetora deu uma olhada no relógio.

— No caminho pro seu apartamento tem um restaurante. O que acha de um curso intensivo sobre comida tailandesa tradicional?

— Tudo bem, mas você não respondeu à pergunta.

— Quem está por trás das fotos? Harry, é provável que na Tailândia haja mais pervertidos por centímetro quadrado do que no resto do mundo inteiro; gente que vem pra cá porque sabe que vai encontrar uma indústria do sexo que atende a todos os gostos. E estou falando de *todos* mesmo. Como vou saber quem está por trás de umas poucas fotos?

Harry fez uma careta.

— Foi só uma pergunta. Não teve, uns anos atrás, o caso de um embaixador pedófilo?

— É; a gente desmantelou uma rede de abuso sexual infantil que envolvia uma série de pessoas ligadas ao serviço diplomático, entre elas o embaixador australiano. Bem constrangedor.

— Mas não pra polícia?

— Você está louco? Pra gente foi como ganhar a Copa do Mundo e um Oscar ao mesmo tempo. O primeiro-ministro enviou parabéns, o ministro do Turismo ficou em êxtase, e choveram condecorações nas nossas cabeças. É o tipo da coisa que tem grande impacto na credibilidade da corporação, sabe.

— Então que tal começarmos por aí?

— Não sei. Pra começar, todo mundo que estava envolvido com aquela rede ou está atrás das grades ou acabou deportado. E não estou convencida de que as fotos tenham alguma coisa a ver com o assassinato.

Liz entrou em um estacionamento e foi direcionada por um manobrista a uma vaga em um espaço apertado entre dois carros. Era impossível estacionar ali. Ela apertou um botão, e o vidro elétrico das enormes janelas de ambos os lados emitiu um zumbido enquanto baixava. Então ela engatou a ré e pisou no acelerador.

— Acho que não vai... — Harry começou a dizer, mas a inspetora já havia estacionado. Os retrovisores laterais estremeceram. — Como a gente vai sair do carro?

— Não faz bem se preocupar demais, inspetor.

Usando os braços, Liz passou pela janela, apoiou um dos pés no para-brisa e saltou, aterrissando em frente ao jipe. Harry conseguiu fazer o mesmo com muita dificuldade.

— Você se acostuma — garantiu ela antes de sair andando. — Tudo é apertado em Bangkok.

— E o rádio do carro? — Harry olhou para trás, para as janelas abertas e convidativas. — Você acha que ainda vai estar aí quando a gente voltar?

A inspetora mostrou o distintivo ao manobrista, que imediatamente teve um sobressalto e se empertigou.

— Vai sim.

— Nenhuma impressão digital na faca — disse Liz, estalando os lábios de satisfação. O sabor da *sôm-tam*, espécie de salada de mamão papaia verde, não era tão esquisito quanto Harry tinha imaginado. Era bom, na verdade. E picante.

A inspetora bebeu a espuma da cerveja ruidosamente. Harry passou os olhos pelos demais clientes, mas ninguém parecia tê-la ouvido, provavelmente porque fora abafada pela polca tocada por uma orquestra de cordas no palco ao fundo do salão, a qual, por sua vez, era abafada pelo barulho do trânsito lá fora. Harry decidiu que beberia duas cervejas. Só. Podia comprar um engradado de seis latas no caminho de volta ao apartamento.

— Os ornamentos no cabo da faca. Alguma pista?

— Nho achou que a origem pode ser uma das tribos do norte que habitam as montanhas da província de Chiang Rai ou outro lugar por ali. Algo a ver com as contas de vidro colorido incrustadas na peça. Ele não tem certeza, mas, em todo caso, não é uma faca comum que pode ser comprada nas lojas daqui, por isso estamos enviando a arma amanhã mesmo pra um professor de história da arte do Museu Benchamabophit. O cara sabe tudo de facas antigas.

Liz fez um sinal para o garçom, que se aproximou com uma sopeira e os serviu de um caldo fumegante de coco.

— Cuidado com as coisinhas brancas. E com as vermelhas. Ardem pra caramba — avisou ela, apontando com uma colher. — Ah, e fica de olho nas verdes também.

Desconfiado, Harry olhou para as diversas substâncias que boiavam na tigela à sua frente.

— Tem alguma coisa aqui que eu *possa* comer?

— É tranquilo comer as raízes de galanga.

— Você tem alguma teoria? — perguntou Harry, falando alto para abafar o ruído da inspetora sugando o caldo.

— Sobre quem pode ser o assassino? Sim, claro. Um monte delas. Em primeiro lugar, pode ser a prostituta. Ou o dono do hotel. Ou ambos.

— E qual teria sido o motivo?

— Dinheiro.

— Molnes tinha quinhentos *baht* na carteira.

— Se Molnes sacou a carteira na recepção e Wang viu que havia um pouco de dinheiro nela, o que é bem provável, pode não ter resistido à tentação. Ele não tinha como saber que o sujeito era diplomata e que a coisa ia se complicar desse jeito. — Liz manteve o garfo no ar e se inclinou para a frente, animada. — Eles esperam até o embaixador ir pro quarto, batem na porta e enfiam a faca nele quando ele vira de costas. Molnes cai de bruços na cama, eles esvaziam a carteira, mas deixam aqueles quinhentos pra evitar que pareça um roubo. Aí esperam três horas e chamam a polícia. Wang conta com algum amigo que ele deve ter na polícia pra garantir que tudo corra sem problemas. Não há um motivo nem suspeitos, e todo mundo sempre está louco pra varrer um incidente envolvendo prostituição pra debaixo do tapete. Próximo caso.

Harry de repente arregalou os olhos. Pegou o copo de cerveja e o levou à boca.

Liz sorriu.

— Uma das vermelhas?

O investigador recuperou o fôlego.

— A teoria não é ruim, inspetora, mas tem uma falha — disse Harry, a voz rouca.

Liz franziu a testa.

— Qual?

— Wang mantém um livro de registros particular, provavelmente cheio de nomes de políticos e funcionários do governo. Ali ele registra cada visita, com data e hora. Pra ter com que se defender, se alguém resolver criar caso com seu estabelecimento. Mas ele não pede a identidade dos clientes, não tem como fazer isso. Então, quando surge um hóspede que ele não conhece, ele vai até o lado de fora sob o pretexto de se certificar de que não tem mais ninguém no carro pra descobrir quem é o sujeito.

— Agora me perdi.

— Wang anota a placa do carro. Mais tarde, faz uma consulta no cadastro de veículos. Quando viu as placas azuis da Mercedes, ele soube imediatamente que se tratava de um diplomata.

Liz examinou Harry com uma expressão séria. Então se virou para a mesa mais próxima, os olhos arregalados. O casal ao lado se sobressaltou e tratou de se concentrar na comida.

A inspetora coçou a perna com o garfo.

— Faz três meses que não chove — falou.

— Oi?

Ela fez um gesto para pedir a conta.

— O que isso tem a ver com o caso? — perguntou Harry.

— Não muito — disse Liz.

Eram quase três da manhã. O barulho da cidade era abafado pelo zumbido constante do ventilador sobre o criado-mudo. Harry conseguia, ainda assim, ouvir um ou outro caminhão pesado cruzando a ponte Taksin e o rugido de um barco solitário partindo de um dos atracadouros do Chao Phraya.

Ao abrir a porta do apartamento, tinha percebido a luz vermelha piscando no telefone e, depois de apertar alguns botões, conseguira ouvir duas mensagens. A primeira era da Embaixada da Noruega. Tonje Wiig, a encarregada de negócios, com voz bastante nasalada, falava como um típico morador da zona oeste de Oslo ou alguém que desejava muito morar lá. Dizia para Harry se apresentar na embaixada às dez da manhã no dia seguinte, mas mudava de ideia em seguida ao se dar conta de que teria uma reunião às dez e quinze. Adiou, assim, o encontro para o meio-dia.

A outra mensagem era de Bjarne Møller. Desejava sorte a Harry, nada mais. Aparentemente não gostava de falar com secretárias eletrônicas.

Deitado na cama, Harry piscava na escuridão do quarto. No fim das contas, não tinha comprado aquele engradado. E as injeções de vitamina B12 continuavam na mala. Em Sydney, depois de uma incursão por vários bares, ele havia conseguido chegar à própria cama, mas sem sentir as pernas. Uma injeção da vitamina B fora suficiente para que levantasse feito Lázaro. Suspirou. Quando mesmo tinha tomado a decisão? No momento em que lhe passaram o trabalho em Bangkok? Não, fazia mais tempo. Algumas semanas antes, ele se dera um prazo: o aniversário de sua irmã. Sabe-se lá as razões por trás daquela decisão. Talvez simplesmente estivesse farto de nunca estar presente. Os dias passavam, e ele nem percebia. Algo do tipo. Estava cansado de discutir as razões pelas quais o velho Bardolph não queria beber agora. Quando Harry tomava uma decisão, ninguém o fazia mudar de ideia; era inabalável e definitiva. Sem adiamento nem enrolação. "No dia que eu quiser, eu paro." Quantas vezes tinha ouvido alguns caras no Schrøder's tentando se convencer de que não eram alcoólatras? E Harry também era, tanto quanto qualquer outro, mas de todos o único que sabia que podia realmente parar quando quisesse. O aniversário era só dali a algumas semanas, mas, como Aune estava certo ao afirmar que aquela viagem seria um bom ponto de partida, ele decidiu se antecipar. Harry gemeu e rolou de lado na cama.

Perguntava-se o que sua irmã estaria fazendo; se ousava se aventurar saindo à noite. Se tinha ligado para o pai, conforme o prometido. E, se sim, se ele conseguira conversar com ela, dizer algo além de sim ou não.

Agora já passava das três da madrugada e, embora ainda fosse nove da manhã na Noruega, nas trinta e seis horas anteriores Harry não tinha dormido muito, o que significava que pegar no sono não deveria estar sendo um problema. Cada vez que fechava os olhos, porém, ficava marcada em sua retina a foto de um menino tailandês nu iluminado por faróis de carro, de modo que Harry preferiu manter-se acordado por mais algum tempo. Talvez devesse ter comprado as cervejas, afinal. Quando finalmente adormeceu, o trânsito na ponte Taksin já entrava no rush matutino.

8

Sábado, 11 de janeiro

No décimo sétimo andar, depois de passar por uma porta de carvalho e por duas checagens de segurança, Harry se deparou com o leão norueguês em uma placa de metal. A recepcionista, uma jovem tailandesa graciosa, de boca pequena, nariz ainda menor e olhos castanhos aveludados em um rosto redondo, examinou a carteira de identidade de Harry com o cenho franzido. Então tirou o telefone do gancho, sussurrou três sílabas e desligou.

— A sala da srta. Wiig é a segunda à direita, senhor — disse, com um sorriso tão radiante que Harry considerou a possibilidade de se apaixonar ali mesmo.

— Entre — ouviu ao bater na porta. Lá dentro, Tonje Wiig estava claramente ocupada fazendo anotações, debruçada em uma grande mesa de teca. Ergueu os olhos, abriu um sorriso discreto e pôs-se de pé, o corpo esbelto trajando um terninho branco de seda. Caminhou na direção de Harry, estendendo-lhe a mão.

Tonje Wiig era o oposto da recepcionista. Nariz, boca e olhos disputavam espaço em um rosto comprido, com o nariz aparentemente ganhando o embate; lembrava um grande tubérculo, mas pelo menos assegurava algum espaço entre os grandes olhos pesadamente maquiados. Não que a srta. Wiig fosse feia; não era o caso. Alguns homens talvez até argumentassem que seu rosto tinha uma beleza clássica.

— É muito bom tê-lo conosco finalmente, inspetor. Pena que em circunstâncias tão lamentáveis.

Harry mal tocou os dedos ossudos antes que ela recolhesse a mão.

— Gostaríamos muito de ver esse assunto resolvido o quanto antes — prosseguiu ela, massageando uma das narinas com cuidado para não borrar a maquiagem.

— Entendo perfeitamente.

— Esses últimos dias têm sido difíceis pra nós, e, ainda que isso possa soar insensível da minha parte, a vida continua, e precisamos seguir em frente. Algumas pessoas acham que tudo que a gente faz aqui é ir a coquetéis e se divertir: garanto que é justamente o contrário. Nesse exato momento estou cuidando de oito noruegueses hospitalizados e seis presos, quatro por porte de drogas. Você já viu as cadeias daqui? Horrorosas. O *Verdens Gang* liga todo dia. E um dos presos é uma mulher grávida. No mês passado, em Pattaya, um norueguês foi jogado de uma janela e morreu. Segundo caso no ano. Uma confusão terrível. — Ela balançou a cabeça, em desespero. — E quando alguém perde o passaporte ou a passagem, você acha que esse pessoal tem seguro-viagem ou dinheiro pra embarcar em outro voo? Não, nós é que temos que cuidar de tudo. De modo que, como você está vendo, é importante manter as coisas funcionando por aqui.

— Pelo que entendi, com a morte do embaixador, é você quem está no comando.

— Sim, sou a encarregada de negócios.

— Demora quanto tempo pra ser nomeado um novo embaixador?

— Espero que não muito. Normalmente um ou dois meses.

— E ninguém se preocupa com o fato de a responsabilidade ficar toda em seus ombros?

Tonje Wiig exibiu um sorriso torto.

— Não foi isso que eu quis dizer. Na verdade, como encarregada de negócios, fiquei responsável pela embaixada por seis meses antes de Molnes assumir. Só estava dizendo que espero que seja feito um arranjo permanente o mais rápido possível.

— Então você cogita se tornar a nova embaixadora.

— Bom — o sorriso agora era melancólico —, não dá pra dizer que seria incomum. Mas, tratando-se do Ministério de Relações Exteriores, nunca se sabe.

Um vulto surgiu, e uma xícara se materializou diante de Harry.

— Bebe *chaa ráwn*? — perguntou Tonje Wiig.

— Não sei.

— Ah, desculpe. — Ela riu. — Vivo esquecendo que as pessoas podem ser novas por aqui. É chá-preto tailandês. Costumo tomar o chá da tarde aqui na Tailândia, sabe. Ainda que, se fosse levar a tradição inglesa à risca, eu devesse servi-lo depois das duas.

Harry aceitou o chá e, quando voltou a baixar os olhos, alguém já havia servido sua xícara.

— Pensei que esse tipo de tradição tivesse desaparecido com os colonizadores.

— A Tailândia nunca foi colônia — retrucou Tonje com um sorriso. — Nem da Inglaterra, nem da França, ao contrário dos países vizinhos. Os tailandeses se orgulham muito disso. Até um pouco demais, se quer saber minha opinião. Um pouquinho de influência inglesa nunca fez mal a ninguém.

Harry pegou o bloco de anotações e perguntou se era plausível pensar que o embaixador pudesse estar envolvido em atividades suspeitas.

— Atividades suspeitas, Hole?

O investigador explicou, de forma concisa, o que queria dizer com "suspeitas" — que, em setenta por cento dos homicídios, a vítima tinha envolvimento com alguma coisa ilegal.

— Ilegal? Molnes? — Tonje fez que não com a cabeça enfaticamente. — Ele não faz... não fazia o tipo que se presta a isso.

— Sabe de algum inimigo que pudesse ter?

— Não consigo imaginar que tivesse inimigos. Era uma pessoa muito querida. Por que pergunta? Certamente não estão considerando a hipótese de um assassinato encomendado, estão?

— O que sabemos até o momento é muito pouco, por isso não estamos descartando nenhuma linha de investigação.

Tonje Wiig explicou que, na terça-feira em que foi assassinado, Molnes saíra para uma reunião imediatamente após o almoço. Não tinha dito onde seria o encontro, mas isso não era incomum.

— Ele andava sempre com o celular, pra gente poder entrar em contato se fosse necessário.

Harry pediu para dar uma olhada na sala do embaixador. Tonje Wiig precisou destrancar duas portas, instaladas "por razões de segurança". A sala estava intocada; antes de sair de Oslo, Harry dera instruções para que o local não fosse mexido. O lugar era uma confusão de papéis, pastas e souvenirs ainda à espera de serem arrumados nas prateleiras ou pendurados nas paredes.

O casal real norueguês espiava majestosamente por cima das pilhas de papel, admirando a vista para um espaço verde que, segundo informou a srta. Wiig, tratava-se do Queen Sirikit Park.

Harry encontrou uma agenda, mas havia poucas anotações. Verificou o dia do assassinato. "Man U", estava escrito, o que significava Manchester United, se Harry não estivesse enganado. Talvez o sujeito pretendesse ver um jogo de futebol, pensou ele, revistando diligentemente algumas gavetas até se dar conta de que fazer uma busca na sala do embaixador sem saber o que estava procurando era perda de tempo.

— Não estou vendo o celular dele por aqui — comentou Harry.

— É como eu disse: ele andava sempre com o celular.

— Não encontramos celular nenhum na cena do crime. E não acho que o assassino quisesse roubar o embaixador.

Tonje Wiig deu de ombros.

— Talvez tenha sido "confiscado" por algum de seus colegas tailandeses?

Harry preferiu não responder, perguntando em vez disso se alguém tinha telefonado da embaixada querendo falar com Molnes no dia da morte. Tonje não sabia, mas prometeu averiguar. Harry deu uma última olhada pela sala.

— Quem foi a última pessoa a ver Molnes aqui?

A encarregada de negócios tentou se lembrar.

— Deve ter sido Sanphet, o motorista, que era bastante amigo do embaixador. A morte de Molnes foi um golpe muito duro pra ele, por isso dei a ele uns dias de folga.

— Se é motorista, por que não estava dirigindo o carro do embaixador no dia do crime?

Tonje outra vez deu de ombros.

— Também me perguntei isso. Molnes não gostava de dirigir em Bangkok.

— Humm. O que mais você pode me dizer sobre esse motorista?

— Sobre Sanphet? Está aqui há tanto tempo que ninguém se lembra desde quando exatamente ele trabalha na embaixada. Nunca foi à Noruega, mas é capaz de recitar os nomes de todas as cidades do país. E dos reis. Claro, adora Grieg. Não sei se tem um toca-discos em casa, mas acho que tem todos os discos do Grieg. O velho é um doce de pessoa.

Ela inclinou a cabeça e sorriu, exibindo as gengivas.

Harry perguntou se ela sabia onde ele poderia encontrar Hilde Molnes.

— Em casa. Terrivelmente abalada. Eu o aconselharia a esperar um pouco mais antes de ir falar com ela.

— Agradeço o conselho, *frøken* Wiig, mas não podemos nos dar ao luxo de esperar. Você faria a gentileza de telefonar e dizer à sra. Molnes que estou a caminho da casa dela?

— Compreendo. Desculpe.

— De que cidade você é, *frøken* Wiig?

Tonje Wiig encarou Harry, surpresa. Em seguida, forçou uma risada.

— Isso é pra ser um interrogatório, Hole?

Harry não respondeu.

— Se precisa saber, nasci em Fredrikstad.

— Foi bem o que pensei ao ouvir seu sotaque — respondeu ele com uma piscadela.

A moça vivaz da recepção estava recostada na cadeira, segurando um frasco de perfume perto do nariz. Sobressaltou-se quando Harry pigarreou discretamente e, em seguida, riu, encabulada, os olhos marejados.

— Desculpe, é que a qualidade do ar em Bangkok é muito ruim — explicou ela.

— Reparei. Será que você poderia me passar o número do telefone do motorista da embaixada?

A moça fez que não com a cabeça e respondeu, bufando:

— Ele não tem telefone.

— Certo. Mas ele mora em algum lugar?

Era para ser uma brincadeira, mas Harry percebeu pela expressão da recepcionista que ela não tinha gostado do gracejo. A moça anotou o endereço e deu um sorriso de despedida.

9

Sábado, 11 de janeiro

Ao subir pela trilha que levava à entrada da casa do embaixador, Harry foi recebido por um criado que o esperava parado à porta. O sujeito o conduziu por dois grandes cômodos decorados elegantemente em madeira de bambu e teca, para então chegarem à porta da varanda que dava para o jardim atrás da casa. Ali cintilavam o azul e o amarelo das orquídeas, e à sombra dos enormes salgueiros adejavam borboletas que mais pareciam papel colorido no ar. Foram encontrar a esposa do embaixador, Hilde Molnes, à beira da piscina em formato de ampulheta. Sentada em uma cadeira de vime, ela trajava um robe cor-de-rosa, e havia uma bebida da mesma cor na mesa à sua frente. Metade do rosto da sra. Molnes estava coberta pelos óculos escuros.

— Você deve ser o inspetor Hole — disse ela, com sotaque de Sunnmøre. — Tonje me falou que estava a caminho. Aceita um drinque?

— Não, obrigado.

— Ah, pois deveria. É importante ingerir líquidos neste calor, sabe. Precisa se manter hidratado, mesmo que não esteja com sede. Aqui a gente desidrata antes mesmo de o corpo soar o alarme.

Ela tirou os óculos de sol, e Harry viu, conforme já adivinhara pelo cabelo preto e pelo tom moreno da pele, que a sra. Molnes tinha olhos castanhos. Eram olhos vivos, mas estavam vermelhos. Ou por causa do luto, ou por causa da bebida antes do jantar, pensou Harry. Ou os dois.

Ele estimou a idade dela em pouco mais de 40 anos; era uma mulher conservada. Uma mulher de classe média alta, dotada daquela beleza de meia-idade, já um pouco desgastada pelo tempo. Harry conhecia o tipo.

Acomodou-se na outra cadeira de vime, que envolveu seu corpo como se estivesse esperando que ele se sentasse ali.

— Nesse caso, aceito um copo de água, *fru* Molnes.

Ela repassou o pedido ao criado e o dispensou.

— Já foi informada de que agora pode ir ver seu marido?

— Sim. Obrigada — respondeu a viúva. Harry reparou no tom seco. — Agora me deixam vê-lo. O homem com quem fui casada durante vinte anos.

Os olhos castanhos tinham se tornado negros, e Harry pensou que provavelmente era verdadeira a história de que muitos náufragos portugueses e espanhóis tinham ido parar na costa de Sunnmøre.

— É minha obrigação fazer algumas perguntas — disse ele.

— Então é melhor fazê-las agora, enquanto ainda estou sob o efeito do gim.

Ela cruzou a perna bronzeada e magra.

Harry pegou o bloco de anotações. Não que precisasse escrever algo, mas, ao tomar notas, não teria que ficar olhando para a sra. Molnes enquanto ela respondia às suas perguntas. O que, em geral, tornava mais fácil a conversa com o parente de uma vítima.

Ela contou que o marido tinha saído de manhã e que não havia falado nada sobre voltar tarde para casa, mas que não era incomum que surgisse algum compromisso. Quando já eram dez da noite e ele ainda não tinha dado notícias, ela tentou ligar tanto na embaixada quanto no celular, mas sem sucesso. Isso não a deixou preocupada. Passava um pouco da meia-noite quando Tonje Wiig ligou para dizer que o embaixador havia sido encontrado morto no quarto de um hotel de beira de estrada.

Harry examinou a expressão no rosto de Hilde Molnes. Ela falava com voz firme e sem gestos dramáticos.

Em sua conversa com Tonje Wiig, a sra. Molnes havia entendido que a causa da morte ainda era desconhecida. Só no dia seguinte a embaixada informou que se tratava de assassinato, mas as instruções de Oslo era para que fosse mantido sigilo absoluto quanto a isso. A ordem incluía Hilde Molnes, ainda que ela não fosse funcionária da embaixada, pois todo cidadão norueguês pode ser obrigado a se manter em silêncio caso o assunto envolva questões de segurança do Estado. A sra. Molnes disse essa última frase com profundo sarcasmo, erguendo a taça em um brinde.

Harry simplesmente assentia e fazia anotações. Perguntou se ela tinha certeza de que o marido não havia deixado o celular em casa, e a viúva respondeu que sim, tinha certeza. Em um impulso, ele emendou uma pergunta sobre o modelo do celular do embaixador, e ela disse que não sabia ao certo, mas achava que era de uma marca finlandesa.

Quanto a quem poderia ter algum motivo para desejar a morte de seu marido, a sra. Molnes declarou não poder ajudar.

Harry batucou com o lápis no bloco.

— Seu marido gostava de crianças?

— Ah, gostava, gostava muito! — respondeu Hilde Molnes num arroubo, e pela primeira vez Harry percebeu um tremor na voz dela. — Sabe, Atle era o melhor pai do mundo.

Harry precisou se concentrar novamente no bloco de anotações. Alguma coisa nos olhos dela revelava que tinha compreendido o duplo sentido da pergunta. Ele tinha quase certeza de que ela não estava a par de nada, mas sabia também que, como parte daquela infeliz missão, precisaria dar o próximo passo e perguntar sem rodeios se ela tinha conhecimento de que o embaixador guardava pornografia infantil.

Harry passou a mão pelo rosto. Sentia-se um cirurgião com o bisturi a postos, incapaz, porém, de fazer a primeira incisão. Jamais conseguira ignorar sua sensibilidade quando se tratava de questões desagradáveis, quando gente inocente era obrigada a encarar a exposição pública de seus entes mais próximos e queridos, quando detalhes que deveriam permanecer desconhecidos eram jogados bem na cara das pessoas.

Hilde Molnes falou primeiro.

— O amor dele por crianças era tanto que chegamos a pensar em adotar uma menina. — Tinha lágrimas nos olhos. — Uma pobre menininha refugiada da Birmânia. Eu sei, na embaixada o pessoal toma o cuidado de usar Myanmar, pra não ofender ninguém, mas gente velha como eu continua a chamar de Birmânia.

Ela forçou um riso em meio às lágrimas e se recompôs. Harry desviou o olhar. Um beija-flor vermelho pairava silencioso sobre as orquídeas como um pequeno helicóptero de brinquedo.

Não restava mais dúvidas, decidiu Harry. Ela não sabe de nada. Se a questão tivesse qualquer relevância para o caso, ele abordaria o assunto mais tarde. Caso contrário, ele a pouparia.

Perguntou quanto tempo fazia que os dois se conheciam, e ela lhe contou a primeira vez que tinham se visto, quando Atle Molnes era um jovem recém-formado em ciência política, um rapaz solteiro que passava o Natal na casa dos pais em Ørsta. A família Molnes era muito rica, dona de duas fábricas de móveis, e o jovem herdeiro seria um bom partido para qualquer moça da região, de modo que não faltava concorrência.

— Eu era apenas a Hilde Melle, da Fazenda Melle, mas também a moça mais atraente de todas — disse, com o mesmo sorriso forçado de antes. Uma expressão sofrida cruzou seu rosto por um momento, e ela levou a bebida à boca.

Harry não teve dificuldade alguma de visualizar a viúva como uma beldade jovem e pura. Especialmente porque a exata imagem que ele criara tinha acabado de se materializar na porta que dava para o jardim.

— Runa, meu amor, aí está você! Este aqui é Harry Hole, um investigador da Noruega que vai nos ajudar a descobrir o que aconteceu com seu pai.

A filha mal se dignou a olhar na direção dos dois antes de seguir para o lado oposto da piscina sem responder à mãe. Tinha a pele morena e o cabelo escuro da sra. Molnes, e Harry estimou, pelo corpo magro em trajes de banho e as pernas compridas da garota, que ela tinha uns 17 anos. Deveria ter se lembrado da idade dela de imediato, pois a informação constava do relatório que recebera antes de viajar.

A moça teria a mesma beleza perfeita da mãe, não fosse por um detalhe que não constava no relatório. Quando Runa contornou a piscina, deu três passos elegantes até a ponta do trampolim, e, mantendo as pernas juntas, saltou no ar, a imagem da moça provocou em Harry um nó no estômago. Do ombro esquerdo dela despontava o coto de um braço, o qual dava ao corpo uma forma estranhamente assimétrica, como a de um avião caindo sem uma das asas, rodopiando. Não ouviram mais do que um *splash* quando ela rompeu a superfície da água e desapareceu dentro da piscina.

— Runa faz saltos ornamentais — comentou Hilde Molnes, como se fosse necessário.

Harry continuava com o olhar fixo no ponto onde a moça tinha sido engolida pela água quando ela reapareceu na escada da piscina, do outro lado. Runa subiu os degraus, e ele ficou observando a ondulação das costas, o sol fazendo cintilar as gotas sobre a pele, refletindo nos cabelos negros. O braço atrofiado pendia como uma asa de galinha. A jovem foi embora tão silenciosa quanto chegou, sumindo porta adentro sem dizer uma palavra.

— Ela provavelmente não sabia que você estava aqui — disse Hilde Molnes, à guisa de desculpas. — Não gosta que estranhos a vejam sem a prótese, sabe?

— Entendo. Como ela recebeu a notícia?

— Vai saber — Hilde Molnes olhou pensativa para a porta por onde a filha tinha saído. — Está naquela idade de não me contar nada. Nem a qualquer outra pessoa, aliás. — Ela ergueu a taça. — Receio que Runa talvez seja um tanto especial.

O investigador ficou de pé, agradeceu pelas informações e disse que ela voltaria a ter notícias dele. Hilde Molnes comentou que ele não tinha bebido a água; Harry a cumprimentou e pediu a ela que a guardasse para uma próxima visita. Harry se deu conta de que o pedido talvez fosse um pouco inapropriado, mas ela riu, enfim, e esvaziou o próprio copo enquanto ele se dirigia à porta.

Harry caminhava para o portão quando cruzou com um Porsche vermelho conversível subindo em direção à garagem. Teve um vislumbre de uma franja loira, um par de óculos Ray-Ban e um terno Armani cinza antes de o carro se afastar e ser estacionado à sombra da casa.

10

Sábado, 11 de janeiro

A inspetora Crumley não estava na delegacia quando Harry chegou, mas Nho ergueu o polegar em um sinal positivo como resposta ao pedido educado do investigador para que entrasse em contato com a operadora de telefonia e conferisse todas as chamadas realizadas e recebidas pelo celular do embaixador no dia do assassinato.

Eram quase cinco horas quando Harry finalmente conseguiu encontrar a inspetora. Como já estava tarde, ela sugeriu que eles fossem até o rio para "fazer de uma vez o passeio turístico obrigatório".

No ancoradouro, foram abordados com uma oferta de um passeio em um dos barcos compridos por seiscentos *baht*, mas o preço não demorou a cair para trezentos depois da reprimenda em tailandês que Liz passou no barqueiro.

Foram descendo o rio Chao Phraya antes de pegar um dos canais estreitos. Barracos de madeira construídos sobre palafitas que pareciam prestes a desabar a qualquer momento exalavam um odor de comida, esgoto e gasolina. A sensação era de que estavam passando no meio da sala de estar das pessoas. Só o que os impedia de espiar o interior dos barracos eram as fileiras de vasos com plantas, mas ninguém parecia particularmente incomodado; pelo contrário, todos acenavam e sorriam.

Sentados em um píer, três meninos vestindo apenas calções e molhados após um mergulho na água marrom gritaram para eles. Liz acenou para eles em uma resposta bem-humorada, e o barqueiro riu.

— O que estavam gritando? — quis saber Harry.

Ela apontou para a própria cabeça.

— *Mâe chii*. Quer dizer mãe, padre ou freira. As freiras raspam a cabeça aqui na Tailândia. Se eu estivesse de túnica branca provavelmente seria tratada com mais respeito — comentou a inspetora.

— É mesmo? Tenho a impressão de que respeito é o que não falta por parte do seu pessoal...

— Sim, porque eu os respeito — interrompeu ela. — E porque sou boa no que faço. — Ela pigarreou e cuspiu na água. — Isso surpreende você porque sou mulher?

— Não foi isso que eu disse.

— É comum os estrangeiros ficarem surpresos ao ver que mulheres conseguem se dar bem neste país. Não é um lugar tão machista quanto parece. Na verdade, meu maior problema aqui é ser estrangeira.

Uma brisa leve trouxe uma trégua refrescante à atmosfera úmida; de um amontoado de árvores emergia a cantoria chilreante de gafanhotos, e a paisagem que viam agora era a do mesmo pôr de sol vermelho-sangue do dia anterior.

— O que fez você mudar pra cá?

Harry sentiu que talvez tivesse passado do limite, mas ignorou a impressão.

— Minha mãe é tailandesa — respondeu a inspetora, depois de uma pausa. — Meu pai serviu em Saigon durante a Guerra do Vietnã e a conheceu aqui em Bangkok, em 1967. — Liz riu e ajeitou uma almofada nas costas. — Minha mãe jura que engravidou na primeira noite deles juntos.

— De você?

Ela confirmou com um movimento de cabeça e continuou:

— Com a capitulação dos Estados Unidos, ele nos levou pra Fort Lauderdale, onde serviu como tenente-coronel. Ao voltarmos pra cá, minha mãe descobriu que ele era casado quando os dois se conheceram. Ele escreveu pra casa pedindo o divórcio quando descobriu que minha mãe estava grávida. Meu pai teve todas as chances do mundo de fugir e abandonar a gente em Bangkok, se quisesse. E no fundo talvez quisesse isso. Vai saber.

— Você nunca perguntou a ele?

— Não é o tipo de pergunta pra qual a gente necessariamente quer uma resposta honesta. Enfim, eu nunca conseguiria arrancar uma resposta dele. Era o jeito dele.
— Era?
— Sim, ele já morreu. — Liz virou-se para Harry. — Você acha incômodo eu falar da minha família?
Harry levou o cigarro à boca.
— Nem um pouco.
— Pro meu pai, fugir nunca foi uma opção. Ele tinha essa fixação com responsabilidade. Quando eu tinha 11 anos, me deixaram ficar com um gatinho que eu tinha ganhado de uns vizinhos em Fort Lauderdale. Depois de muito insistir, meu pai deixou que eu ficasse com o bichinho, mas impôs a condição de que eu seria a responsável por ele. Duas semanas mais tarde, eu tinha perdido o interesse no gato e perguntei se podia devolvê-lo. Meu pai me fez levá-lo até a garagem e disse: "Você não pode fugir de uma responsabilidade. É assim que as civilizações são destruídas." Aí ele pegou o rifle e meteu uma bala na cabeça do gatinho. Depois me obrigou a esfregar o chão da garagem com água e sabão. Esse era o jeito do meu pai. Foi por isso que... — Ela tirou os óculos de sol e, com a barra da camisa, limpou as lentes enquanto observava o sol poente com olhos semicerrados. — Foi por isso que ele nunca conseguiu aceitar a retirada das tropas americanas do Vietnã. Minha mãe e eu nos mudamos pra cá quando eu tinha 18 anos.
Harry assentiu.
— Posso imaginar que não deve ter sido fácil pra sua mãe ir viver em uma base militar americana depois da guerra.
— Na base não era tão ruim, mas outros americanos, aqueles que não tinham estado na guerra, mas acabaram perdendo um filho ou um namorado no Vietnã, nos odiavam. Pra eles, qualquer um que tivesse olhos puxados era vietcongue.
Sentado em frente a um barraco que tinha sido destruído pelo fogo, um sujeito de terno fumava um charuto.
— E aí você entrou pra Academia de Polícia, virou investigadora e raspou a cabeça?
— Não nessa ordem. Não raspei o cabelo. Caiu todo em uma semana, quando eu tinha 17 anos. Um tipo raro de alopecia. Mas é prático nesse clima.

Ela passou a mão pela cabeça e exibiu um sorriso abatido. Também não tinha sobrancelhas, cílios, nada.

Outro barco emparelhou com o deles. Ia carregado de chapéus de palha, e uma senhora apontou para as cabeças dos dois e para os chapéus. Liz sorriu, educada, e disse algumas palavras. Antes de seu barco tomar outro rumo, a mulher se debruçou na direção de Harry e lhe ofereceu uma flor branca. Então apontou para Liz e riu.

— Como é "obrigado" em tailandês?

— *Khop khun khráp* — informou Liz.

— Certo. Diga isso a ela.

Seguiram deslizando pelo canal. Passaram por um templo, um *wat*, que ficava junto à margem e, pela porta aberta, conseguiram ouvir o murmúrio dos monges lá dentro. Havia gente sentada nos degraus do lado de fora, as mãos postas em oração.

— Pelo que eles estão rezando? — quis saber Harry.

— Não sei. Paz. Amor. Uma vida melhor, aqui ou no além. O mesmo que todo mundo deseja em qualquer lugar.

— Não acho que Atle Molnes estivesse à espera de uma prostituta. Acho que o encontro era com outra pessoa.

O murmúrio dos monges aos poucos foi ficando para trás.

— E com quem seria?

— Não faço ideia.

— Por que acha isso?

— Como o embaixador tinha dinheiro suficiente apenas para alugar o quarto, eu apostaria que ele não tinha intenção de pagar pelos serviços de uma prostituta. Mas não havia motivos pra ele estar no hotel se não fosse pra se encontrar com alguém, certo? De acordo com Wang, a porta não estava trancada quando o encontraram. Não soa meio estranho? Quando se fecha a porta de um quarto de hotel, ela é trancada automaticamente. Molnes deve ter pressionado o botão na maçaneta que a deixa destravada. O assassino não teria motivos pra fazer isso. Imagino que ele ou ela não sabia que a porta estava destrancada. Então por que Molnes teria feito isso? A maioria dos frequentadores desse tipo de estabelecimento deve preferir trancar a porta antes de dormir, não?

Liz balançou a cabeça negativamente.

— Talvez ele temesse não escutar a chegada da pessoa que estava esperando.

— Exatamente. E ele não tinha motivos para deixar a porta aberta pra Tonya Harding, porque o combinado com o gerente era que ele ligaria antes de ela seguir pro quarto. Certo?

Em sua empolgação, Harry acabou indo para a lateral do barco, e o barqueiro gritou para que voltasse a se sentar no centro, ou poderiam virar.

— Acho que ele não queria que ninguém soubesse com quem ia se encontrar. Provavelmente por isso tinham marcado o encontro em um hotel de beira de estrada nos arredores da cidade. O lugar adequado para um encontro secreto, onde não haveria um livro de registros oficial com informações sobre os hóspedes.

— Humm. As fotos. É nelas que você está pensando.

— Impossível não pensar nelas, não?

— É possível comprar esse tipo de coisa por toda parte em Bangkok.

— Talvez ele tenha ido além disso. A gente pode estar lidando com prostituição infantil aqui.

— Talvez. Mas não temos qualquer pista disso além de uma foto que, sério, a gente encontra em todo canto dessa cidade.

Tinham percorrido um longo caminho rio acima. Liz apontou para uma casa diante de um amplo jardim.

— É um norueguês quem mora aí — disse ela.

— Como você sabe?

— Foi um verdadeiro escândalo nos jornais quando ele construiu a casa. Como você pode ver, ela parece um templo. Os budistas ficaram indignados com o fato de um "gentio" ir morar ali; chamaram de blasfêmia. Pra piorar as coisas, veio à tona que o cara tinha usado na construção materiais de um templo birmanês que ficava em uma área de fronteira em conflito. A situação estava um pouco tensa lá na época; depois de vários tiroteios, a população fugiu do local. O norueguês comprou o templo a preço de banana e, como tudo nos templos do norte da Birmânia é feito em madeira de teca, ele desmontou a parada toda e a trouxe pra Bangkok.

— Estranho — falou Harry. — Qual é o nome do sujeito?

— Ove Klipra. É dono de uma das maiores empreiteiras que atuam em Bangkok. Se ficar aqui algum tempo, acho que você vai acabar ouvindo falar dele.

Liz mandou que o barqueiro desse meia-volta.

— Curte comida pra viagem?

Harry olhou para a sopa de macarrão na cumbuca de plástico. As coisas brancas ali dentro eram uma versão pálida e mirrada de espaguete, e ele sentia certa inquietação ao perceber movimentos inesperados em pontos da superfície líquida quando atacava o macarrão com os pauzinhos.

Rangsan entrou na sala para avisar que Tonya Harding estava na delegacia para fornecer suas impressões digitais.

— Você pode falar com ela agora, se quiser. E mais uma coisa: Supawadee disse que está checando a cápsula encontrada no carro. O resultado deve estar aqui amanhã. Estão dando prioridade máxima ao teste.

— Diga três tigres tristes — falou Harry.

— Diga o quê? — perguntou Liz.

— Diga farofa.

Harry sorriu, acanhado, e Liz, ao tentar falar, cuspiu arroz para todo lado.

11

Sábado, 11 de janeiro

Harry não saberia dizer com certeza quantas prostitutas já havia interrogado em salas como aquela, mas não eram poucas. Elas pareciam ser atraídas por casos de assassinato feito moscas por bosta de vaca. Não porque estivessem envolvidas nesses casos, necessariamente, mas porque quase sempre tinham algo para contar.

Durante os interrogatórios, Harry já as tinha visto rir, xingar e chorar, tinha se tornado amigo delas, discutido com elas, feito acordos com elas, quebrado promessas e levado cusparadas e bofetadas. Mas havia alguma coisa na sina dessas mulheres, nas circunstâncias das quais surgiam, que ele se achava capaz de reconhecer e entender. O que ele não compreendia era o otimismo inabalável delas: o fato de, apesar de suas incursões nas profundezas da alma humana, elas jamais perderem a fé na bondade do mundo. Harry conhecia um número razoável de policiais incapazes de sentir o mesmo.

Foi por isso que ele deu um leve tapinha no ombro de Dim e lhe ofereceu um cigarro antes de começarem o interrogatório. Não que esperasse tirar alguma coisa da moça com o gesto; Harry achou apenas que ela precisava disso.

Dim tinha um olhar obstinado, e a expressão determinada indicava que não era de se deixar intimidar facilmente, mas ali, sentada a uma mesa de plástico, ela se remexia com nervosismo e parecia a ponto de cair no choro.

— *Pen yangai?* — perguntou Harry. Como vai? Ele tinha aprendido a expressão em tailandês com Liz antes de entrar na sala de interrogatório.

Nho traduziu a resposta. Ela havia dormido mal aquela noite e não queria mais voltar a trabalhar no hotel.

Harry se sentou diante da moça, apoiou os cotovelos na mesa e tentou captar o olhar dela, que relaxou um pouco os ombros, mas continuou sem encará-lo e com os braços cruzados.

Repassaram ponto a ponto o ocorrido, mas ela não tinha nada de novo a acrescentar. Confirmou que a porta do quarto estava fechada, mas não trancada. Não vira nenhum celular no local. Tampouco qualquer pessoa que não trabalhasse no hotel, nem ao chegar nem ao sair.

Quando Harry mencionou o Mercedes e quis saber se ela havia reparado que o carro tinha uma placa diferente, para veículos de embaixadas, Dim negou com a cabeça. Não tinha visto carro algum. Não estavam avançando muito ali, e, por fim, Harry acendeu um cigarro e perguntou, quase como quem não quer nada, se ela suspeitava de alguém que pudesse ter feito aquilo. Nho traduziu, e Harry viu no rosto de Dim que ele tinha acertado bem no alvo.

— O que ela falou?

— Que a faca é de Khun Sa.

— O que isso quer dizer?

— Você nunca ouviu falar de Khun Sa? — Nho dirigiu-lhe um olhar cético.

O inspetor balançou a cabeça negativamente.

— Khun Sa é o traficante de heroína mais poderoso na história. Desde os anos 1950, junto com os governos da Indochina e com a CIA, ele controla o tráfico de ópio no Triângulo Dourado. Foi assim que os americanos conseguiram financiar suas operações na região. O cara tinha um exército próprio lá na selva.

Aos poucos Harry foi se dando conta de que já tinha ouvido falar do Escobar asiático.

— Khun Sa se entregou às autoridades birmanesas há dois anos e foi colocado em prisão domiciliar, embora sua casa seja uma das mais luxuosas do país. Dizem que ele financia os novos hotéis na Birmânia, e há quem afirme também que continua a ser o chefe da máfia do ópio no Norte. Quando ela fala em Khun Sa, quer dizer que desconfia da máfia. Por isso está com medo.

Harry observou Dim por um instante, pensativo, antes de assentir para Nho.

— Pode liberar a moça — falou.

Nho traduziu, e Dim pareceu surpresa. Ela encarou Harry; em seguida, uniu as palmas das mãos à altura do rosto e inclinou-se para a frente, fazendo uma reverência. Harry percebeu então que ela achava que seria presa por prostituição.

Sorriu para a moça. Ela se debruçou sobre a mesa.

— Gosta de patinação no gelo, senhor?

— Khun Sa? CIA?

A ligação para Oslo chiava, e o eco fazia Harry ouvir a própria voz junto com a de Torhus, do Ministério das Relações Exteriores.

— Desculpe, Hole, mas você está com insolação? Um sujeito é encontrado com uma faca cravada nas costas, uma faca que poderia ter sido comprada em qualquer lugar no norte da Tailândia. Pedimos pra ter cuidado onde pisa, e você vem me dizer que está pensando em tentar desmantelar o crime organizado no Sudeste da Ásia?

— Não. — Harry pôs os pés em cima da mesa. — Não estou pensando em fazer nada a respeito, Torhus. Só estou dizendo que um especialista de sei lá que museu afirmou que a faca é uma peça rara, que é muito difícil de se conseguir. A polícia daqui acrescentou que pode se tratar de um aviso de alguma máfia do ópio pra que não se metam no território deles, mas não acho que seja isso. Se a máfia quisesse nos avisar de alguma coisa, lançaria mão de métodos mais diretos do que sacrificar uma faca antiga.

— Então do que você está falando?

— Estou falando que as pistas apontam nessa direção, mas o chefe de polícia daqui ficou totalmente apavorado quando mencionei ópio. Acontece que essa área está um caos absoluto. E o chefe não parece estar a fim de mexer nesse vespeiro, por assim dizer. Então pensei em começar descartando algumas hipóteses possíveis. Como o embaixador estar envolvido em alguns crimes. Pornografia infantil, por exemplo.

O outro lado da linha emudeceu.

— Não há nenhum motivo pra gente acreditar que... — Torhus começou a falar, mas o restante da fala desapareceu em meio ao ruído de interferência.

— Pode repetir o que você falou, por favor?

— Falei que não há nenhum motivo pra acreditarmos que Molnes fosse pedófilo, se é a isso que você se refere.

— Como assim não há nenhum motivo? Eu não sou da imprensa, Torhus. Preciso saber dessas coisas pra conseguir algum progresso nas investigações.

Novo silêncio, e, por um momento, Harry pensou que a ligação tivesse caído. Então voltou a escutar a voz de Torhus, e, ainda que a qualidade daquela comunicação com o outro lado do mundo fosse bem ruim, Harry pôde sentir o tom gélido do outro.

— Vou dizer a você agora tudo que precisa saber, Hole. Tudo que precisa saber é que sua tarefa aí é aparar arestas. Estou me lixando se o embaixador estava envolvido nisso ou naquilo. Pra mim, tanto faz se era traficante de heroína ou pederasta, desde que nem a imprensa nem ninguém mais desconfiem de qualquer coisa. Se um escândalo vier à tona, seja lá qual for, você vai ser responsabilizado. Fui claro, Hole, ou você ainda precisa saber mais?

Torhus não havia parado nem para tomar fôlego.

Harry deu um pontapé na mesa, o que fez o telefone e os colegas que trabalhavam ao seu lado pularem.

— Você foi claríssimo — disse Harry, entre os dentes. — Mas agora você vai me ouvir. — Harry fez uma pausa para respirar fundo. Uma cerveja, *uma* só. Colocou o cigarro entre os lábios e tentou afastar a ideia. — Se Molnes estiver envolvido em alguma coisa, é pouco provável que seja o único norueguês na história. Duvido muito que tivesse conseguido contatos no submundo tailandês no curto tempo que ficou aqui. Você leu sobre o norueguês flagrado com uns meninos em um quarto de hotel em Pattaya? A polícia aqui gosta desse tipo de coisa. A publicidade é boa, e pedófilos são mais fáceis de pegar do que os traficantes de heroína. Agora imagine que a polícia tailandesa já tenha sentido o cheiro de presa fácil, mas só esteja esperando a investigação ser formalmente concluída e eu voltar pra casa. Os jornais noruegueses vão enviar um bando de repórteres pra cá e, antes que você se dê conta, o nome do embaixador terá voltado a ser notícia. Se a gente conseguir pegar esses caras agora, enquanto pode contar com a colaboração da polícia tailandesa quanto ao sigilo de tudo isso, talvez seja possível evitar um escândalo.

Harry percebeu que Torhus estava entendendo como as coisas se desenrolavam por ali.

— O que você quer?

— Faz pouco mais de vinte e quatro horas que cheguei aqui, mas já dá pra ver que essa investigação não vai chegar a lugar nenhum, e isso porque Molnes está sendo protegido. Quero saber o que você está escondendo de mim. O que sabe sobre esse sujeito? Em que ele andava envolvido?

— Você já sabe o que precisa saber. Não tem mais nada. É tão difícil entender isso? — gemeu Torhus. — O que você está querendo de verdade, Hole? Achei que tivesse tanto interesse quanto nós em ver esse caso resolvido depressa.

— Sou policial. Estou tentando fazer meu trabalho, Torhus.

O diretor soltou uma risada.

— Muito comovente, Hole, mas não esqueça que sei umas coisinhas sobre você, então não caio nessa ladainha de policial honesto e blá-blá-blá.

Harry tossiu no bocal do telefone e ouviu o eco, que soou como tiros abafados. Murmurou alguma coisa.

— Como é?

— Falei que a ligação estava ruim. Dê uma pensada, Torhus, e me ligue quando tiver algo a dizer.

Harry acordou com um sobressalto, pulou da cama e chegou ao banheiro bem a tempo de vomitar. Sentou na privada; a coisa vinha por cima e por baixo agora. O suor escorria, ainda que ele sentisse frio no quarto.

A ressaca tinha sido pior da vez anterior, disse a si mesmo. Vai melhorar. Vai melhorar muito, ele esperava.

Tinha injetado a vitamina B na nádega antes de ir para a cama, uma picada extremamente dolorida. Lembrou-se de Vera, uma prostituta de Oslo, usuária de heroína durante quinze anos. Certa vez ela contou a ele que ainda desmaiava ao inserir a agulha.

Harry viu alguma coisa se mover na escuridão, em cima da pia, um par de antenas movendo-se de um lado para o outro. Uma barata. Tinha o tamanho de um polegar e uma faixa alaranjada nas costas.

Ele nunca tinha visto uma como aquela, mas talvez não fosse algo tão peculiar assim — havia lido uma vez que existem mais de três mil tipos diferentes de baratas. Tinha lido também que elas se escondem quando ouvem as vibrações de alguém se aproximando, e que, para cada barata que se vê, há pelo menos outras dez escondidas. O que significava que elas estavam por toda parte. Quanto pesa uma barata? Uns dez gramas? Se mais de cem delas estiverem escondidas nas rachaduras das paredes e atrás dos móveis, haveria no mínimo um quilo de baratas no quarto. Harry estremeceu. Não o consolava muito saber que elas estavam mais assustadas do que ele. Às vezes tinha a sensação de que o álcool lhe fizera mais *bem* do que mal. Fechou os olhos e tentou não pensar.

12

Domingo, 12 de janeiro

Por fim, decidiram estacionar e procurar o endereço a pé. Nho tentou explicar o engenhoso sistema de endereços de Bangkok, com suas ruas principais e transversais numeradas, chamadas *sois*. O problema era que a numeração das casas não obedecia a uma sequência, pois, quando uma nova casa era construída, ganhava o próximo número livre, não importando onde estivesse localizada na rua.

Caminharam por ruelas estreitas nas quais as calçadas funcionavam como extensão da sala de estar, com pessoas lendo jornais, costurando em máquinas de pedal, cozinhando ou fazendo a sesta. Quando eles passaram, algumas meninas vestidas com uniformes escolares gritaram e deram risadinhas. Nho apontou para Harry, respondendo alguma coisa. As meninas uivaram de tanto rir, levando a mão à boca.

Nho conversou com uma senhora sentada atrás de uma máquina de costura, e ela indicou uma porta. Bateram, esperaram um pouco, e a porta foi aberta por um sujeito de short cáqui e camisa aberta. Harry estimou a idade do homem em 60 anos, o que só transparecia pelos olhos e pelas rugas. O cabelo liso e preto, penteado para trás, exibia mechas grisalhas, e o corpo magro e musculoso podia bem ser o de um rapaz com metade da idade.

Nho disse algumas palavras, e o sujeito assentiu, olhando para Harry. Em seguida, pediu licença e saiu. Voltou um minuto depois, agora vestindo uma camisa de manga curta branca recém-passada e calça comprida.

Trazia consigo duas cadeiras, que colocou na calçada. Falando um inglês surpreendentemente bom, indicou uma delas a Harry, sentando-se ele próprio na outra. Nho permaneceu de pé ao lado deles e, com um leve movimento de cabeça, recusou a sugestão de Harry, que sinalizava ao policial que se sentasse em um degrau da escada.

— Sou Harry Hole, da polícia norueguesa, sr. Sanphet. Gostaria de fazer algumas perguntas sobre Molnes.

— Sobre o *embaixador* Molnes, o senhor quer dizer.

Harry olhou para o homem. Estava sentado reto como uma estaca, as mãos morenas e sardentas pousadas no colo.

— Embaixador Molnes. Claro. O senhor é o motorista da embaixada da Noruega há quase trinta anos, segundo eu soube.

Sanphet piscou em sinal de confirmação.

— E respeitava muito o embaixador?

— O embaixador Molnes era um grande homem. Um grande homem com um grande coração. E uma ótima cabeça.

Tocou a testa com um dedo e lançou um olhar de repreensão para Harry, que estremeceu ao sentir uma gota de suor descendo pelas costas e entrando na calça. O investigador olhou em volta à procura de alguma sombra para onde pudessem deslocar as cadeiras, mas o sol estava a pino e as casas da rua eram baixas.

— Viemos procurá-lo porque o senhor é quem melhor conhecia os hábitos do embaixador, sabia os lugares que ele frequentava e com quem se encontrava. E também porque claramente tinha boa relação pessoal com ele. O que aconteceu no dia em que o embaixador morreu?

Sentado ali e bastante calmo, Sanphet relatou que o embaixador tinha saído sem dizer para onde estava indo, apenas que queria dirigir, o que era bastante incomum em horário de trabalho, uma vez que ele, Sanphet, não tinha outras funções além da de motorista. Havia então esperado na embaixada até as cinco horas antes de seguir para casa.

— O senhor mora sozinho?

— Minha mulher morreu em um acidente de trânsito há catorze anos.

Alguma coisa dizia a Harry que o homem seria capaz de informar exatamente o número de meses e dias que se passaram desde aquela morte. O casal não tivera filhos.

— Aonde o senhor costumava levar o embaixador?

— A outras embaixadas. Reuniões. Casas de cidadãos noruegueses.

— Que cidadãos noruegueses?

— De todo tipo. Gente da Statoil, da Hidro, da Jotun e da Statskonsult.

A pronúncia dos nomes noruegueses era perfeita.

— O senhor conhece algum destes aqui? — perguntou Harry, passando uma lista ao homem. — São pessoas com quem o embaixador manteve contato pelo celular no dia em que morreu. A lista nos foi passada pela operadora de telefonia.

Sanphet sacou um par de óculos, mas mesmo com eles precisou segurar o pedaço de papel à distância de um braço enquanto lia em voz alta:

— Onze e dez. Serviço de Apostas de Bangkok.

Espiou por cima dos óculos.

— O embaixador gostava de apostar nos cavalos. — E acrescentou com um sorriso: — Até ganhava, às vezes.

Nho se remexeu no lugar.

— O que significa "Worachak Road"? — perguntou o motorista.

— Uma chamada de um telefone público. Continue, por favor.

— Onze e cinquenta e cinco. Embaixada da Noruega.

— O curioso é que ligamos pra embaixada hoje de manhã, e ninguém lá, nem mesmo a recepcionista, se lembra de ter atendido um telefonema do embaixador naquele dia.

Sanphet deu de ombros, e Harry fez sinal para que ele prosseguisse.

— Meio-dia e cinquenta. Ove Klipra. O senhor já ouviu falar dele, imagino.

— Talvez tenha ouvido.

— É um dos homens mais ricos de Bangkok. Li no jornal que acabou de fechar a venda de uma hidrelétrica no Laos. Mora em um templo — murmurou Sanphet. — Ele e o embaixador se conheciam de outros tempos. Eram da mesma região da Noruega. O senhor já ouviu falar de Ålesund? O embaixador convidou...

O motorista ergueu os braços, interrompendo-se. Não valia a pena falar daquilo agora. Voltou à lista.

— Uma e quinze. Jens Brekke.

— Quem é?

— Corretor de câmbio. Há alguns anos deixou o emprego no Den Norske Bank pra vir trabalhar no Barclays Tailândia.

— Certo.
— Cinco e cinquenta e cinco. Mangkon Road?
— Outra chamada de telefone público.

Não havia mais nomes na lista. Harry praguejou consigo mesmo. Não sabia bem o que estava esperando, mas o motorista não acrescentou nada de novo à conversa que ele havia tido com Tonje Wiig uma hora antes.

— O senhor sofre de asma, sr. Sanphet?
— Asma? Não. Por quê?
— Encontramos uma cápsula no carro. Pedimos ao laboratório que a analisasse. Não precisa se assustar, sr. Sanphet. Procedimento de rotina. Tratava-se de remédio pra asma. Mas ninguém na família Molnes sofre da doença. O senhor sabe dizer a quem poderia pertencer essa cápsula?

Sanphet negou com a cabeça.

Harry puxou sua cadeira para mais perto do motorista. Não estava acostumado a interrogatórios no meio da rua, e a sensação era de que todo mundo sentado ali, naquela ruela estreita, espichava-se para ouvir a conversa deles. Baixou a voz.

— Com todo o respeito, o senhor está mentindo. Vi com meus próprios olhos que a recepcionista da embaixada toma medicação pra asma, sr. Sanphet. Faz trinta anos que o senhor passa metade dos seus dias naquele lugar, e imagino que não se troque um rolo de papel higiênico lá sem que o senhor fique sabendo. Está dizendo que não sabia que ela sofre de asma?

Sanphet o encarou com olhos frios e calmos.

— Estou dizendo que não sei quem poderia ter deixado cair esse remédio pra asma no carro, senhor. Um monte de gente em Bangkok tem asma, e, dessas pessoas, algumas podem ter estado no carro do embaixador. Até onde sei, a srta. Ao não é uma delas.

Harry o examinou. Como ele conseguia ficar sentado ali, sem nem uma gota de suor na testa, enquanto o sol brilhava no céu feito um gongo de bronze? Harry baixou a vista para o bloco de anotações, como se tivesse escrito a pergunta seguinte nele.

— Alguma vez o embaixador transportou crianças no carro?
— Como é?

— O senhor às vezes ia buscar crianças, levava o embaixador a escolas, creches ou algum lugar do tipo? Entende o que eu quero dizer?

Sanphet nem piscou, mas empertigou-se.

— Entendo. O embaixador não era um *desses* — respondeu o motorista.

— Como o senhor sabe?

Um sujeito ergueu os olhos do jornal, e Harry percebeu que tinha levantado a voz. Sanphet inclinou ligeiramente a cabeça, cumprimentando-o.

Harry se sentiu um idiota. Idiota, infeliz e suado. Nessa ordem.

— Desculpe — falou. — Não tive intenção de ofender o senhor.

O velho motorista olhava ao longe, fingindo não ter ouvido.

— Precisamos ir agora. — Harry ficou de pé. — Ouvi dizer que o senhor gosta de Grieg, por isso eu trouxe isso aqui. — Segurou no ar uma fita cassete. — É a "Sinfonia em Dó Menor". Foi apresentada pela primeira vez em 1981, então pensei que talvez o senhor não a tenha. E é obrigatória pra qualquer amante de Grieg. Fique com ela, por favor.

Sanphet levantou, aceitou o presente com surpresa e ali ficou, de pé, olhando para a fita.

— Tchau — disse Harry, com uma desajeitada mas sincera saudação *wai* e sinalizando para Nho que estavam de saída.

— Espere — chamou o motorista. Continuava com os olhos fixos na fita cassete. — O embaixador era um homem bom, mas não era feliz. Tinha uma fraqueza. Não quero denegrir a memória de um morto, mas ele perdia mais do que ganhava nas corridas de cavalo.

— Acontece com a maioria das pessoas — comentou Harry.

— Mas a maioria não perde cinco milhões de *baht*.

Harry tentou fazer a conta de cabeça. Nho veio em seu socorro.

— Cem mil dólares.

Harry soltou um assobio.

— Ora, se o embaixador tinha todo esse dinheiro...

— Não tinha — atalhou Sanphet. — Pediu emprestado a uns agiotas em Bangkok. Ligaram várias vezes pra ele nas últimas semanas. — O motorista encarava Harry. Era difícil interpretar sua expressão. — Pessoalmente, sou da opinião de que um homem deve arcar com suas dívidas de jogo, mas, se alguém o matou por causa desse dinheiro, acho que merece ser punido.

— Então o embaixador não era um homem feliz?

— Ele não levava uma vida fácil.

Harry se lembrou de uma coisa.

— Man U significa alguma coisa pro senhor?

A expressão do motorista se anuviou.

— Na agenda do embaixador havia essa anotação no dia do assassinato — prosseguiu Harry. — Chequei a programação na tevê e nenhum jogo do Manchester United seria transmitido naquele dia.

— Ah, Manchester United. — Sanphet sorriu. — É Klipra. O embaixador o chamava de sr. Man U., porque ele costuma ir pra Inglaterra nos dias de jogo e é detentor de um bocado de ações do clube. Um sujeito bastante peculiar.

— É o que veremos. Vou ter uma conversa com ele mais tarde.

— Isso se o senhor conseguir encontrá-lo.

— Como assim?

— A gente não encontra Klipra. Ele é que encontra a gente.

Era só o que faltava, pensou Harry. Um excêntrico.

— A coisa muda radicalmente de figura com essas dívidas de jogo — falou Nho quando já estavam de volta ao carro.

— Talvez — ponderou Harry. — Cem mil dólares é muito dinheiro, mas será o suficiente?

— Em Bangkok, pessoas são assassinadas por menos que isso — observou Nho. — Por muito menos. Acredite em mim.

— Não estou pensando nos agiotas, mas em Atle Molnes. O cara vinha de uma família muito rica. Era de supor que tivesse condições de pagar o que devia, pelo menos se fosse questão de vida ou morte. Tem algo que não bate. O que você achou do sr. Sanphet?

— Mentiu ao falar da srta. Ao.

— Ah, é? Por que diz isso?

Nho não respondeu; simplesmente sorriu, misterioso, dando batidinhas na têmpora.

— O que você está tentando me dizer, Nho? Que você sabe quando uma pessoa está mentindo?

— Aprendi com minha mãe. Durante a Guerra do Vietnã, ela sobreviveu jogando pôquer na Soi Cowboy.

— Besteira. Conheço policiais que passaram a vida inteira fazendo interrogatórios, e todos dizem a mesma coisa: não há como aprender a discernir as mentiras de um bom mentiroso.

— É só uma questão de saber olhar. Dá pra ver nas pequenas coisas. Como naquela hora em que você não abriu direito a boca pra dizer que qualquer um que amasse Grieg precisava ter uma cópia daquela fita.

Harry pôde sentir o calor subindo pelo rosto.

— Por acaso eu estava ouvindo aquela fita. Foi um policial australiano quem me falou da sinfonia de Grieg. Comprei a fita em honra à memória dele.

— Funcionou, de qualquer forma.

Nho desviou de um caminhão que vinha para cima deles.

— Cacete! — Nem deu tempo de Harry sentir medo. — O cara estava na contramão!

Nho deu de ombros.

— Ele era maior do que eu.

Harry conferiu o relógio.

— Precisamos dar uma passada na delegacia, e tenho que ir a um funeral. — Ficou apreensivo só de pensar no paletó quente pendurado no armário do lado de fora do "escritório". — Só espero que a igreja tenha ar-condicionado. Por falar nisso, por que tivemos que ficar sentados na rua, debaixo de sol escaldante? Por que o velhote não convidou a gente pra entrar?

— Por orgulho — respondeu Nho.

— Orgulho?

— Ele vive em um quarto pequeno, um contraste gritante com o carro que dirige e o lugar onde trabalha. Não queria nos convidar pra entrar porque criaria uma situação desagradável, não só pra ele, como também pra nós.

— Sujeito esquisito.

— É assim que funciona na Tailândia — explicou Nho. — Eu também não convidaria você pra entrar na minha casa. Serviria o chá na escada.

Nho fez uma curva repentina à direita e, sobressaltados, uns *tuk-tuks* abriram caminho. Harry instintivamente pôs as mãos à frente do corpo.

— Dessa vez...

— ... a gente é que é maior. Obrigado, Nho. Acho que peguei o espírito da coisa.

13

Domingo, 12 de janeiro

—E lá vai ele, virou fumaça — disse o sujeito ao lado de Harry, fazendo o sinal da cruz. Era um homem de aspecto vigoroso, pele muito bronzeada e olhos azul-claros, que lembravam a Harry madeira manchada e jeans desbotados. Usava a camisa de seda aberta no pescoço, do qual pendia uma corrente dourada que brilhava ao sol, opaca e grossa. Uma delicada rede de vasos sanguíneos cobria seu nariz, e o crânio moreno reluzia feito uma bola de bilhar sob os cabelos finos e ralos. Roald Bork tinha olhos vivos que, vistos de perto, o faziam parecer ter menos que seus 70 anos.

E falava. Em alto e bom som, aparentemente nem um pouco constrangido pelo fato de estarem em um funeral. Seu dialeto do norte da Noruega ressoava sob o teto abobadado, mas ninguém se virou para olhá-lo com reprovação.

Do lado de fora do crematório, Harry se apresentou.

— Ora, ora, então eu estava o tempo todo ao lado de um policial sem saber. Ainda bem que não falei demais. Poderia ter me custado caro.

Sua risada ecoou, e ele estendeu para Harry uma mão idosa, seca, com aparência de couro curtido.

— Bork, um pobre aposentado.

Os olhos não deixaram transparecer a ironia.

— Tonje Wiig me contou que o senhor é uma espécie de líder espiritual da comunidade norueguesa daqui.

— Então acho que vou ser obrigado a decepcioná-lo. Como você vê, não sou nenhum pastor, só um velho decrépito. Além disso, eu me mudei pros arredores da cidade.

— É mesmo?

— Pro antro de iniquidade, a Sodoma da Tailândia.

— Pattaya?

— Exato. Tem alguns noruegueses que moram lá e que eu tento manter na linha.

— Vou direto ao ponto, Bork. Estamos tentando entrar em contato com Ove Klipra, mas tudo que conseguimos até agora foi falar com um assessor que diz que não sabe onde ele está nem quando volta.

Bork gargalhou.

— Isso é bem a cara do Klipra.

— Fiquei sabendo que ele prefere tomar a iniciativa e entrar em contato com as pessoas, mas estamos no meio de uma investigação de assassinato e não tenho muito tempo. Soube também que o senhor é um amigo próximo, uma espécie de elo entre Klipra e o mundo exterior.

Bork pôs a cabeça de lado.

— Não sou assessor dele, se é isso que você está insinuando. Mas tem razão quando diz que sirvo de intermediário para contatos. Klipra não gosta de falar com estranhos.

— Foi o senhor quem fez a ponte com o embaixador?

— De início, sim. Mas Klipra logo simpatizou com ele, então os dois passaram a se encontrar com muita frequência. Molnes também era de Sunnmøre, ainda que da zona rural, não um verdadeiro nativo de Ålesund como Klipra.

— Não é estranho ele não estar aqui hoje?

— Klipra viaja o tempo todo. Faz uns dias que não atende o telefone, então imagino que esteja dando uma olhada nos negócios que mantém no Vietnã ou no Laos. Nem deve estar sabendo da morte do embaixador. O caso não rendeu grandes manchetes.

— Geralmente não rende quando se trata de um infarto — disse Harry.

— É esse o motivo de a polícia norueguesa estar aqui, então? — perguntou Bork, secando o suor do pescoço com um grande lenço branco.

— É rotina quando um embaixador morre no exterior — respondeu Harry, enquanto anotava o número do telefone da delegacia no verso de um cartão de visita. — Esse é o telefone onde o senhor pode me encontrar, caso Klipra apareça.

Bork examinou o cartão, pareceu prestes a dizer alguma coisa, mas mudou de ideia, enfiou-o no bolso e assentiu.

— Já tenho seu número, então — disse, apertando a mão de Harry, e caminhou até um velho Land Rover. Atrás do carro, estacionado com duas rodas na calçada, emergia o brilho de uma lataria vermelha recém-lavada. O mesmo Porsche que Harry tinha visto chegando à casa dos Molnes.

Tonje Wiig veio na direção do investigador.

— Bork foi de alguma ajuda?

— Não por enquanto.

— O que ele disse sobre Klipra? Sabe onde encontrá-lo?

— Não sabe de nada.

Como Tonje não fazia menção de ir embora, Harry teve a vaga sensação de que ela estava à espera de mais alguma coisa. Em um momento de paranoia, vislumbrou o olhar duro do diplomata no Aeroporto de Fornebu: "Nada de escândalos, certo?" Será que Tonje havia sido instruída a ficar de olho em Harry para informar ao diretor Torhus caso ele estivesse indo longe demais? Harry a analisou por um instante e imediatamente rejeitou a ideia.

— De quem é o Porsche vermelho? — quis saber.

— Onde?

— Aquele ali. Pensei que todas as moças de Østfold soubessem identificar qualquer marca de carro antes dos 16 anos.

Tonje Wiig ignorou o comentário e pôs os óculos escuros.

— É o carro do Jens.

— Jens Brekke?

— Isso. Olha ele bem ali.

Harry se virou. Com uma túnica de seda preta quase teatral e acompanhada de um Sanphet de expressão séria e terno escuro, Hilde Molnes estava parada nos degraus. Atrás deles havia um sujeito mais jovem, loiro. Harry já tinha reparado nele dentro da igreja. Usava um colete sob o paletó, mesmo com os termômetros marcando 35 graus. Os olhos estavam ocultos atrás de um par de óculos que pareciam ter custado bem caro, e ele conversava em voz baixa com uma mulher também vestida de preto. Harry fixou o olhar nela, que, como se tivesse sentido que a observavam, virou-se para o investigador. Ele não tinha reconhecido Runa Molnes imediatamente; agora percebia por quê. A peculiar assimetria da moça tinha desaparecido. Era mais alta que as outras pessoas que estavam na escada. Manteve o olhar em Harry por pouco tempo, com uma expressão que não traía qualquer sentimento além de tédio.

Harry pediu licença, subiu os degraus e foi prestar condolências a Hilde. Sentiu a mão molenga e passiva entre as suas. A viúva o fitou com olhos vidrados; o perfume forte disfarçava o cheiro de gim.

Em seguida ele se voltou para Runa. Ela protegeu os olhos do sol e, semicerrando-os, dirigiu-se a Harry como se tivesse acabado de notar sua presença.

— Oi — disse. — Até que enfim alguém mais alto que eu nessa terra de pigmeus. Você não é o detetive que esteve lá em casa?

Percebia-se uma agressividade velada na voz da moça, uma autoconfiança adolescente forçada. O aperto de mão dela era firme e forte. Os olhos de Harry procuraram instivamente a outra mão. Uma prótese de cera despontava sob a manga preta.

— Detetive?

Era Jens Brekke quem falava.

Tinha tirado os óculos escuros e semicerrava os olhos. Uma franja loira desgrenhada formava uma cortina diante das íris azuis quase transparentes. O rosto redondo conservava o aspecto rechonchudo típico das crianças, mas as rugas em torno dos olhos sugeriam que tinha pelo menos 30 anos. O terno Armani havia sido trocado por um clássico Del Georgio, e os sapatos Bally costurados à mão eram dois espelhos negros, mas alguma coisa na aparência do rapaz lembrava a Harry um menino de 12 anos insolente vestido como adulto. O investigador se apresentou.

— Estou representando a polícia norueguesa, uma diligência de rotina.

— Entendo. Esse é o procedimento normal?

— Você falou com Molnes no dia do assassinato, não falou?

Brekke olhou surpreso para Harry.

— Isso mesmo. Como você sabia?

— Encontramos o celular do embaixador. Seu número estava entre os últimos cinco pros quais ele ligou. Foi a ligação de uma e quinze da tarde.

Harry examinou a reação de Brekke com cuidado, mas a expressão do rapaz não acusou nenhum sinal de incerteza ou confusão.

— Podemos conversar?

— Apareça qualquer hora — respondeu Brekke, segurando entre os dedos indicador e médio um cartão de visita e estendendo-o ao inspetor.

— Em casa ou no trabalho?

— Costumo dormir em casa.

Não era possível *ver* o sorrisinho de canto de boca, mas Harry sabia que ele estava ali. Como se conversar com um investigador não fosse mais que um passatempo empolgante, algo um pouco fora da rotina.

— Se puder me dar licença agora.

Brekke sussurrou algumas palavras no ouvido de Runa, dirigiu um cumprimento de cabeça para Hilde e deu uma corridinha até seu Porsche. As últimas pessoas foram deixando o local; Sanphet acompanhou a viúva até o carro da embaixada, e Harry acabou ficando ali, de pé ao lado de Runa.

— Vai ter uma pequena recepção na embaixada — comentou ele.

— Eu sei. Mamãe não está a fim de ir.

— Entendo. Vocês provavelmente estão hospedando gente da família.

— Não — respondeu a moça.

Harry observava Sanphet, que, depois de Hilde Molnes embarcar, fechou a porta para ela e contornou o carro.

— Bom, você pode ir de táxi comigo, se quiser.

Ao se dar conta do que tinha falado, Harry sentiu as orelhas esquentarem. O convite parecera ambíguo.

Ela o encarou. Seus olhos eram negros, e Harry não conseguiu perceber o que havia neles.

— Não quero.

Runa seguiu em direção ao carro da embaixada.

Ninguém estava animado nem falava muito. Tonje Wiig tinha convidado Harry para a recepção na embaixada depois do funeral, e agora os dois estavam em um canto da sala, girando seus copos. Tonje já terminava o segundo martíni. Harry tinha pedido água, mas em vez disso haviam trazido um suco de laranja doce e viscoso.

— E então, você tem família lá na Noruega, Harry?

— Alguma — respondeu o inspetor, sem saber como interpretar a mudança repentina de assunto.

— Eu também — continuou Tonje. — Pais, irmão e irmã. Alguns tios e tias, mas não tenho avós. E só. E você?

— Mais ou menos isso também.

A srta. Ao passou por eles, abrindo caminho entre as pessoas com uma bandeja de bebidas. Trajava um vestido tailandês tradicional, simples, com uma fenda lateral. Harry a seguiu com os olhos. Não era difícil imaginar o embaixador caindo em tentação.

Do outro lado do recinto, diante de um grande mapa-múndi, um sujeito se balançava sobre os calcanhares, pernas afastadas. Mantinha a postura ereta, exibindo ombros largos e os cabelos grisalhos cortados rente como os de Harry. As pálpebras eram caídas, a expressão, dura, e tinha as mãos unidas atrás das costas. Dava para sentir o cheiro de militar de longe.

— Quem é aquele?

— Ivar Løken. O embaixador costumava chamá-lo simplesmente de LM.

— Løken? Engraçado. Não aparecia na lista de funcionários que me passaram em Oslo. O que ele faz?

— Boa pergunta.

Ela soltou uma risadinha e tomou um gole de seu copo.

— Desculpe, Harry... você se importa se eu chamá-lo assim? Devo estar um pouco atordoada. Trabalho demais e sono de menos nos últimos dias. Ele veio pra cá no ano passado, logo depois da chegada de Molnes. Sendo curta e grossa, ele faz parte de um grupo de pessoas que não tem futuro no Ministério.

— Como assim?

— A carreira dele chegou a um beco sem saída. Løken participou de uma missão da Defesa, mas chegou a um ponto em que tinha acumulado muitos "só que" em seu currículo.

— "Só que"?

— Você não reparou no jeito como as pessoas falam umas das outras no Ministério? "Ele é um bom diplomata, *só que* bebe, *só que* é mulherengo", e por aí vai. O que vem depois dos "só que" é muito mais importante do que o começo da frase; determina as chances de o sujeito subir na carreira. É por isso que no alto escalão tem tanta gente hipócrita e medíocre.

— E quais seriam os "só que" no histórico dele? Por que ele veio parar aqui?

— Pra ser sincera, não sei. Ele faz umas reuniões e escreve um ou outro relatório pra Oslo, mas não o vemos muito. Acho que prefere que a gente o deixe em paz. De vez em quando faz umas viagens, Vietnã, Laos ou Camboja, levando uma barraca, remédios pra malária e uma mochila com equipamento fotográfico. Você conhece o tipo, né?

— Talvez. Que tipo de relatório ele escreve?

— Não sei. É o embaixador quem cuida de tudo isso.

— Não sabe? Vocês não são tantos assim na embaixada. Tem a ver com a área de inteligência?

— E pra que eles serviriam?

— Ora, Bangkok é rota de passagem pra toda Ásia.

Tonje o encarou com um sorriso melancólico.

— Quem dera que nosso trabalho proporcionasse essas emoções. Mas acho que o Ministério está deixando Løken ficar por aqui como recompensa pela lealdade ao rei e ao país durante o longo tempo de serviços prestados à Coroa. Além disso, sou obrigada a cumprir um juramento de confidencialidade.

Ela soltou outra risadinha e pousou a mão no braço de Harry.

— Vamos falar de outra coisa, que tal?

Harry atendeu ao pedido e, depois de um tempo, saiu para buscar outra bebida. O corpo humano é sessenta por cento água, e ele tinha a sensação de que a maior parte dela havia evaporado de seu organismo ao longo daquele dia de céu azul-acinzentado.

Foi se deparar com a srta. Ao de pé no fundo do recinto, com Sanphet ao lado. O motorista assentiu para ele, discreto.

— Ainda tem água? — perguntou Harry.

A srta. Ao lhe serviu um copo.

— O que quer dizer LM?

Sanphet arqueou uma das sobrancelhas.

— Está falando do sr. Løken?

— Estou.

— Por que você mesmo não pergunta a ele?

— Pra não correr o risco de entregar como o chamam pelas costas.

Sanphet sorriu.

— L é de "living" e M de "morphine". Vivo sob morfina. É um apelido antigo que lhe deram quando trabalhava pra ONU no Vietnã, no final da guerra.

— No Vietnã?

Sanphet fez um discreto movimento de cabeça, e a srta. Ao se retirou.

— Løken estava com uma unidade vietnamita em uma zona de aterrissagem, à espera do helicóptero de resgate, quando foram atacados por uma patrulha vietcongue. Foi um massacre, e Løken foi um dos feridos. Ficou com uma bala alojada em um músculo do pescoço. Os americanos já tinham retirado as tropas do país, mas o pessoal da equipe médica continuava por lá. Esses socorristas então correram até o local, indo de um soldado a outro às pressas para prestar os primeiros socorros. Rabiscavam com giz os capacetes dos homens feridos, uma espécie de prontuário médico improvisado. Se escreviam D, de "dead", significava que o sujeito estava morto; assim, quem o encontrasse em seguida não perderia tempo examinando-o outra vez. L era pros feridos vivos, e o M significava que estavam sob efeito de morfina. Faziam isso pra evitar que fossem novamente medicados por outro socorrista e morressem por overdose.

Sanphet indicou Løken com o queixo.

— Quando o encontraram, ele já tinha perdido a consciência, por isso não lhe deram morfina, só anotaram um L em seu capacete e o levaram pro helicóptero com os outros. Ele acordou com os próprios gritos de dor e, de início, não percebeu onde estava. Mas, quando rolou de lado o cadáver que haviam colocado por cima dele e viu o sujeito com uma braçadeira branca injetar morfina nos outros, compreendeu o que estava acontecendo e gritou, pedindo a medicação. O socorrista deu umas batidinhas no capacete de Løken e disse: "Desculpe, amigo, mas você já está chapado." Løken não podia acreditar naquilo e, ao arrancar o capacete da cabeça, não deu outra: tinha um L seguido de um M anotados ali. Aquele não era o capacete dele. Quando olhou pro soldado que tinha acabado de receber uma injeção no braço e viu o capacete com apenas um L, reconheceu seu maço de cigarros estropiado preso à tira e o emblema da ONU e percebeu o que havia acontecido. O cara havia trocado os capacetes pra ganhar mais uma dose. Løken berrou, mas o barulho do motor durante a decolagem abafou os gritos de agonia. Ficou ali deitado, gritando, por meia hora até chegarem ao campo de golfe.

— Campo de golfe?
— Era como a gente chamava o acampamento.
— Então você estava lá também?
Sanphet assentiu.
— É por isso que conhece a história? — perguntou Harry.
— Trabalhava como voluntário no corpo médico.
— E o que aconteceu no fim?
— Løken está ali, inteiro. O outro cara não acordou mais.
— De overdose?
— Bom, de uma bala no estômago é que não foi.
Harry meneou a cabeça.
— E agora você e Løken trabalham no mesmo lugar.
— Coincidência.
— Qual é a probabilidade de uma coisa dessas acontecer?
— O mundo é pequeno — respondeu Sanphet.
— LM. Vivo sob morfina — repetiu Harry. Em seguida, terminou de beber o que restava no copo, murmurou que precisava de mais água e saiu à procura da srta. Ao.

— Sente falta do embaixador? — perguntou, quando a encontrou na cozinha.

Ela estava dobrando guardanapos e prendendo-os com elásticos em redor dos copos. Olhou para ele com surpresa e assentiu.

Harry segurou seu copo vazio com as duas mãos.

— Há quanto tempo vocês eram amantes?

Ele observou aquela linda boquinha se abrir, tentar dar uma resposta que o cérebro ainda não tinha elaborado, voltar a se fechar e então se abrir outra vez, como se a srta. Ao fosse um peixinho dourado. Harry pôde ver a raiva transparecer nos olhos da moça e já quase esperava levar um tapa, mas o sentimento desapareceu. Em seu lugar, lágrimas surgiram naqueles mesmos olhos.

— Sinto muito — falou Harry, sem usar o tom de quem de fato lamentava alguma coisa.

— Você...

— Sinto muito, mas somos obrigados a fazer esse tipo de pergunta.

— Mas eu...

Ela pigarreou; ergueu e abaixou os ombros, como se tentasse espantar um pensamento ruim.

— O embaixador era casado. E eu...

— Você também é casada?

— Não, mas...

Harry a conduziu pelo braço com delicadeza para que se afastassem da porta da cozinha. Ela se virou para ele, a raiva voltando a seus olhos.

— Escute, srta. Ao, o embaixador foi encontrado em um hotel de beira de estrada. Você sabe o que isso significa. Que você não era a única com quem ele trepava. — Ficou observando que efeito suas palavras teriam sobre a moça. — Estamos investigando um assassinato. Você não tem nenhum motivo pra ser leal a esse homem, entende?

A srta. Ao choramingava, e Harry se deu conta de que estava chacoalhando o braço dela. Ele a soltou. Ela olhou para ele. Suas pupilas eram grandes e negras.

— Você está com medo? É isso?

A moça arfava, o peito subindo e descendo.

— Ajudaria se eu prometesse que nada disso precisa vir a público? — perguntou Harry. — A menos que você esteja envolvida no assassinato.

— Eu não era amante dele!

Harry a encarou, mas tudo que conseguiu ver foram duas pupilas negras.

— Certo. Então o que uma jovem como você estava fazendo no carro de um embaixador casado? Tomando medicação pra asma e nada mais?

Harry pôs o copo vazio de volta na bandeja e saiu. Tinha dito coisas bem idiotas, mas estava disposto a se comportar como idiota se isso fizesse alguma coisa acontecer. Qualquer coisa.

14

Domingo, 12 de janeiro

Elizabeth Dorothea Crumley estava de mau humor.
— Merda! Já se passaram cinco dias. Um estrangeiro aparece com uma faca cravada nas costas em um hotel de beira de estrada e não temos impressões digitais nem suspeitos nem uma porcaria de uma pista. Só uma recepcionista, Tonya Harding, um dono de hotel e agora a máfia. Estou esquecendo alguma coisa?

— Agiotas — acrescentou Rangsan, o rosto escondido atrás do *Bangkok Post*.

— Agiotas *são* a máfia — disse a inspetora.

— Não o tipo de agiota a que Molnes recorreu — comentou Rangsan.

— O que você quer dizer?

Rangsan pôs o jornal de lado.

— Harry, você falou que o motorista acha que o embaixador devia dinheiro a uns agiotas. O que um agiota faz quando o devedor morre? Tenta cobrar a dívida da família, certo?

Liz olhava para ele com uma expressão cética.

— Algumas pessoas ainda têm um grande sentimento de honra familiar, e os agiotas são negociantes. Evidentemente vão tentar reaver o dinheiro de qualquer fonte que conseguirem.

— Na minha opinião, isso é muito improvável — disse Liz, franzindo o nariz.

Rangsan voltou ao jornal.

— É, mas encontrei o número da Thai Indo Travellers três vezes na lista de chamadas recebidas pela família Molnes nos últimos três dias.

Liz assobiou, e as outras pessoas em torno da mesa assentiram.

— Como é? — retrucou Harry, percebendo que tinha deixado passar alguma coisa.

— A Thai Indo Travellers é uma agência de viagens de fachada — explicou Liz. — Na sobreloja funciona o verdadeiro negócio: empréstimos pra gente que já não consegue dinheiro em nenhum outro lugar. As taxas de juros são altas, e o método de cobrança, bastante eficaz. Estamos de olho nesse pessoal há algum tempo.

— E nunca conseguiram provar nada?

— Poderíamos ter conseguido, se tivéssemos nos esforçado um pouco mais. Mas achamos que os concorrentes deles são ainda piores. A Thai Indo Travellers consegue operar paralelamente à máfia e, até onde a gente sabe, sem sequer pagar por proteção. Se esses caras são os responsáveis pelo assassinato do embaixador, será a primeira vez que sujaram as mãos, até onde nós sabemos.

— Talvez tenham achado que era hora de matar pra servir de exemplo — sugeriu Nho.

— Matar o cara primeiro e só depois ligar pra família atrás do dinheiro? Não parece um pouco botar o carro na frente dos bois? — questionou Harry.

— Por quê? Serve muito bem de aviso aos maus pagadores — comentou Rangsan, folheando lentamente o jornal. — Se ainda conseguirem receber o dinheiro de volta, ficam no lucro.

— Beleza — falou Liz. — Nho e Harry, façam uma visita de cortesia aos agiotas. Outra coisa: estive conversando com a perícia. O pessoal lá está totalmente perplexo com o lubrificante que encontramos no paletó de Molnes, no buraco feito pela faca. A conclusão é de que se trata de material orgânico e deve ser de origem animal. Certo, acho que é tudo. Boa sorte.

Rangsan alcançou Harry e Nho a caminho do elevador.

— Tomem cuidado. Esses caras pegam pesado. Ouvi dizer que usam hélices contra os maus pagadores.

— Hélices?

— Saem com o sujeito em um barco, amarram ele num poste no rio, dão a ré e erguem o mecanismo da hélice pra fora da água, fazendo o barco deslizar bem lento e rente à vítima. Consegue imaginar um negócio desses?

Harry conseguia.

— Faz uns anos, encontramos o corpo de um cara que tinha morrido de ataque cardíaco. O rosto do sujeito praticamente não existia mais. A ideia era que ele serviria de exemplo a outros devedores, mas, quando a vítima ouviu o motor ser ligado e viu a hélice se aproximando, o coração não deve ter aguentado a pressão.

Nho assentiu.

— Isso não deve ser bom. Melhor pagar.

TAILÂNDIA MARAVILHOSA, era o que dizia o grande letreiro em cima de uma imagem colorida de dançarinas tailandesas. O pôster enfeitava uma das paredes da pequena agência de viagens na Sampeng Lane, em Chinatown. Além de Harry, Nho e um homem e uma mulher, ambos atrás de escrivaninhas, a sala de decoração frugal estava vazia. O homem usava óculos de lentes tão grossas que parecia encará-los de dentro de um aquário. Nho tinha acabado de mostrar a ele o distintivo de polícia.

— O que ele disse?

— Que a polícia é sempre bem-vinda. E que pode fazer preços especiais nos pacotes.

— Peça um pacote gratuito pro andar de cima.

Nho disse algumas palavras, e o homem tirou o telefone do gancho.

— O sr. Sorensen só precisa terminar seu chá — anunciou em inglês.

Harry esteve a ponto de dizer alguma coisa, mas um olhar reprovador de Nho o fez mudar de ideia. Sentaram-se para esperar. Passados alguns minutos, Harry apontou para o ventilador de teto parado. O sujeito dos óculos de aquário sorriu e balançou a cabeça.

— *Kaput.*

Harry podia sentir o couro cabeludo coçando. Depois de mais alguns minutos, o telefone tocou, e o sujeito pediu que o acompanhassem. Ao pé da escada, indicou que deviam tirar os sapatos. Harry pensou em suas meias esportivas suadas e furadas, considerando que era melhor para todos que ficasse de sapatos, mas Nho balançou a cabeça devagar. Praguejando, Harry tirou os sapatos e subiu as escadas.

O dos óculos de aquário bateu em uma porta, que se abriu bruscamente. Harry recuou dois passos. Uma montanha de carne e músculos ocupava todo o batente da porta. Os olhos eram duas pequenas fendas, e o sujeito exibia um bigode preto caído e a cabeça raspada, exceto por uma trancinha frouxa. A cabeça parecia uma bola de boliche desbotada; o tronco era uma só massa disforme, sem pescoço nem ombros, que partia das orelhas e descia até braços tão gordos que pareciam ter sido atarraxados no lugar. Harry jamais havia visto um ser humano daquele tamanho em toda sua vida.

O sujeito deu as costas a eles e caminhou para dentro da sala.

— O nome dele é Woo — sussurrou Nho. — Faz bicos como capanga. Péssima reputação.

— Meu Deus. Ele parece uma imitação horrorosa de vilão hollywoodiano.

— É chinês da Manchúria. Eles têm fama de serem muito...

As persianas das janelas estavam fechadas, e Harry conseguiu discernir a silhueta de um homem sentado atrás de uma escrivaninha na sala escura. Um ventilador de teto zunia, e uma cabeça de tigre empalhada rosnava para eles em uma das paredes. A porta aberta da sacada dava a impressão de que o tráfego da rua passava dentro da sala, e uma terceira pessoa estava sentada junto ao batente. Woo se acomodou com dificuldade na última cadeira restante. Harry e Nho ficaram de pé no meio da sala.

— Em que posso servi-los, senhores?

A voz vinda de trás da escrivaninha era grave, com um sotaque britânico que parecia de Oxford. A figura ergueu uma mão na qual brilhava um anel. Nho olhou para Harry.

— É, a gente é da polícia, sr. Sorensen...

— Eu sei.

— O senhor emprestou dinheiro a Atle Molnes, o embaixador da Noruega. Também ligou pra esposa de Molnes depois da morte dele. Por quê? Está pressionando pra que ela pague a dívida?

— Não somos credores de nenhum embaixador. Além disso, não trabalhamos com esse tipo de empréstimo, senhor...?

— Hole. O senhor está mentindo, sr. Sorensen.

— Como é, sr. Hole?

Sorensen se debruçou na escrivaninha à sua frente. Seus traços eram tailandeses, mas a pele e o cabelo eram brancos feito neve, e os olhos, azuis.

Nho agarrou a manga da camisa de Harry, mas o investigador puxou o braço e sustentou o olhar de Sorensen. Sabia que, ao partir para o ataque, tinha colocado a cabeça a prêmio, e o sr. Sorensen ficaria desmoralizado se cedesse agora. Essas eram as regras do jogo. Mas ali estava Harry, só de meias, suando feito um porco e absolutamente de saco cheio de fingimento, tato e diplomacia.

— O senhor está em Chinatown aqui, sr. Hole, não em território *farang*. Não tenho problemas com o chefe de polícia de Bangkok. Sugiro que, antes de pronunciar qualquer outra palavra, o senhor vá ter uma conversa com ele. Prometo então que esqueceremos essa cena constrangedora.

— Normalmente é a polícia que recita quais são os direitos do criminoso, não o contrário.

O branco dos dentes do sr. Sorensen reluziu entre os lábios vermelhos e úmidos.

— Ah, sim. "O senhor tem o direito de permanecer calado" e todo o resto. Bom, dessa vez os papéis se inverteram. Woo, acompanhe os dois até a saída. Senhores.

— Seus negócios aqui não vão durar muito tempo, nem o senhor, sr. Sorensen. No seu lugar, eu sairia para ver um pouco da luz do dia agora mesmo. Vai ser mais difícil fazer isso na cadeia.

A voz de Sorensen ganhou um toque mais grave.

— Não me provoque, sr. Hole. É bem possível que minhas estadas no exterior tenham me feito perder minha lendária paciência tailandesa.

— Alguns anos atrás das grades serão o suficiente para o senhor recuperá-la.

— Ponha o sr. Hole *pra fora*, Woo.

Aquele corpo imenso se moveu com uma agilidade incrível. Harry sentiu o cheiro acre de curry e, antes que tivesse a chance de erguer o braço, foi agarrado feito um ursinho de pelúcia que alguém acabou de ganhar em uma quermesse. Tentou se soltar, mas o abraço ficava ainda mais apertado a cada vez que ele liberava o ar dos pulmões, como se fosse a presa de uma jiboia. Tudo ficou escuro, e o som do tráfego se tornou mais alto. Então, por fim, sentiu que estava livre e pairando no ar. Quando abriu os olhos, entendeu que estivera inconsciente, como se tivesse sonhado por um segundo. Viu uma placa toda escrita em caracteres chineses, alguns cabos entre dois postes, um céu cinza esbranquiçado e um rosto encarando-o de cima. Em seguida, os sons voltaram, e Harry conseguiu ouvir a cascata de palavras que fluía daquela boca. O dono do rosto apontava para a varanda e para o toldo do *tuk-tuk*, bastante avariado.

— Como você está, Harry?

Nho fez sinal para que o condutor do *tuk-tuk* fosse embora. Harry olhou para baixo para dar uma conferida em sua situação. As costas doíam, e a visão de suas meias esportivas furadas no asfalto cinzento tinha algo de muito desolador.

— Bom, jamais me deixariam entrar no Schrøder's assim. Você pegou meus sapatos?

Harry poderia jurar que Nho tentava conter um sorriso.

— Sorensen falou pra trazer um mandado de prisão da próxima vez — disse Nho, os dois já de volta ao carro. — Enfim, agora a gente pode prender todo mundo ali por agressão a um funcionário público.

O dedo de Harry percorreu um longo corte na panturrilha.

— Não podemos prender *todo mundo*, só o capanga. Mas quem sabe ele tenha alguma coisa a nos dizer. Qual é o problema que vocês tailandeses têm com esse negócio de altura? Segundo Tonje Wiig, sou o terceiro norueguês que foi atirado da janela de uma casa esta semana.

— Um antigo método da máfia. Preferem fazer isso a meter bala no sujeito. Se a polícia encontra alguém debaixo de uma janela, não pode descartar a possibilidade de uma queda acidental. Rola uma grana, o caso é arquivado sem que ninguém seja apontado como culpado e todo mundo fica feliz. Buracos de bala complicam as coisas.

Pararam em um semáforo. Uma chinesa velha e enrugada, sentada em um tapete, sorria. Seu rosto estava enevoado em meio à atmosfera azulada e tremeluzente.

15

Domingo, 12 de janeiro

— O que é um pedófilo?
 Ståle Aune soltou um suspiro do outro lado da linha.
— Um pedófilo? Que jeito de começar uma conversa. A resposta mais simples é que é uma pessoa que sente atração sexual por crianças.
— E a resposta mais complicada?
— Tem muita coisa que a gente desconhece sobre esse fenômeno, mas, se você conversar com um sexólogo, ele provavelmente fará uma distinção entre pedófilos por afinidade e pedófilos de ocasião. O tipo clássico, com um pacote de balinhas no parque, é o pedófilo por afinidade. Seu interesse por crianças geralmente começa na adolescência e não necessariamente tem origem em fatores externos. Ele se identifica com a criança, adapta seu comportamento à idade dela e pode, em certas situações, assumir o papel de um pseudopai. O contato sexual é cuidadosamente planejado e, para esse sujeito, o sexo é uma tentativa de resolver seus problemas na vida. Vou receber por essa consultoria?
— E os pedófilos de ocasião?
— Formam um grupo mais difuso. Nesse caso, o interesse sexual primordial é por outros adultos, e a criança tende a substituir alguém com quem o pedófilo está em conflito.
— Me conta mais sobre o cara do pacote de balinhas. Como se forma uma personalidade dessas?
— Bom, os pedófilos, em geral, têm baixa autoestima e uma sexualidade frágil. Ou seja, são inseguros, não conseguem assumir a sexualidade adulta e se sentem fracassados. Pensam que só podem estar no controle da situação se derem vazão a seus desejos com crianças.
— E a coisa toda está relacionada à natureza e à criação da pessoa, a mesma história de sempre?

— Não é incomum que pedófilos tenham sofrido abuso sexual na infância.

— E como a gente identifica um desses casos?

— Sinto muito, Harry, mas não funciona assim. Essas pessoas não têm nada de extraordinário, nenhum traço que chame a atenção. São geralmente homens que vivem sozinhos e não têm vida social muito ativa. Podem ter uma identidade sexual doentia, mas isso não os impede de levar uma vida perfeitamente normal nos demais aspectos.

— Entendi. Então não tem como saber.

— A vergonha gera verdadeiros artistas da camuflagem. A maioria dos pedófilos passa a vida inteira se aperfeiçoando em como esconder sua predileção dos outros, então a única coisa que posso dizer é que tem muito mais pedófilos soltos por aí do que presos pela polícia.

— Dez pra cada um que é preso.

— O que você disse?

— Nada. Obrigado, Ståle. Aliás, larguei a bebida.

— Ah. Faz quantos dias?

— Cerca de quarenta e oito horas.

— Difícil?

— Bom, pelo menos os monstros ainda estão embaixo da cama. Pensei que seria pior.

— É só o começo. Lembre-se de que você vai passar por uns maus bocados.

— E existe algo além disso na vida?

Estava escuro, e, assim que Harry pediu para ir a Patpong, o taxista lhe passou uma pequena brochura colorida.

— Massagem, senhor? Da boa. Posso levar o senhor lá.

Harry discerniu na penumbra fotos de moças sorrindo para ele, tão puras e inocentes quanto as de um anúncio da Thai Airways.

— Não, obrigado, só quero uma refeição.

Harry devolveu a brochura, embora suas costas doloridas achassem que aquela era uma excelente ideia. Quando, por curiosidade, perguntou de que tipo de massagem se tratava, o taxista fez um gesto conhecido internacionalmente que não deixou margem a outra interpretação.

Tinha sido Liz quem lhe recomendara o Le Boucheron, e a comida parecia realmente boa, mas Harry estava sem apetite. Sorriu à guisa de desculpas quando a garçonete retirou seu prato e deixou uma gorjeta generosa para que não achassem que estava insatisfeito. Dali, saiu para as ruas agitadas de Patpong. Soi 1 estava fechada ao tráfego, porém ainda mais apinhada de gente circulando para cima e para baixo, como se fosse um rio fervilhante que corria ao longo das barracas e dos bares. A música escapava de qualquer brecha nas paredes, homens e mulheres suados nas calçadas andavam à espreita de alguma aventura, e odores de gente, esgoto e comida disputavam espaço no ar. Uma cortina se abriu enquanto ele passava em frente a um dos inferninhos, e lá dentro, trajando o figurino obrigatório de fio dental e salto alto, Harry viu as meninas dançando.

— Sem *couvert*, noventa *baht* incluindo bebida — alguém gritou no ouvido dele. Harry continuou andando, mas era como se tivesse ficado parado ali, porque a mesma coisa ia sendo repetida ao longo da rua lotada de gente.

Sentiu algo semelhante a uma pulsação em seu estômago, mas não sabia discernir se era o ritmo da música, de seu coração ou do martelar maçante de um dos bate-estacas que trabalhavam dia e noite na construção de uma nova via expressa em Bangkok, um elevado sobre a Silom Road.

Em um dos bares, uma moça de vestido de seda vermelho e vistoso olhou para Harry e, em seguida, indicou a cadeira ao lado dela. Harry seguiu em frente, com uma sensação de semiembriaguez. Ouviu um rugido vindo de outro bar, onde, em um canto, havia uma televisão ligada, e ele logo descobriu que algum time havia marcado um gol. Dois ingleses de pescoço vermelho brindaram e entoaram o cântico da torcida: *"I'm forever blowing bubbles..."*

— Chega aí, lourinho.

Uma mulher alta e magra piscou para ele, empinou seu par de seios grandes e firmes e cruzou as pernas cobertas por uma calça colante de modo a não deixar nada por conta da imaginação.

— Ela é uma *katoy* — disse uma voz em norueguês, e Harry se voltou.

Era Jens Brekke. Estava de braços dados com uma tailandesa pequena e graciosa com uma saia de couro bem justa.

— É fantástico mesmo, isso aí tudo: curvas, seios e uma vagina. E, de fato, tem cara que prefere uma *katoy* a um item original. E por que não? — Brekke mostrou uma fileira de dentes brancos no rosto infantil e bronzeado. — O único problema, claro, é que vaginas implantadas cirurgicamente não têm as mesmas propriedades antissépticas das vaginas das mulheres de verdade. No dia em que tiverem, eu mesmo vou passar a considerar a opção de arranjar uma *katoy*. O que você acha, inspetor?

Harry olhou para a mulher alta que tinha virado as costas para eles bufando ao escutar a palavra *katoy*.

— Bom, não tinha passado pela minha cabeça que alguma dessas mulheres não fosse uma mulher.

— Não é difícil enganar o olhar de um leigo, mas dá pra saber pelo pomo de adão, coisa que, em geral, não é possível remover. Além disso, as *katoy* tendem a ser muito altas, exageram um pouco nas roupas provocantes e são mais agressivas na abordagem. E muito mais bonitas. É essa última característica que, no fim das contas, as denuncia. Elas não conseguem se controlar; sempre têm que ir um pouquinho longe demais.

Brekke deixou a frase pairando no ar, como se estivesse insinuando alguma coisa, mas, se estava, Harry não compreendeu.

— A propósito, inspetor, você também acabou indo longe demais? Vejo que está mancando.

— Levei muita fé no estilo ocidental de negociação. Vai passar.

— O quê? A fé ou a contusão?

Brekke encarava Harry com o mesmo sorriso invisível do encontro entre eles após o funeral. Como se aquilo fosse um jogo no qual ele queria que Harry entrasse. O investigador não estava com o espírito muito lúdico.

— As duas, espero. Eu já estava indo pra casa.

—Já? — As luzes de neon se refletiam na testa suada de Brekke. — Espero encontrá-lo melhor amanhã então, inspetor.

Na Surawong Road, Harry fez sinal para um táxi.

— Massagem, senhor?

Parte Três

16

Segunda-feira, 13 de janeiro

Quando Nho passou para pegar Harry em frente ao River Garden, o complexo de prédios altos no qual o investigador estava hospedado, o sol tinha acabado de nascer, e seu brilho suave chegava ao detetive por entre as casas baixas.

Antes das oito já estavam na sede do Barclays Tailândia, e o sorridente manobrista do estacionamento, com um penteado de Jimi Hendrix e fones de ouvido, autorizou a entrada do carro no estacionamento do subsolo do edifício. Nho finalmente viu uma vaga solitária para visitantes entre os BMWs e Mercedes parados junto aos elevadores.

Nho preferiu esperar no carro, uma vez que seu domínio do norueguês se limitava a *takk* — "obrigado" —, palavra que Harry o ensinara a pronunciar durante uma pausa para o café. Liz havia comentado, meio que zombando, que "obrigado" era sempre a primeira palavra que um homem branco tentava ensinar aos nativos.

Nho não estava se sentindo à vontade ali; segundo ele, todos aqueles veículos luxuosos atraíam ladrões. E, ainda que o estacionamento tivesse um circuito interno de TV, não confiava em manobristas que ficavam estalando os dedos no ritmo de uma música que só eles ouviam enquanto liberavam a entrada de veículos.

Harry pegou o elevador para o nono andar e chegou à recepção do Barclays Tailândia. Apresentou-se e deu uma olhada no relógio. Meio que esperava tomar um chá de cadeira de Brekke, mas uma moça o acompanhou de volta ao elevador, passou um cartão e pressionou um botão com a letra C que, segundo ela explicou, era de "cobertura". Então saiu do elevador às pressas, e Harry seguiu direto rumo ao céu.

Quando as portas se abriram, deparou-se com Brekke de pé no meio de um piso marrom e reluzente de madeira, recostado a uma grande mesa de mogno, com um telefone no ouvido e outro no ombro. O resto da sala era vidro. Paredes, teto, mesa de centro, até as cadeiras.

— Ligo mais tarde, Tom. Vê se não é devorado hoje. E lembre-se do que eu disse: nem toque nas rupias.

Sorriu, desculpando-se com Harry, levou o outro telefone ao ouvido, olhou para as cotações na tela do computador e pronunciou um curto "sim" antes de desligar.

— O que foi isso que você acabou de fazer? — quis saber Harry.

— Meu trabalho.

— Que é...

— Neste exato momento, fechar um empréstimo em dólares pra um cliente.

— Há quantias grandes envolvidas? — Harry espiou Bangkok lá embaixo, metade da cidade escondida sob o nevoeiro.

— Depende de qual é sua referência. O orçamento médio de uma subprefeitura na Noruega, imagino. Se divertiu ontem à noite?

Antes que Harry pudesse responder, um dos telefones tocou, e Brekke pressionou o botão no interfone.

— Shena, anote os recados, sim? Estou ocupado.

Soltou o botão sem esperar confirmação.

— Ocupado?

Brekke soltou uma risada.

— Você não lê os jornais? Todas as moedas asiáticas estão em queda livre. E todo mundo está fazendo qualquer negócio pra comprar dólar. Bancos e corretoras estão fechando as portas todos os dias, e o pessoal já começou a se jogar das janelas.

— Mas você não? — falou Harry, esfregando a coluna, distraído.

— Eu? Sou um especulador, um abutre. — Ele bateu os braços feito asas algumas vezes e exibiu os dentes. — Gente como eu fatura aconteça o que acontecer, desde que o mercado esteja movimentado, e o pessoal, negociando. O que interessa é ação, e no momento temos ação vinte e quatro horas por dia, sete dias por semana.

— Então você é o crupiê dessa mesa de jogo?

— Isso! É uma boa definição. Preciso me lembrar dessa. E os outros idiotas são os jogadores.

— Idiotas?

— Com certeza.

— Pensei que investidores fossem relativamente espertos.

— Espertos, eles são, mas ainda assim idiotas. É um paradoxo eterno, mas o fato é que, quanto mais ficam espertos, mais se sentem atraídos a especular no mercado de câmbio. Deviam ser os primeiros a saber, e melhor que ninguém, que não é possível continuar ganhando na roleta a longo prazo. Eu mesmo sou bem idiota, mas pelo menos estou ciente disso.

— Então na roleta você nunca aposta, Brekke?

— Até faço uma apostinha aqui, outra ali.

— E isso não o torna um dos idiotas?

Brekke ofereceu a Harry uma caixa de charutos, mas o detetive recusou.

— Um homem sábio. O gosto é horrível. Só fumo porque acho que tenho que fumar. Porque posso pagar por eles. — Balançou a cabeça e colocou um charuto na boca. — Você viu *Cassino*, detetive? Aquele filme com o Robert De Niro e a Sharon Stone?

Harry assentiu.

— Sabe a cena em que Joe Pesci fala de um cara que é a única pessoa que ele conhece que consegue ganhar dinheiro com jogos de azar? Mas o lance do cara não é jogos de azar; ele faz apostas. Corrida de cavalos, basquete, essas coisas. Isso é bem diferente da roleta.

Brekke puxou uma cadeira de vidro para Harry e se sentou diante dele.

— Jogos de azar envolvem sorte, outras apostas não. Elas dependem de duas coisas: psicologia e informação. Ganha quem é mais inteligente. Esse cara do filme, por exemplo. Fica o tempo todo colhendo informações sobre o pedigree dos cavalos, o desempenho deles nos treinos do início da semana, como têm sido alimentados, o peso do jóquei quando se levantou de manhã: tudo que os outros apostadores ou não se dão ao trabalho de descobrir ou são incapazes disso. Aí ele reúne tudo isso, avalia as probabilidades e observa o que os demais jogadores estão fazendo. Se as chances de um cavalo são altas, é nesse que ele aposta, tanto faz se acredita ou não que vai levar o páreo. E, no geral, o cara ganha. Todos os outros perdem.

— Simples assim?

Brekke ergueu uma das mãos, na defensiva, e deu uma olhada no relógio.

— Fiquei sabendo que um investidor japonês do Asahi Bank estaria em Patpong ontem à noite. Acabei encontrando o cara na Soi 4. Passei a ele algumas informações e arranquei outras dele até as três da manhã, então deixei a mulher que estava comigo de presente e fui pra casa. Desde que cheguei aqui pra trabalhar, às seis, estou comprando *baht*. Daqui a pouco, quando ele começar as negociações do dia, vai perceber que tem em caixa, em *baht*, o equivalente a quatro bilhões de coroas. É quando eu começo a vender de novo.

— Parece uma boa grana, mas também parece quase ilegal.

— Quase, Harry. Só quase.

Brekke agora falava com o entusiasmo de um menino exibindo o brinquedo novo.

— A questão não é moral. Se o cara é o principal atacante de um time de futebol, sempre vai estar quase em posição de impedimento. As regras estão aí pra serem desafiadas.

— E os melhores em desafiar as regras ganham?

— Quando o Maradona marcou aquele gol com a mão, isso foi aceito como parte do jogo. O que o juiz não vê, está valendo. — Brekke pôs o dedo em riste. — Mas não dá pra escapar do fato de que estamos tratando de probabilidades. De vez em quando a gente perde, mas, se souber usá-las a seu favor, você consegue lucrar a longo prazo.

Brekke fez uma careta e apagou o charuto.

— Hoje esse investidor japonês determinou minha estratégia, mas sabe qual é a melhor coisa que existe? Mandar no jogo. Por exemplo, espalhar o boato de que o Greenspan, em um almoço fechado, disse que a taxa de inflação precisa subir antes da divulgação dos índices nos Estados Unidos. Confundir o inimigo. É assim que se ganha as maiores boladas. Caramba, é melhor que sexo.

Ele soltou uma risada e bateu com o pé no assoalho, tamanha sua empolgação.

— O mercado de câmbio é a mãe de todos os mercados, Harry. É nossa Fórmula 1. Tão emocionante quanto letal. Sei que soa perverso, mas sou uma dessas pessoas que são obcecadas por manter tudo sob controle e que sabem que a culpa é só deles caso acabem se matando ao volante.

Harry olhou ao redor. Um cientista maluco em seu laboratório.

— E se você for pego por excesso de velocidade?

— Desde que eu esteja faturando e me mantenha dentro dos meus limites, todo mundo fica feliz. Além do mais, sou o corretor mais lucrativo da empresa. Está vendo esta sala? Era do executivo-chefe do Barclays Tailândia. Você pode estar se perguntando o que um corretorzinho como eu faz aqui. Mas só há uma coisa que importa em uma corretora: quanto dinheiro o cara ganha. Tudo o mais é supérfluo. Executivos inclusive. Eles não passam de administradores, dependem de gente como eu pra manter seus empregos e salários. Meu chefe se mudou pra uma sala confortável no andar de baixo porque ameacei ir pra um concorrente e levar todos os meus clientes caso não chegássemos a um acordo por bônus maiores. E por esta sala.

Brekke tirou o colete do terno e o pendurou em uma cadeira.

— Mas chega de falar de mim. Em que posso ser útil, Harry?

— Queria saber o que você e o embaixador conversaram naquele telefonema no dia do assassinato.

— Ele me ligou pra confirmar nosso encontro. E confirmei.

— E depois?

— O embaixador veio aqui às quatro, no horário combinado. Talvez com cinco minutos de atraso. Shena, a recepcionista, tem o horário exato. Ele chegou primeiro e se registrou na recepção.

— Sobre o que vocês falaram?

— Dinheiro. Ele tinha algum e queria investir. — Nenhum músculo do rosto de Brekke indicava que pudesse estar mentindo. — Ficamos aqui até as cinco. Em seguida, eu desci pra acompanhar o embaixador até o carro dele, no estacionamento do subsolo.

— Estava estacionado na vaga onde paramos agora?

— Se você está falando da vaga de visitantes, sim.

— E essa foi a última vez que você viu Molnes?

— Exato.

— Obrigado. Era só isso — disse Harry.

— Uau, vir de tão longe por tão pouco.

— É como eu disse: procedimento de rotina, nada mais.

— Claro. Porque o embaixador morreu do coração. Não foi isso? — Jens Brekke fez a pergunta com um meio sorriso nos lábios.

— Parece que sim — respondeu Harry.

— Sou amigo da família. Ninguém falou nada sobre o assunto, mas já entendi tudo. Só pra você saber.

Quando Harry estava se levantando, a porta do elevador se abriu, e a recepcionista entrou com uma bandeja, dois copos e duas garrafas.

— Aceita uma água antes de ir embora, Harry? Peço para trazerem da Noruega uma vez por mês.

Brekke encheu os copos com água mineral Farris, de Larvik.

— A propósito, Harry, a hora do telefonema que você mencionou ontem estava errada.

Ele abriu uma porta na parede, e Harry viu ali dentro algo semelhante a um caixa eletrônico. Brekke digitou alguns números.

— A conversa aconteceu à uma e treze, não à uma e quinze. Talvez não seja importante, mas achei que você gostaria de saber esse horário com absoluta precisão.

— A informação que temos é da operadora de telefonia. O que faz você pensar que esse registro aí é mais preciso?

— O horário que eu disse *é* o correto. — Dentes brancos reluziram. — Esse dispositivo registra todas as minhas conversas. Custou meio milhão de coroas e tem um relógio monitorado por satélite. Acredite em mim: ele é bem preciso.

Harry arqueou as sobrancelhas.

— Quem pagaria meio milhão por um gravador?

— Mais gente do que você imagina. A maior parte dos corretores de câmbio, entre outras pessoas. Se você discute com um cliente sobre compra ou venda e é sua palavra contra a dele, meio milhão é fichinha. O gravador automaticamente registra a data e a hora nessa fita especial.

Brekke ergueu o que parecia uma fita VHS.

— Não é possível adulterá-las, e, após a conversa ser registrada, não é possível alterar a gravação sem que essas informações sejam destruídas. A única coisa que dá pra fazer é esconder a fita, mas aí vão descobrir que os registros relativos a determinado período estão faltando. O motivo pra sermos tão severos em relação a isso é que essas fitas valem como prova nos tribunais.

— Isso significa que você gravou aí a conversa que teve com Molnes?

— Claro.

— Será que a gente poderia...?
— É pra já.
Foi estranho para Harry ouvir a voz bem viva de alguém que ele tinha visto morto com uma faca cravada nas costas.
— Às quatro, então — dizia o embaixador.
Sua voz soava inexpressiva, quase triste. Em seguida, ele desligou.

17

Segunda-feira, 13 de janeiro

— Como está suas costas? — quis saber Liz, preocupada, quando Harry entrou mancando no escritório para a reunião matinal.

— Melhor — mentiu ele, jogando-se em uma cadeira.

Nho lhe passou um cigarro, mas Rangsan tossiu atrás do jornal, e Harry não o acendeu.

— Tenho algumas notícias que vão deixar você de bom humor — disse Liz.

— Mas eu *estou* de bom humor.

— Primeiro, decidimos prender Woo. Pra ver o que conseguimos arrancar dele se o ameaçarmos com três anos de cadeia por agredir um policial em serviço. O sr. Sorensen alega que não tem visto Woo. O capanga aparentemente trabalha como freelancer. Não temos um endereço onde procurar, mas sabemos que ele costuma comer em um restaurante perto do Ratchadamnoen Stadium, a arena de boxe. As lutas atraem grandes apostas, e os agiotas ficam à espreita pra encontrar novos clientes e vigiar pessoas que ainda não pagaram suas dívidas. A outra boa notícia é que Sunthorn vem realizando diligências em hotéis suspeitos de atuar no agenciamento de acompanhantes. O embaixador aparentemente frequentava um deles; o pessoal do estabelecimento se lembrou do carro por causa da placa do corpo diplomático. Dizem que apareceu lá acompanhado de uma mulher.

— Certo.

Liz ficou um pouco decepcionada com a reação desanimada de Harry.

— Certo?

— Molnes levou a srta. Ao a esse hotel para uma rapidinha. E daí? Pra casa é que ela não ia levá-lo, né? Na minha opinião, tudo o que podemos tirar disso é um possível motivo pra Hilde Molnes ter matado o marido. Ou o companheiro da srta. Ao, se é que ela tem um.

— A srta. Ao também teria motivos para matar Molnes, caso ele estivesse querendo abandoná-la — acrescentou Nho.

— Várias boas hipóteses — retomou Liz. — Por onde começamos?

— Verificando álibis. — A resposta veio de trás do jornal.

Na sala de reuniões da embaixada, a srta. Ao ergueu os olhos na direção de Harry e Nho, e eles estavam vermelhos de tanto chorar. Ela sequer havia hesitado ao negar que frequentava hotéis daquele tipo e contou que morava com a irmã e a mãe, mas que estivera fora na noite do assassinato. Não tinha saído com ninguém, afirmou, e voltara para casa bem tarde, depois da meia-noite. Foi quando Nho tentou forçá-la a dizer onde havia estado que começaram as lágrimas.

— É melhor nos contar tudo agora, srta. Ao — falou Harry, fechando as persianas para isolar a sala do corredor. — Você já mentiu pra gente uma vez. O negócio aqui é sério. Você disse que saiu na noite do crime, mas não se encontrou com ninguém que possa confirmar onde esteve.

— Minha mãe e minha irmã...

— Podem confirmar que você voltou pra casa depois da meia-noite. O que não a ajuda em nada, srta. Ao.

Lágrimas corriam pelo rosto delicado de boneca. Harry soltou um suspiro.

— Vamos ter que levá-la conosco — anunciou. — A menos que você mude de ideia e nos diga onde esteve.

Ela balançou a cabeça, e Harry e Nho trocaram olhares. Nho deu de ombros e pegou a moça pelo braço, mas ela deitou a cabeça na mesa, soluçando. Nesse momento, ouviram uma leve batida na porta. Harry abriu uma fresta. Sanphet estava parado ali fora.

— Sanphet, estamos...

O motorista levou um dedo aos lábios.

— Eu sei — sussurrou, sinalizando para que Harry saísse da sala. Harry fechou a porta atrás de si.

— O que foi?

— Vocês estão interrogando a srta. Ao. Querem saber onde ela estava no momento do assassinato.

Harry não respondeu. Sanphet pigarreou e empertigou-se.

— Eu menti. A srta. Ao esteve no carro do embaixador.

— Ah, é? — Harry foi pego de surpresa.

— Várias vezes.

— Então você sabia do caso dela com Molnes?

— Não era com o embaixador.

A ficha demorou alguns segundos a cair, então Harry encarou o velho com descrença.

— Com você, Sanphet? Você e a senhorita Ao?

— É uma longa história, e acho que talvez você não consiga entendê-la. — O motorista lançou um olhar escrutinador para Harry. — A srta. Ao estava comigo na noite em que o embaixador morreu. Ela jamais vai admitir isso, porque, se o fizesse, poderíamos perder o emprego. Não são permitidas intimidades entre funcionários.

Harry passou a mão na cabeça.

— Sei o que você está pensando, detetive. Que sou um velho e ela é uma menina.

— Bom, acho que não consigo mesmo entender tudo isso, Sanphet.

O outro exibiu um meio sorriso.

— A mãe dela e eu fomos amantes há muito, muito tempo, bem antes de ela engravidar e ter Ao. Na Tailândia, existe uma coisa chamada *phîi*. É o que a gente pode traduzir por "senioridade", quando uma pessoa mais velha ocupa um lugar mais alto na hierarquia do que uma mais jovem. Mas esse conceito vai muito além disso. Significa também que a pessoa mais velha fica responsável pela mais nova. A srta. Ao conseguiu o emprego na embaixada por recomendação minha, e ela é uma moça muito afetuosa e agradecida.

— Agradecida? — rebateu Harry, sem conseguir se conter. — Quantos anos ela tinha...? — Ele fez uma pausa. — O que a mãe dela tem a dizer a respeito disso?

Sanphet sorriu com tristeza.

— Ela tem a minha idade e entende a situação. Só estou pegando Ao emprestada por um tempinho. Até que ela encontre o homem com quem vai formar uma família. Não é algo tão incomum...

Harry soltou o ar dos pulmões com um gemido.

— Então você é o álibi dela? E sabe que não foi a srta. Ao que o embaixador levou àquele hotel que costumava frequentar?

— Se o embaixador foi a algum hotel, não foi com Ao.

Harry pôs o dedo em riste.

— Você já mentiu uma vez, e eu podia prendê-lo por obstruir uma investigação policial de assassinato. Se tem mais alguma coisa a dizer, que diga agora.

Aqueles olhos velhos e castanhos encararam Harry sem piscar.

— Eu gostava de *herr* Molnes. Era um amigo. Espero que a pessoa que o matou seja punida. E ninguém mais.

Harry esteve a ponto de dizer algo, mas mordeu a língua.

18

Segunda-feira, 13 de janeiro

O sol, que havia ganhado um tom avermelhado com listras alaranjadas, pairava acima da cinzenta linha do horizonte de Bangkok como se um novo planeta tivesse surgido inesperadamente no firmamento.

— Este é o Ratchadamnoen Stadium — anunciou Liz enquanto estacionava o Toyota junto à fachada de tijolos cinza. Harry, Nho e Sunthorn estavam com ela. Alguns cambistas de expressão infeliz se animaram, mas Liz logo os dispensou. — Pode não parecer lá grande coisa, mas isso aqui é o equivalente em Bangkok ao Teatro dos Sonhos. Aí dentro qualquer um tem a chance de virar Deus, desde que seja ágil com as mãos e com os pés. Oi, Ricki!

Um dos vigias se aproximou do carro, e Liz começou a jogar charme para ele de um modo que Harry não a julgava capaz de fazer. Ao cessar a animada torrente de palavras e risadas, ela se virou sorrindo para os outros.

— Vamos pegar Woo o mais rápido possível. Acabei de descolar uns assentos perto do ringue pra mim e pro turista. A luta do Ivan é a sétima da noite. Pode ser divertido.

O restaurante era bem simples — mesas e cadeiras de plástico, moscas e um ventilador solitário que trazia o cheiro de comida da cozinha para o resto do ambiente. Na parede do balcão estavam pendurados retratos da família real tailandesa.

Só umas poucas mesas estavam ocupadas, e não havia sinal de Woo por ali. Nho e Sunthorn se acomodaram em uma mesa junto à porta enquanto Liz e Harry se sentaram no fundo do salão. O investigador pediu um rolinho primavera e, por razões de segurança, uma Coca para desinfetar.

— Rick era meu treinador quando eu fazia boxe tailandês — explicou Liz. — Eu pesava quase o dobro dos rapazes com quem lutava, era bem mais alta e apanhava em todas as lutas. O boxe está no leite materno aqui. Mas, pelo que me disseram, eles não gostavam de levar sopapo de uma mulher. Não que eu tivesse reparado.

— Qual é a desse rei? — quis saber Harry, apontando para os retratos. — Vejo a foto dele por toda parte.

— Ora, uma nação precisa de heróis. A família real não era muito popular até a Segunda Guerra Mundial, quando o rei se aliou primeiro aos japoneses e, em seguida, quando o Eixo entrou na defensiva, aos americanos. Salvou a nação de um verdadeiro massacre.

Harry ergueu a Coca na direção do retrato.

— Parece ser um cara legal.

— Você precisa saber que há duas coisas com as quais não se brinca aqui na Tailândia...

— A família real e Buda. Sim, obrigado, já me disseram isso.

A porta se abriu.

— Ora, olá — sussurrou Liz, arqueando as sobrancelhas inexistentes. — Em geral, eles parecem mais baixinhos ao vivo.

Harry não se virou. O plano era esperar até que o prato de Woo fosse servido. Um sujeito comendo com pauzinhos demora mais para puxar uma arma.

— Ele está sentando — informou Liz. — Cara, ele devia ser preso só pela aparência. Mas a gente já pode se considerar sortudo se conseguir detê-lo por tempo suficiente pra algumas perguntas.

— Como assim? O sujeito atirou um policial de uma janela da sobreloja.

— Eu sei, mas não se anime muito. Woo, "o Cozinheiro", não é qualquer um. Trabalha pra uma das famílias, e esse pessoal tem bons advogados. Pelas nossas contas, Woo já matou pelo menos uma dúzia de pessoas e deixou outras tantas aleijadas, e mesmo assim não consta nadinha na ficha do sujeito.

— O Cozinheiro? — perguntou Harry, soprando o rolinho primavera escaldante que haviam lhe servido.

— O cara ganhou esse apelido há alguns anos. Um dos casos de Woo passou pela gente; eu estava à frente das investigações e presenciei a necropsia. A vítima já estava morta havia algum tempo e, quando começamos, o corpo estava tão inchado com os gases da decomposição que parecia uma bola de futebol preta e azul. Os gases são tóxicos, então o patologista expulsou a gente da sala e colocou uma máscara antes de abrir o estômago. Fiquei assistindo da janelinha da porta. A pele estremeceu com a força do gás quando ele abriu o corpo; dava pra vê-lo sair, meio esverdeado.

Harry colocou o rolinho primavera de volta no prato com o semblante fechado, mas Liz nem percebeu.

— A surpresa foi que o cadáver estava cheio de vida. O patologista recuou até a parede quando viu aquelas criaturas negras rastejando pra fora do estômago e saindo em disparada, escondendo-se nos cantos. — Ela levou os dedos indicadores à testa, simulando chifres. — Besouros.

— Besouros? — Harry fez uma careta. — Não pensei que entrassem em cadáveres.

— O morto tinha um tubo de plástico na boca quando o encontramos.

— Ele...

— Em Chinatown, besouros grelhados são uma iguaria. Woo fez o pobre-diabo comê-los à força.

— E sem a parte de grelhar? — Harry agora afastava seu prato.

— Criaturas extraordinárias, esses insetos — comentou Liz. — Quero dizer, como os besouros sobreviveram dentro daquele estômago, com gases tóxicos e tudo?

— Prefiro nem pensar.

— Muito picante?

Harry demorou um segundo para se dar conta de que ela se referia ao rolinho primavera. Ele havia empurrado o prato para a beirada da mesa.

— Você vai se acostumar, Harry. É só ir aos poucos. Devia levar umas receitas pra impressionar sua namorada na cozinha, quando voltar pra casa.

Harry tossiu.

— Ou sua mãe — completou Liz.

Harry balançou a cabeça.

— Sinto muito; também não tenho uma.

— Eu é que sinto muito — disse Liz, e a conversa morreu. O prato de Woo estava a caminho da mesa.

Ela sacou uma pistola preta do coldre no quadril e a destravou.

— Smith & Wesson 650 — reparou Harry. — Da pesada.

— Fique atrás de mim — instruiu Liz, pondo-se de pé.

Woo nem piscou ao erguer os olhos e se deparar com o cano da arma de Liz. Segurava os pauzinhos para comer com a mão esquerda; a direita estava no colo, mas fora de vista. Liz gritou alguma coisa em tailandês, mas ele não pareceu ouvir. Sem mover a cabeça, os olhos vagaram pela sala e registraram a presença de Nho e Sunthorn antes de se fixarem em Harry. Um sorriso débil passou por seus lábios.

Liz voltou a gritar, e Harry sentiu um arrepio na nuca. O cão da pistola foi liberado, e a mão direita de Woo surgiu em cima da mesa. Vazia. Harry notou que Liz soltou o ar por entre os dentes. O olhar de Woo continuou fixo em Harry enquanto Nho e Sunthorn o algemavam. A imagem dos dois policiais conduzindo o preso para fora do restaurante parecia a de um pequeno desfile circense com um gigante e dois anões.

Liz colocou a arma de volta ao coldre.

— Acho que ele não gosta de você — disse ela, indicando os pauzinhos que Woo deixara de pé na tigela de arroz.

— Sério?

— Isso é um antigo símbolo tailandês que indica que ele deseja a sua morte.

— Ele vai ter que entrar na fila.

Harry lembrou que precisava de uma arma emprestada.

— Vamos ver se temos um pouco de ação antes do fim da noite — falou Liz.

Entraram no ginásio ao som dos gritos da multidão extasiada e de um trio de sujeitos que batucava e assobiava feito uma banda escolar sob efeito de LSD.

Uma dupla de boxeadores com bandanas coloridas e tiras de pano amarradas nos braços tinha acabado de subir ao ringue.

— Aquele ali, de calção azul, é o nosso cara, Ivan — explicou Liz. Ainda fora do ginásio, ela havia pegado todas as notas nos bolsos de Harry para deixá-las com um coletor de apostas.

Encontraram seus assentos na primeira fila, atrás do árbitro, e Liz parecia extremamente animada. Trocou algumas palavras com a pessoa do assento no outro lado.

— Bem como pensei — disse ela, voltando-se para Harry. — Não perdemos nada. Se quiser ver luta boa de verdade, tem que vir às terças. Ou ir às quintas no Lumphini. Senão acaba pegando um monte de... bom, você sabe do quê.

— *Bouillon*.

— Como é?

— *Bouillon*. É como a gente chama na Noruega quando dois patinadores ruins estão se enfrentando.

— *Bouillon*?

— Sopa quente. É quando dá tempo de ir buscar a sua sem perder nada.

Os olhos de Liz se transformaram em duas fendas estreitas e cintilantes quando ela riu. Harry se deu conta de que gostava de vê-la sorrir.

Os dois pugilistas, já sem as bandanas, circulavam pelo ringue e se dedicavam a uma espécie de ritual em que cada um encostava a testa em um dos postes nos cantos do ringue, ajoelhava-se em seguida e executava alguns passos simples de dança.

— O nome disso é *ran muay* — informou Liz. — Eles dançam em honra a seu *kru* pessoal, uma espécie de guru e anjo da guarda do boxe tailandês.

A música parou, e Ivan foi para o seu canto, onde ele e o treinador, inclinando-se um na direção do outro, juntaram as palmas das mãos.

— Estão rezando — continuou Liz.

— Ele precisa rezar? — quis saber Harry, preocupado. Tinha chegado ali com um considerável maço de notas no bolso.

— Não se estiver à altura do nome que escolheu.

— Ivan?

— Todo lutador escolhe um nome. Ivan é em homenagem a Ivan Hippolyte, um holandês que venceu uma luta no Lumphini Stadium em 1995.

— Uma só?

— É o único estrangeiro a ter vencido no Lumphini. Na História.

Harry se virou para Liz para ver se ela daria uma piscadela, mas exatamente naquele momento soou o gongo e a luta começou.

Os pugilistas encararam-se com cautela, mantendo uma distância saudável um do outro e se movimentando em círculos pelo ringue. Um *swing* foi facilmente evitado, e o chute dado em contra-ataque só acertou o ar. O volume da música aumentou junto com vibração da plateia.

— Estão só se estudando — disse Liz em voz alta.

Então atacaram. À velocidade da luz, um turbilhão de pernas e braços. Tudo aconteceu tão rápido que Harry não viu muita coisa, mas Liz soltou um suspiro. Ivan já estava sangrando pelo nariz.

— Ele levou uma cotovelada — explicou ela.

— Cotovelada? E o juiz não viu?

Liz sorriu.

— Usar o cotovelo não é falta. Está mais pro contrário. Atingir o adversário com as mãos e os pés vale pontos, mas geralmente é com os cotovelos e os joelhos que se consegue um nocaute.

— Então as técnicas de chute deles não estão à altura das técnicas do caratê.

— Cuidado com conclusões precipitadas, Harry. Há alguns anos, Hong Kong mandou pra Bangkok seus cinco maiores campeões de kung fu em uma disputa pra ver qual modalidade era mais eficaz. O aquecimento e o cerimonial levaram mais de uma hora, mas as cinco lutas não duraram mais que seis minutos e meio. Terminaram com cinco ambulâncias a caminho do hospital. Adivinha quem ia nelas?

— Bom, não há a menor chance de algo assim acontecer aqui hoje. — Harry bocejou ostensivamente. — Isso aí... Caramba!

Ivan tinha agarrado o adversário pelo pescoço e, com um movimento ágil, puxou a cabeça dele para baixo e ergueu o joelho esquerdo. O oponente tombou para trás, mas seus braços se enredaram nas cordas, de modo que ele ficou suspenso nelas bem diante de Liz e Harry. O sangue jorrava e respingava na lona, como se um cano tivesse se rompido. Harry ouviu o público gritando atrás dele, protestando, e logo descobriu que era porque ele havia permanecido de pé. Liz o puxou para fazê-lo sentar de novo.

— Uau! — gritou ela. — Viu como o Ivan foi rápido? Não falei que com ele a coisa era divertida?

O boxeador de calção vermelho virou ligeiramente a cabeça, e Harry pôde ver seu perfil, a pele em torno do olho inchando, enchendo-se de sangue em seu interior. Era como ver um balão ser inflado.

Harry teve um estranho e nauseante *déjà vu* à medida que Ivan se aproximava de seu adversário indefeso, o qual parecia já não se dar conta de que estava em um ringue de boxe. Ivan não tinha pressa; estudava um pouco o adversário, como um glutão se perguntando se começa a devorar o frango por uma asa ou por uma coxa. Ao fundo, entre os dois boxeadores, Harry podia ver o árbitro. Ele assistia a tudo com a cabeça levemente inclinada e os braços estendidos ao lado do corpo. Era claro para Harry que aquele sujeito não faria nada, e ele sentiu o coração batendo contra as costelas. O trio de colegiais já não parecia fazer parte de um desfile do Dia da Independência na Noruega: agora a barulheira era descontrolada, assobios e batucada em êxtase.

Chega, pensou Harry, e nesse momento ouviu a própria voz:

— Dá nele!

Ivan deu.

Harry não acompanhou a contagem regressiva. Não viu o árbitro erguer no ar a mão de Ivan nem o *wai* do vencedor nos quatro cantos do ringue. Tinha o olhar fixo no chão, no cimento rachado e úmido diante de seus pés, onde um pequeno inseto lutava pra se livrar de um pingo de sangue. Estava preso, vítima de uma série de eventos e coincidências, atolado em sangue. Harry se viu de volta a outro país, em outro tempo, e só retornou à arena quando sentiu uma mão dando um tapa entre suas escápulas.

— Ganhamos! — gritou Liz em seu ouvido.

Estavam na fila do guichê de apostas para receber o dinheiro quando Harry ouviu uma voz familiar dizer em norueguês:

— Tenho a sensação de que nosso detetive não confiou apenas na sorte e fez sua aposta usando também a razão. Se é assim, merece parabéns.

— Bom — respondeu Harry, virando-se —, a inspetora Crumley se considera uma especialista, então talvez isso não esteja tão longe da verdade.

Ele apresentou a inspetora a Jens Brekke.

— E você, apostou também? — quis saber Liz.

— Um amigo me passou a informação de que o adversário de Ivan estava um pouco resfriado. Estranho como algo assim pode influenciar o resultado da luta, não é mesmo, srta. Crumley? — Brekke sorriu e se voltou para Harry. — Estava pensando se você poderia me ajudar, Hole. Eu trouxe a filha do Molnes comigo e devia levá-la de volta pra casa, mas recebi uma ligação de um dos meus clientes mais importantes nos Estados Unidos e preciso voltar pro escritório. A coisa está um caos: o dólar disparou, está nas alturas, e o cara agora tem que se livrar de caminhões de *baht*.

Harry olhou na direção indicada por Brekke com um leve movimento de cabeça. Encostada em uma parede, usando uma camiseta Adidas de mangas compridas e meio oculta pela multidão que deixava a arena às pressas, estava Runa Molnes. Braços cruzados, ela mirava ao longe.

— Quando o vi aqui, lembrei que Hilde Molnes tinha comentado que você está hospedado no apartamento da embaixada, perto do rio. Acho que vocês podiam pegar um táxi; não é um grande desvio do seu caminho. É que prometi à mãe dela...

Brekke fez um gesto com uma das mãos, indicando que achava um exagero aquele tipo de preocupação materna, mas que, de qualquer forma, era melhor cumprir com sua palavra.

Harry deu uma olhada no relógio.

— É claro que ele pode fazer esse favor — interveio Liz. — Pobre moça. Não me surpreende que a mãe dela esteja um pouco nervosa.

— Claro — disse Harry, forçando um sorriso.

— Ótimo — falou Brekke. — Ah, e mais uma coisa. Você podia também recolher o dinheiro que ganhei aí no guichê? Deve dar pra pagar o táxi. Se sobrar alguma coisa, imagino que exista algum fundo da polícia pra viúvas ou algo assim.

Entregou o canhoto da aposta para Liz e foi embora. Ela arregalou os olhos quando viu a quantia.

— Haja viúva pra tudo isso — comentou.

19

Segunda-feira, 13 de janeiro

Runa Molnes não parecia muito feliz com a ideia de ser levada até em casa.

— Obrigada, posso me virar sozinha. Bangkok é tão perigosa quanto Ørsta em uma segunda à noite.

Como Harry nunca tinha estado em Ørsta em uma segunda à noite, chamou um táxi e abriu a porta para a moça. Ela embarcou com relutância, murmurou um endereço e ficou olhando pela janela.

— Mandei o taxista seguir pro River Garden — disse ela, depois de um instante. — É lá que você fica, né?

— Acho que as instruções eram que você deveria ir pra casa primeiro, *fröken* Molnes.

— *Fröken*? — Ela riu e o encarou com os mesmos olhos negros da mãe. As sobrancelhas quase unidas davam-lhe a aparência de um elfo. — Parece minha tia falando. Quantos anos você tem, afinal?

— O que importa é a idade mental — respondeu Harry. — Então acho que estou com uns 60.

Ela o fitava com curiosidade agora.

— Estou com sede — falou de repente. — Se me pagar uma bebida, deixo você me acompanhar até a porta de casa depois.

Harry se inclinou para a frente e começou a informar o endereço dos Molnes ao motorista.

— Nem adianta tentar — avisou ela. — Vou insistir em ir pro River Garden, e ele vai achar que você está forçando a barra. Quer que eu faça um escândalo?

Runa começou a gritar quando Harry tocou no ombro do motorista, que meteu o pé no freio com tudo, fazendo Harry bater com a cabeça no teto. O taxista virou para o banco de trás, Runa tomou fôlego para gritar outra vez e Harry se rendeu, levantando as mãos.

— Está bem, está bem. Pra onde, então? Imagino que Patpong seja caminho.

— Patpong? — Ela revirou os olhos. — Você é coroa *mesmo*. Só velhos tarados e turistas frequentam aquele lugar. A gente vai pra Siam Square.

Ela trocou algumas palavras com o motorista; aos ouvidos de Harry, parecia falar um tailandês impecável.

— Você tem namorada? — perguntou Runa, já com uma cerveja diante dela, na mesa, depois de ameaçar fazer outro escândalo

Sentados em um restaurante amplo, ao ar livre, no alto de uma escadaria monumental apinhada de jovens — estudantes, presumiu Harry —, eles olhavam para o tráfego lento e observavam um ao outro. Ela havia lançado um olhar desconfiado para o suco de laranja dele, mas aparentemente, considerando de onde vinha, estava acostumada a abstêmios. Ou talvez não. Harry tinha a sensação de que nem todas as regras tácitas do Partido haviam recebido a devida atenção da família Molnes.

— Não — respondeu Harry, acrescentando em seguida: — Por que todo mundo me pergunta isso?

— Por que será, hein? — Ela se remexeu na cadeira. — Imagino que geralmente essa pergunta é feita por mulheres, não?

Ele soltou um riso baixo e irônico.

— Você está tentando me deixar constrangido? Então me conta dos seus namorados.

— De qual deles?

Ela mantinha a mão esquerda escondida no colo, levando o copo de cerveja à boca com a direita. Com um sorriso zombeteiro, recostou-se na cadeira e o encarou com um olhar firme.

— Não sou virgem, se é o que está pensando.

Harry quase cuspiu o suco em cima da mesa.

— Por que eu deveria ser? — prosseguiu ela, levando novamente o copo aos lábios.

É, por que deveria?, pensou Harry.

— Você está chocado? — Runa pousou o copo de cerveja de volta na mesa e assumiu uma expressão séria.

— Por que eu deveria estar? — A pergunta pareceu mais um eco, e ele se apressou a acrescentar: — Acho que minha primeira vez foi com a sua idade.

— Pode ser, mas não com 13 anos — disse a moça.

Harry respirou fundo, ponderou o comentário dela com cuidado e expirou lentamente. Uma mudança de assunto o deixaria feliz agora.

— Sério? E quantos anos ele tinha?

— Isso é segredo. — Ela voltou a assumir uma expressão zombeteira. — Diga, por que você não tem namorada?

Antes de falar, ele fez uma pausa, talvez avaliando se seria capaz de usar a mesma estratégia de choque. Poderia dizer a Runa que as duas mulheres que ele, com toda certeza, tinha amado estavam mortas. Uma, pelas próprias mãos; a outra, pelas mãos de um assassino.

— É uma longa história — respondeu por fim. — Eu as perdi.

— Elas? São várias? Imagino que tenha sido por isso que você levou um pé na bunda. Você traía elas?

Harry percebia na voz dela o entusiasmo infantil e o riso. Ele não conseguiu reunir coragem para perguntar que tipo de relação ela mantinha com Jens Brekke.

— Não — falou. — Só não dei a devida atenção.

— Agora você ficou sério.

— Desculpe.

Continuaram ali, em silêncio. Ela cutucava o rótulo da garrafa de cerveja. Erguia os olhos para Harry. Como se estivesse tentando se decidir a respeito de algo. O rótulo finalmente se desprendeu.

— Venha — disse ela, pegando-o pela mão. — Vou mostrar uma coisa a você.

Desceram as escadas por entre os estudantes, seguiram pela calçada e subiram uma passarela estreita sobre a ampla avenida. Pararam no meio da travessia.

— Veja — falou Runa. — Não é lindo?

Harry ficou observando o fluxo de veículos que vinha na direção deles e se afastava em seguida. A avenida se estendia até onde a vista alcançava, e os faróis de caminhões, ônibus, carros, motos e *tuk-tuks* pareciam um rio de lava que desembocava em uma única faixa amarela mais adiante.

— Não parece uma cobra se contorcendo com um padrão luminoso no dorso?

Ela se apoiou no parapeito da passarela.

— Sabe o que é estranho? Em Bangkok, algumas pessoas ficariam felizes em matar alguém como eu pra ficar com o pouco que tenho no bolso agora. E mesmo assim nunca senti medo aqui. Na Noruega, a gente sempre ia passar o fim de semana no chalé nas montanhas. Conheço a cabana e as trilhas todas como a palma da minha mão. Passávamos todos os feriados em Ørsta, onde todo mundo se conhecia e um furto em uma loja vira notícia de primeira página nos jornais. Mas é neste lugar que me sinto mais segura. Aqui, cercada de desconhecidos. Não é estranho?

Harry não soube o que responder.

— Se eu pudesse escolher, passaria o resto da vida nesta cidade. E aí viria até essa passarela pelo menos uma vez por semana pra apreciar a paisagem.

— O trânsito?

— Sim, adoro o trânsito. — Ela se virou de repente para ele. Tinha um brilho nos olhos. — Você não?

Harry fez que não com a cabeça. Ela voltou a olhar para a avenida.

— É uma pena. Sabe quantos carros estão circulando nas ruas de Bangkok neste momento? Três milhões. E mais mil entram em circulação a cada dia. Um motorista em Bangkok passa de duas a três horas dentro do carro todos os dias. Já ouviu falar do Comfort 100? Dá pra comprar em postos de gasolina. É um saco pra fazer xixi caso a pessoa fique presa em um engarrafamento. Você acha que os esquimós têm uma palavra pra definir o trânsito? Ou os maoris?

Harry deu de ombros.

— Pensa só em tudo que estão perdendo — continuou Runa. — Essas pessoas que moram em lugares em que não há multidões como aqui. Levante o braço... — Ela tomou a mão dele e a ergueu. — Consegue sentir? A vibração? É a energia de todo mundo à nossa volta. Está no ar. Se você estiver morrendo e achar que ninguém pode salvá-lo, basta sair e abrir os braços pra absorver um pouco da energia. É possível encontrar a vida eterna aqui. Verdade!

Os olhos dela ainda brilhavam, o rosto todo brilhava, e Runa levou a mão de Harry ao rosto.

— Posso sentir que você vai ter uma vida longa. Muito longa. Mais longa que a minha.

— Não diga isso — retrucou Harry. A pele do rosto dela queimava na palma da mão dele. — Traz má sorte.

— Melhor ter má sorte do que sorte nenhuma, era o que meu pai dizia.

Ele retraiu a mão.

— Você não quer a vida eterna? — sussurrou a moça.

Ele piscou e soube naquele instante que seu cérebro estava tirando uma fotografia instantânea dos dois naquela passarela, com pessoas indo e vindo apressadas e uma cintilante serpente marinha lá embaixo. Como acontece quando alguém tira foto de lugares que sabe que não voltará a visitar por muito tempo. Harry já tinha feito aquilo outras vezes; certa noite no meio de um salto no Frogner Lido, ou em outra noite, em Sydney, quando uma cabeleira ruiva esvoaçou ao vento, ou ainda na tarde fria de fevereiro, no Aeroporto de Fornebu, quando sua irmã o esperava em meio aos fotógrafos da imprensa e de uma tempestade de flashes. Ele sabia que, independentemente do que acontecesse, sempre poderia voltar àquelas fotografias, as quais jamais ficariam esmaecidas; ao contrário, se tornariam mais nítidas ao longo dos anos.

Foi quando sentiu uma gota d'água no rosto. Então mais uma. Olhou para o alto, espantado.

— Tinham me dito que não chovia antes de maio — falou.

— São as chuvas pré-monções — comentou Runa, erguendo o rosto para o céu. — Elas vêm de vez em quando. O céu vai desabar já, já. Vamos...

Harry estava quase pegando no sono. O ruído do tráfego não era tão invasivo, e ele percebia uma espécie de regularidade, um ritmo previsível. Na primeira noite, o som das buzinas o acordava. Dali a algumas noites, porém, provavelmente seria acordado se *não* as ouvisse. O ronco de um escapamento furado não vinha do nada; ocupava um lugar no caos aparente. Apenas levaria um pouco de tempo para se adaptar, como aprender a manter os pés firmes dentro de um barco no mar.

Tinha combinado de encontrar Runa em um café perto da universidade no dia seguinte para fazer-lhe algumas perguntas sobre o pai. O cabelo dela ainda pingava quando desceu do táxi.

Pela primeira vez em muito tempo, Harry sonhou com Birgitta. O cabelo grudado à pele clara. Mas ela sorria e estava viva.

20

Terça-feira, 14 de janeiro

O advogado conseguiu liberar Woo em quatro horas.
— Dr. Ling. Trabalha pro Sorensen — disse Liz na reunião matinal e soltou um suspiro. — Nho só teve tempo de perguntar onde Woo estava no dia do crime.
— E o que o detector de mentiras indicou? — quis saber Harry.
— Nada — respondeu Nho. — O cara não quis contar pra gente o que quer que fosse.
— Nada? Merda, e eu achando que tailandeses eram especialistas em tortura com água e choques elétricos. Então agora um gigante psicopata que quer me ver morto está à solta por aí.
— Será que alguém poderia, por favor, me dar uma boa notícia? — implorou Liz.
Ouviram o farfalhar das folhas de um jornal.
— Liguei de novo para o Maradiz Hotel. A primeira pessoa com quem falei contou que um *farang* costumava ir lá com uma mulher da embaixada. Esse cara disse que a mulher era branca, e que o casal conversava numa língua que ele achava que talvez fosse alemão ou holandês.
— Norueguês — disse Harry.
— Tentei conseguir uma descrição dos dois, mas o que ouvi não foi muito preciso.
Liz suspirou de novo.
— Sunthorn, pegue o carro e vá até lá com algumas fotos. Veja se alguém é capaz de identificar o embaixador e a esposa dele.
Harry franziu o cenho.
— Marido e mulher frequentando um ninho de amor a alguns quilômetros de casa por duzentos dólares a diária? Isso não é um pouco fora de propósito?

— De acordo com o sujeito com quem falei hoje, o casal passava alguns fins de semana lá — informou Rangsan. — Consegui algumas datas.

— Eu apostaria o que ganhei na arena ontem que a mulher não era a esposa — disse Harry.

— Talvez não — ponderou Liz. — Enfim, isso provavelmente não vai nos levar muito longe.

A inspetora encerrou a reunião dizendo à equipe que usasse o restante do tempo para botar em dia a papelada dos casos que foram deixados de lado por conta da prioridade dada ao assassinato do embaixador.

— Então estamos de volta à estaca zero? — perguntou Harry, depois que os outros saíram.

— Sequer saímos dela — respondeu Liz. — Talvez você consiga o que os noruegueses querem.

— O que nós queremos?

— Conversei com o chefe de polícia hoje de manhã. Ele tinha falado ontem com um tal sr. Torhus, da Noruega, que queria saber quanto tempo esse negócio ainda ia demorar. As autoridades norueguesas pediram esclarecimentos até o fim da semana, caso não tivéssemos nada de concreto. O chefe respondeu que esta é uma investigação tailandesa e que não engavetamos casos de assassinato assim, sem mais nem menos. Só que, mais tarde, ele recebeu um telefonema do nosso Ministério da Justiça. Foi uma boa a gente ter feito o tour pela cidade enquanto havia tempo, Harry. Parece que você vai voltar pra casa na sexta. A menos que, como foi dito, surja algo de concreto.

— Harry!

Tonje Wiig veio ao encontro dele na recepção, o rosto corado e um sorriso tão vermelho que ele suspeitou que ela tivesse passado batom antes de sair da sala.

— Precisamos tomar um chá — disse ela. — Ao!

Quando Harry chegou à embaixada, a srta. Ao o fitou com uma expressão muda de medo, um medo que ainda persistia em seus olhos mesmo depois de ele ter dito que sua visita nada tinha a ver com ela. Parecia um antílope bebendo água em um rio sob o olhar dos leões. Ela deu as costas a Harry e Tonje e os deixou a sós.

— Moça bonita — comentou Tonje, perscrutando Harry com o olhar.

— Linda — respondeu ele. — E jovem.

Parecendo satisfeita com a resposta, Tonje o conduziu até sua sala.

— Tentei ligar para você ontem à noite — continuou ela —, mas você obviamente não estava em casa.

Harry podia perceber que Tonje queria que ele perguntasse o motivo da ligação, mas se conteve. A srta. Ao entrou com o chá, e ele esperou até que ela saísse da sala.

— Preciso de umas informações — retomou Harry.

— Pois não?

— Você era a encarregada de negócios aqui quando o embaixador estava fora, então imagino que mantinha um registro das ausências dele.

— Naturalmente.

Harry passou quatro datas a ela, que as verificou em sua agenda. O embaixador tinha estado em Chiang Mai três vezes e uma vez no Vietnã. Harry anotou aquilo calmamente enquanto se preparava para fazer mais perguntas.

— O embaixador conhecia alguma mulher norueguesa em Bangkok além da esposa?

— Não... — respondeu Tonje. — Não que eu saiba. Bom, sem contar eu mesma, claro.

Harry esperou que ela pousasse a xícara na mesa antes de perguntar:

— O que diria se eu afirmasse que você estava tendo um caso com o embaixador?

Tonje Wiig ficou boquiaberta. Ali estava um atestado da qualidade dos serviços odontológicos na Noruega.

— Ah, minha Nossa Senhora! — exclamou ela, e tão sem ironia que Harry só pôde concluir que a expressão "minha Nossa Senhora" ainda fazia parte do vocabulário de mulheres mais jovens.

Ele pigarreou.

— Acho que você e o embaixador passaram essas datas que acabamos de checar no Maradiz Hotel e, se isso for verdade, gostaria que você assumisse o relacionamento e me informasse onde estava no dia da morte dele.

Era surpreendente que alguém já tão branca como Tonje Wiig pudesse ficar ainda mais pálida.

— Devo procurar um advogado? — perguntou ela, por fim.

— Não se você não tiver o que esconder.

Harry percebeu que uma lágrima se formava no canto do olho dela.

— Não tenho nada a esconder — afirmou a mulher.

— Se é assim, sugiro que me conte tudo.

Ela secou a lágrima com cuidado para não borrar a maquiagem.

— Às vezes eu tinha vontade de matar ele, detetive.

Harry reparou na mudança de tratamento e aguardou, paciente.

— Tanto que quase fiquei feliz quando soube da morte.

Harry notou pelo tom de voz que ela começava a soltar a língua. Era importante agora não dizer nem fazer nada que interrompesse o fluxo de pensamento. Uma confissão sempre vem precedida de outras.

— Por que ele se recusava a se separar da esposa?

— Não! Você não está entendendo. Porque ele estragou tudo pra mim! Tudo que...

O primeiro soluço foi tão amargurado que Harry percebeu que finalmente havia chegado a algum lugar. Então ela se recompôs e secou os olhos.

— A nomeação do embaixador foi política. Ele não tinha nem de longe a qualificação necessária pra esse cargo. Foi enviado pra cá na maior pressa, como se não pudessem perder tempo pra tirá-lo da Noruega. Havia indícios de que a principal candidata ao cargo era eu, mas fui obrigada a entregar as chaves do gabinete do embaixador pra alguém que não sabia nem a diferença entre um encarregado de negócios e um adido. E nunca tivemos nenhum tipo de relacionamento. Essa ideia é totalmente absurda pra mim.

— O que aconteceu então?

— Quando fui chamada pra identificar o corpo, de repente esqueci essa história toda da nomeação, esqueci que estava ganhando uma nova oportunidade ali. Em vez disso, lembrei-me do bom homem que ele foi, um homem inteligente. E foi mesmo! — enfatizou, como se Harry tivesse feito alguma objeção. — Mesmo não sendo muito bom como embaixador, na minha opinião. Há coisas mais importantes que um emprego e uma carreira. Talvez eu nem devesse me candidatar ao cargo. Vamos esperar pra ver. Tenho muito que pensar. Certo, não, não vou dar nenhuma resposta definitiva agora.

Fungou algumas vezes e pareceu se recuperar.

— Sabe, é bem incomum um encarregado de negócios ser nomeado embaixador na mesma embaixada. Que eu saiba, isso nunca aconteceu.

Tonje sacou um espelho e conferiu a maquiagem antes de dizer, aparentemente para si mesma:

— Mas imagino que pra tudo haja uma primeira vez.

No táxi de volta para a delegacia, Harry decidiu riscar o nome de Tonje Wiig de sua lista de suspeitos. Em parte porque a moça tinha sido convincente, em parte porque ela podia provar que estivera em outro lugar nas datas em que o embaixador se hospedara no Maradiz Hotel. Tonje também havia confirmado que o número de mulheres norueguesas residentes em Bangkok não era tão grande para que restassem muitas opções.

Pareceu, portanto, um golpe em seu plexo solar o fato de ele de repente ser obrigado a pensar o impensável. Porque simplesmente não era tão impensável assim.

A garota que entrou pela porta de vidro do Hard Rock Café era diferente da que ele havia conhecido na mansão e encontrado no funeral, de expressão desafiadora e mal-humorada e linguagem corporal discreta e introvertida. O rosto de Runa se iluminou com um sorriso ao vê-lo sentado com uma garrafa vazia de Coca-Cola e um jornal diante de si. Ela usava um vestido florido azul de mangas curtas e fazia a prótese ficar quase imperceptível com a habilidade de uma ilusionista experiente.

— Chegou cedo — disse ela, muito satisfeita.

— É difícil chegar no horário com esse trânsito — respondeu ele. — E eu não queria chegar atrasado.

Runa sentou-se em uma cadeira e pediu um chá gelado.

— Ontem, sua mãe...

— Estava dormindo — cortou ela. Tão abruptamente que Harry pensou ser uma advertência. Mas não tinha mais tempo a perder com rodeios.

— Estava bêbada, você quer dizer?

Ela ergueu os olhos na direção dele. O sorriso feliz tinha desaparecido.

— Era sobre a minha mãe que você queria conversar?

— Entre outras coisas. Como era a relação dela com seu pai?

— Por que você não pergunta pra ela?

— Porque acho que você não sabe mentir tão bem quanto ela — foi a resposta sincera de Harry.

— Ah, é? Então posso dizer que eles se davam tão bem que quase botavam fogo na casa.

A expressão desafiadora tinha voltado.

— Estava tão feio assim, é?

Ela demonstrou embaraço.

— Sinto muito, Runa, mas isso é o meu trabalho.

Ela deu de ombros.

— A gente não se dá muito bem, minha mãe e eu. Mas meu pai e eu éramos grandes amigos. Acho que ela ficava com ciúmes.

— De quem?

— De nós dois. Dele. Sei lá.

— Por que dele?

— Ele não parecia precisar dela. Minha mãe era vazia demais pra ele...

Harry não conseguia acreditar que faria a próxima pergunta, mas tinha visto muitas coisas terríveis ao longo dos anos. Fez uma pausa.

— Seu pai às vezes levava você a hotéis, Runa? Pro Maradiz Hotel, por exemplo?

Harry viu o espanto no rosto dela.

— Como assim? Por que ele faria isso?

Ele baixou a vista para o jornal em cima da mesa, mas se obrigou a encarar a garota novamente.

— O quê? — explodiu ela, mexendo a colher na xícara a ponto de o chá derramar. — Você diz cada coisa absurda! Onde está querendo chegar?

— Olha, Runa, sei que isso é difícil, mas acho que seu pai fez coisas das quais ele ainda ia se arrepender.

— Meu pai? Meu pai sempre se arrependia. Ele se arrependia e levava a culpa e reclamava... mas a bruxa não o deixava em paz. Ficava perseguindo ele o tempo todo, porque você não é isso e você não é aquilo e me arrastou pra cá e assim por diante. Ela achava que eu não ouvia nada, mas eu ouvia. Cada palavra. Que ela não servia pra viver com um eunuco, que era uma mulher cheia de energia. Falei pro meu pai que ele precisava se separar dela, mas ele suportou tudo. Por minha causa. Não dizia que era por isso, mas eu sabia que era.

— O que eu estou tentando dizer — falou Harry, baixando a cabeça para olhar nos olhos dela — é que seu pai não tinha as mesmas preferências sexuais de outros.

— É por isso que você está tenso desse jeito? Porque acha que eu não sabia que meu pai era gay?

Harry teve que se conter para não ficar boquiaberto.

— Como assim, gay? O que você quer dizer exatamente? — perguntou.

— Bicha. Homossexual. Boiola. Viado. Nasci de uma das poucas trepadas que a bruxa conseguiu arrancar do meu pai. Ele a achava nojenta.

— Seu pai *disse* isso?

— Ele era bom demais pra dizer uma coisa dessas. Mas eu sabia. Era a melhor amiga dele. *Isso* ele me disse. Tinha vezes que eu parecia ser a única amiga que ele tinha. "Você e os cavalos são as únicas coisas de que eu gosto", ele me disse uma vez. Eu e os cavalos. Essa é boa, né? Acho que ele teve um namorado quando era estudante, antes de conhecer minha mãe. Mas o cara terminou com ele, não quis assumir o relacionamento. Normal. Meu pai não queria também. Faz muito tempo isso. As coisas eram diferentes naquela época.

Runa disse a última frase com aquela inabalável confiança dos adolescentes. Harry levou o copo de Coca à boca e bebeu devagar. Precisava ganhar tempo. As coisas não estavam saindo como ele havia previsto.

— Você quer saber quem se hospedava no Maradiz Hotel? — perguntou Runa. — Minha mãe e o amante dela.

21

Terça-feira, 14 de janeiro

Os galhos brancos e congelados se erguiam como dedos apontados para o céu pálido de inverno dos Jardins do Palácio Real. Dagfinn Torhus estava junto à janela e observava um sujeito que, trêmulo, com a cabeça enterrada entre os ombros, corria pela Haakon VIIs Gate. O telefone tocou. Torhus olhou para o relógio e viu que era hora do almoço. Acompanhou o homem até perdê-lo de vista na estação de metrô, então tirou o fone do gancho e disse o próprio nome. Antes que a voz chegasse ao seu ouvido, escutou um zunido e um crepitar na linha.

— Vou dar mais uma chance a você, Torhus. Se não aproveitar, garanto que o Ministério vai procurar outra pessoa para ocupar seu cargo em menos tempo do que você leva pra dizer "Diretor do Ministério de Relações Exteriores sabota investigação policial". Ou "Embaixador norueguês gay é vítima de crime passional". Ambas dão belas de umas manchetes, não acha?

Torhus se sentou.

— Onde você está, Hole? — perguntou ele, por falta de coisa melhor para dizer.

— Acabei de ter uma longa conversa com meu chefe da Divisão de Homicídios. Perguntei a ele de uns quinze jeitos diferentes por que diabos Atle Molnes acabou indo parar em Bangkok. Pelo que descobri até agora, menos improvável que Molnes como embaixador só mesmo o falante Reiulf Steen. Não consegui arrancar do meu chefe a chave pra solucionar esse mistério, mas pelo menos consegui confirmar que existe uma chave. Imagino que ele tenha feito um juramento de confidencialidade, de modo que me encaminhou pra você. A pergunta é a mesma de antes. O que você sabe que eu não sei? Pra sua informação, tenho aqui ao meu lado um aparelho de fax e os números de telefone dos jornais *Verdens Gang*, *Aftenposten* e *Dagbladet*.

A voz de Torhus chegou a Bangkok como o frio do inverno norueguês.

— Ninguém vai querer publicar as alegações infundadas de um policial alcoólatra, Hole.

— Acho que vai, sim, se esse policial alcoólatra for uma *celebridade*.

Torhus não respondeu.

— Por falar nisso, parece que o *Sunnmørsposten* também vai cobrir o caso.

— Você também fez o juramento de manter o caso sob sigilo — disse Torhus, sem se alterar. — Vai ser processado.

Hole soltou uma risada.

— Entre a cruz e a espada, hein? Se, sabendo o que sei, eu não investigar o caso, estaria incorrendo em abandono de responsabilidade. Também posso ser punido por isso, como você sabe. E, não sei por que, mas minha impressão é de que tenho menos a perder do que você, caso não cumpra o juramento de confidencialidade.

— O que me garante... — retomou Torhus, mas foi interrompido por um ruído na linha. — Alô?

— Estou ouvindo.

— O que me garante que o que eu disser a você vai ficar só entre a gente?

— Nada.

O eco fez parecer que Harry havia pronunciado a resposta três vezes. Silêncio.

— Confie em mim — falou Harry.

Torhus bufou.

— E por que deveria?

— Porque você não tem escolha.

O diretor olhou para o relógio e viu que ia se atrasar para o almoço. O rosbife ao molho do restaurante dos funcionários provavelmente já tinha acabado, mas isso não importava muito, pois havia perdido o apetite.

— O que vou contar a você agora não deve vazar — disse ele. — E estou falando muito sério.

— Não é essa a intenção.

— Certo, Hole. De quantos escândalos envolvendo o Partido Democrata Cristão você já ouviu falar?

— Não muitos.

— Exato. Durante anos, os democratas-cristãos têm sido esse partidinho acolhedor com o qual ninguém nunca se preocupou muito. Enquanto a imprensa vasculhava coisas sobre a elite do poder do Partido Socialista e os esquisitões do Partido Progressista, os democratas-cristãos quase sempre puderam tocar seus negócios sem serem incomodados. Com a mudança de governo, isso não foi mais possível. No momento de nomear os integrantes do gabinete, logo ficou claro que Atle Molnes, apesar da competência inquestionável e da longa experiência no Parlamento, não estaria entre os ministeriáveis. Sua vida privada implicaria um risco que um partido cristão que defende certos valores pessoais não poderia correr. Não tem como o partido ser contra a ordenação de padres homossexuais e, ao mesmo tempo, nomear ministros gays. Acredito que o próprio Molnes tinha consciência disso. Mas, quando saíram os nomes do novo governo, surgiram vários questionamentos na imprensa. Por que Atle Molnes não estava entre eles? Algum tempo antes, quando ele saiu de cena pra dar espaço ao primeiro-ministro, que então se tornou líder do partido, a maioria dos analistas considerou que Molnes seria o segundo na hierarquia, ou pelo menos o terceiro ou o quarto. Vieram as perguntas e, com elas, ressurgiram os rumores sobre o homossexualismo do embaixador, que tinham começado quando ele renunciou à candidatura à liderança do partido. Claro, sabemos que muitos parlamentares são gays; então, por que essa comoção toda?, alguém poderia perguntar. Ora, a questão, nesse caso, além do fato de se tratar de um democrata-cristão, era a amizade muito próxima de Molnes com o primeiro-ministro; tinham estudado juntos e até dividido uma quitinete. Era apenas questão de tempo pra que esses detalhes chegassem à imprensa. Molnes não estava no governo, mas a coisa ainda assim estava se tornando, do ponto de vista pessoal, um problema para o primeiro-ministro. Se todo mundo sabia que ele e Molnes tinham sido os grandes aliados políticos desde o início, quem acreditaria nele se dissesse que, ao longo de todos esses anos, nunca havia tido conhecimento das preferências sexuais do amigo? O que seria dos eleitores que tinham apoiado o primeiro-ministro por causa da posição clara do partido em relação à união civil e outras ideias degradantes, se ele próprio alimentava uma serpente no seio do partido, pra usar uma metáfora bíblica? Como ganhar a confiança das pessoas desse jeito? A popularidade do primeiro-ministro era, até então, um dos fatores mais importantes para sustentar um governo minoritário, e tudo que ele não precisava era que um escândalo viesse à tona. Óbvio que teriam de mandar Molnes pra fora do país o mais rápido possível. Decidiram, então, que um posto de embaixador seria a melhor solução, pois aí ninguém poderia acusar o primeiro-ministro de banir um colega que prestou grandes serviços ao partido. Foi nesse momento que entraram em contato comigo. Agimos rápido. A nomeação formal pra embaixada em Bangkok ainda não tinha saído, e o cargo colocaria Molnes a uma distância suficiente pra que a imprensa o deixasse em paz.

— Meu Deus — falou Harry, depois de uma pausa.

— Pois é — disse Torhus.

— Você sabia que a esposa dele tem um amante?

Torhus conteve uma gargalhada.

— Não, mas você teria que me oferecer muito dinheiro pra que eu não apostasse que ela tem um.

— Por quê?

— Primeiro, porque imagino que um marido homossexual faria vista grossa a esse tipo de situação. Segundo, há algo na cultura do Ministério que parece encorajar casos extraconjugais. Isso às vezes até leva a novos casamentos, na verdade. Difícil a pessoa andar pelos corredores desse lugar sem esbarrar em ex-cônjuges ou amantes antigos ou atuais. Somos notórios pela endogamia. Conseguimos ser piores que a porcaria da Rede Pública de Televisão da Noruega.

Torhus continuava a abafar o riso.

— O amante não é do Ministério — esclareceu Harry. — Tem um norueguês aqui, um corretor de câmbio, espécie de Gekko local. Jens Brekke. De início pensei que estivesse envolvido com a filha, mas parece que o caso é com Hilde Molnes. Os dois se conheceram logo depois da mudança da família, e, segundo a filha, o negócio é mais do que sexo sem compromisso. É bem sério, na verdade, e a moça acha que cedo ou tarde eles vão morar juntos.

— Isso pra mim é novidade.

— Isso no mínimo sugere que a esposa podia ter uma motivação. E o amante também.

— Molnes poderia ser um obstáculo?

— Não, pelo contrário. De acordo com a filha, Hilde Molnes se recusava a dar o divórcio ao marido. Depois de ele ter aceitado que não iria longe em suas aspirações políticas, imagino que a fachada proporcionada pelo casamento deixou de ser tão importante. Ela deve ter chantageado Molnes, dizendo que tiraria dele o direito de visitar a filha. Não é o que geralmente acontece? A motivação é provavelmente ainda menos nobre. A família Molnes é dona de metade de Ørsta.

— Exato.

— Pedi à Divisão de Homicídios que verificasse se existe um testamento e qual seria a parte de Atle nos bens da família.

— Bom, isso não é da minha alçada, Hole, mas você não acha que isso já não é complicar um pouco as coisas? Um maluco simplesmente pode ter batido na porta do embaixador e o matado com uma facada.

— É uma possibilidade. Tem alguma importância, em princípio, se esse maluco é ou não norueguês, Torhus?

— Como assim?

— Malucos de verdade não esfaqueiam uma pessoa e removem toda e qualquer prova da cena do crime. Deixam várias peças de um quebra-cabeça, de modo que nós possamos brincar de polícia e ladrão depois. Nesse caso, temos uma faca com ornamentos orientais e só. Acredite em mim, esse foi um assassinato cuidadosamente planejado por alguém que não estava de brincadeira, que queria que o serviço fosse feito e o caso fosse arquivado por falta de provas. Mas vai saber; talvez o cara precise mesmo ser um maluco pra cometer um crime desses. E os únicos malucos que encontrei até agora nesse caso são noruegueses.

22

Terça-feira, 14 de janeiro

Depois de muito procurar, Harry enfim encontrou a portinha entre dois bares de striptease na Soi 1, em Patpong. Subiu as escadas e adentrou a penumbra de uma sala, onde um gigantesco ventilador de teto girava preguiçosamente. Em um movimento involuntário, ele se encolheu sob as enormes pás; seu corpo já carregava algumas marcas de como os vãos das portas, entre outras coisas, não eram adaptados aos seus quase dois metros de altura.

Hilde Molnes o esperava em uma mesa ao fundo, no salão do restaurante. Seus óculos de sol, com os quais pretendia passar despercebida, acabavam chamando ainda mais atenção, pensou Harry.

— Na verdade não gosto de vinho de arroz — disse ela, terminando de enxugar o copo. — Exceto Mekhong. Posso oferecer uma dose a você, detetive?

Harry balançou a cabeça. Ela fez um sinal com os dedos, e encheram sua taça novamente.

— O pessoal já me conhece aqui — continuou. — Param de me servir quando acham que já bebi o bastante. E geralmente têm razão. — Ela riu, a voz rouca — Espero que não seja um problema pra você a gente se encontrar aqui. Lá em casa o clima anda... um pouco triste no momento. Por que você me chamou pra conversar, detetive?

Hilde enunciava as palavras com clareza, como as pessoas fazem quando estão tentando disfarçar que beberam demais.

— Acabou de chegar até nós a informação de que você e Jens Brekke se hospedam juntos no Maradiz Hotel com alguma regularidade.

— Bingo! — respondeu Hilde Molnes. — Finalmente alguém que trabalha direito. Se você conversar com aquele garçom ali, ele poderá confirmar que *herr* Brekke e eu também nos encontramos aqui *com alguma regularidade*. — Ela cuspiu as palavras. — O lugar é escuro, discreto, não é frequentado por outros noruegueses e, mais importante de tudo, serve o melhor *plaa lòt* da cidade. Gosta de enguia, Hole? Enguia de água salgada?

Veio à mente de Harry um cadáver sendo resgatado do mar em Drøbak. Tinha ficado desaparecido por alguns dias, e no rosto cadavérico e pálido a expressão era de surpresa infantil. Alguma coisa havia comido suas pálpebras. Mas o que tinha chamado a atenção de Harry era a enguia. A cauda que saía da boca do sujeito e se remexia de um lado para o outro feito um chicote prateado. Harry ainda conseguia se lembrar do cheiro de salmoura no ar, de modo que aquela devia ter sido uma enguia de água salgada.

— Meu avô se alimentava quase que só de enguias — contou a viúva. — Desde pouco antes da guerra até a morte. Ele se entupia delas e nunca enjoava.

— Também recebi algumas informações sobre o testamento.

— Sabe por que ele comia tanta enguia? Ah, claro que você não sabe. Meu avô era pescador, mas isso foi antes da guerra, quando as pessoas não queriam saber de comer enguia em Ørsta. E sabe por quê?

Ele percebeu no rosto dela o mesmo lampejo de dor que tinha visto na mansão da família.

— *Fru* Molnes...

— Eu fiz uma pergunta: sabe por quê?

Harry balançou a cabeça.

Hilde Molnes baixou a voz. Tamborilava na toalha de mesa com as unhas compridas e vermelhas enquanto pronunciava cada sílaba.

— Bom, naquele inverno, um barco naufragou. Isso aconteceu em plena calmaria e a apenas algumas centenas de metros da costa, mas fazia tanto frio que nenhum dos nove homens a bordo sobreviveu. Havia uma corrente submarina no local em que o barco afundou, e por isso nenhum corpo foi encontrado. Mais tarde as pessoas contaram que um grande número de enguias apareceu no fiorde. Dizem que enguias se alimentam dos cadáveres de pessoas que se afogaram, sabe. Várias vítimas eram parentes de moradores de Ørsta, o que fez a venda de enguias despencar. Foi então que meu avô pensou que seria um bom negócio vender todos os outros peixes que pescasse e comer ele mesmo as enguias. Nascido e criado em Sunnmøre, sabe como é...

Ela tomou um gole e voltou a pousar o copo na mesa. Um círculo escuro surgiu na toalha.

— Aí acho que ele tomou gosto pela coisa. "Eram só nove náufragos", dizia o vovô. "Não deve ter sido o suficiente pra alimentar muitas. Posso até ter comido uma ou duas das que devoraram os pobres coitados, mas e daí? Não senti nenhum gosto diferente mesmo." Nenhum gosto diferente! Essa é boa.

Parecia que ele já tinha ouvido aquilo antes.

— O que você acha, Hole? Será que as enguias comeram os náufragos?

Harry coçou atrás da orelha.

— Bom, tem gente que garante que a cavala também come carne humana. Sei lá. Provavelmente todos tiram uma casquinha, imagino. Os peixes, quero dizer.

Harry esperou ela terminar a bebida antes de continuar:

— Um colega meu em Oslo acabou de falar com o advogado do seu marido, Bjørn Hardeid, em Ålesund. Conforme você talvez saiba, um advogado pode violar a cláusula de confidencialidade quando o cliente morre se achar que divulgar determinada informação não vai prejudicar a reputação do morto.

— Não, eu não sabia disso.

— Pois é, mas Bjørn Hardeid preferiu não dizer nada. Então meu colega ligou pro irmão de Atle, mas infelizmente também não conseguiu muita coisa. Ele se manteve em silêncio especialmente quando meu colega apresentou a teoria de que Atle não era dono de uma parte tão grande da fortuna da família, ao contrário do que muitos talvez pensassem.

— O que faz você achar isso?

— Um sujeito que não consegue pagar uma dívida de jogo de 750 mil coroas não necessariamente precisa ser pobre, mas definitivamente não é alguém que tivesse à disposição parte substancial dos 200 milhões da fortuna de família.

— De onde...?

— Meu colega consultou o cartório de registros de Brønnøysund e conseguiu os dados da Móveis Molnes. O capital que consta nos livros é menor do que o real, claro, mas ele descobriu que a empresa está na bolsa de valores, então ligou pra um corretor e pediu que ele calculasse o valor pelo qual as ações poderiam ser negociadas. A empresa da família, a Molnes Holding, tem quatro acionistas, três irmãos e uma irmã. Todos com assento na diretoria da empresa, e não consta que algum deles tenha vendido suas ações desde que foram transferidas pelo Molnes pai pra essa holding; ou seja, a menos que seu marido tenha negociado a parte dele na holding com um dos demais acionistas, deveria ter direito a pelo menos... — Harry deu uma olhada no bloco em que havia anotado cada palavra do que lhe fora dito por telefone. — Cinquenta milhões de coroas.

— Estou vendo que fizeram uma pesquisa meticulosa.

— Não entendi metade do que acabei de dizer, só sei que significa que alguém está bloqueando o dinheiro do seu marido, e eu gostaria de saber por quê.

Hilde Molnes o espiou por cima do copo.

— Gostaria mesmo?

— E por que não?

— Acho que o pessoal que enviou você a Bangkok não imaginou que teria que mergulhar tão fundo na... vida pessoal do embaixador.

— Eu já sei coisas demais, *fru* Molnes.

— Sabe sobre...?

— Sim.

— Pois justamente...

Ela fez uma pausa para terminar a dose de Mekhong. O garçom se aproximou para encher o copo, mas Hilde o dispensou.

— Se você também já sabe que a família Molnes tem uma longa tradição de carolas e integrantes do Partido Democrata Cristão, talvez possa deduzir o resto.

— Talvez. Mas ficaria grato se você me contasse tudo.

Ela estremeceu, como se só agora tivesse percebido o gosto forte do vinho de arroz.

— A decisão foi do pai de Atle. Quando o boato começou a se espalhar por causa da candidatura dele a líder do partido, Atle contou a verdade ao pai. Uma semana depois, o velho já tinha mudado o testamento. Decidiu que a parte de Atle na fortuna da família continuaria no nome do filho, mas que o direito de usufruto seria transferido pra Runa quando ela completasse 23 anos.

— E quem detém o direito sobre a fortuna até lá?

— Ninguém. O que significa que ela faz parte dos negócios da família.

— E o que acontece agora que seu marido morreu?

— Agora Runa vai herdar todo o dinheiro — disse Hilde, o dedo percorrendo a borda do copo. — E o direito de usufruto passa a ser da pessoa responsável por ela até que ela complete os 23 anos.

— Então, se estou entendendo direito, isso significa que a herança está liberada e à sua disposição.

— É, parece que sim. Até Runa fazer 23 anos.

— E esse direito de usufruto implica o que, exatamente?

Hilde Molnes deu de ombros.

— Não parei pra pensar muito sobre isso, na verdade. Soube disso há apenas alguns dias. Foi Hardeid quem me informou.

— Quer dizer que até então você não sabia dessa cláusula que dava a você o direito de usufruto da herança?

— Talvez eu tenha ouvido alguma menção a isso em algum momento. Assinei uns papéis, mas isso tudo é tão complicado, você não acha? Enfim, nunca prestei muita atenção...

— Não? — falou Harry, zombeteiro. — Parece que ouvi um comentário seu sobre gente nascida e criada em Sunnmøre...

Hilde exibiu um sorriso cansado.

— Nunca fui uma cidadã exemplar de Sunnmøre.

Harry a encarou. Será que fingia estar mais bêbada do que realmente estava? Ele coçou a nuca.

— Há quanto tempo você e Jens Brekke se conhecem?

— Há quanto tempo a gente trepa, você quer dizer?

— Bom, isso também.

— Então vamos colocar os fatos na cronologia certa. Deixa eu pensar...

Hilde Molnes franziu o cenho, semicerrou os olhos e voltou-os para o teto. Tentou apoiar o queixo na mão, mas ela escorregou, e então Harry viu que tinha se enganado. Ela estava bêbada feito um gambá.

— A gente se conheceu na festa que foi oferecida ao Atle dois dias depois da nossa chegada a Bangkok. Começou às oito horas, no jardim em frente à residência do embaixador, e toda a comunidade norueguesa foi convidada. Ele me comeu na garagem, imagino que umas duas ou três horas depois do começo da festa. Quando digo que *ele me comeu*, é porque eu provavelmente estava tão bêbada na hora que nem precisei cooperar. Ou consentir. Mas, na vez seguinte, sim. Ou na outra, não lembro. Enfim, depois de alguns encontros a gente acabou se conhecendo melhor. Era o que você queria saber? E, claro, desde então continuamos a aprender um sobre o outro. Agora já nos conhecemos muito bem. É o suficiente pra você, inspetor?

Harry estava irritado. Talvez pela maneira como ela alardeava sua indiferença e seu autodesprezo. Ela não lhe oferecia, enfim, nenhuma boa razão para que continuasse a tratá-la com delicadeza.

— Você disse que estava em casa no dia em que seu marido morreu. Em que cômodo, exatamente, você estava entre as cinco horas da tarde e o momento em que foi informada da morte do embaixador?

— Não lembro.

Ela riu, e a risada soou como o guincho de um corvo no silêncio de uma floresta. Harry percebeu que eles estavam começando a chamar a atenção. Ela quase caiu da cadeira, mas recuperou o equilíbrio.

— Não esquente tanto a cabeça, detetive. Tenho um *álibi*, sabe. Não é assim que se chama? Isso, isso mesmo, um álibi fantástico. Acho que minha filha poderá confirmar em depoimento que, naquela noite, eu mal podia me mexer. Lembro-me de ter aberto uma garrafa de gim depois do jantar, e meu palpite é que peguei no sono, aí acordava, tomava outro gole, pegava no sono outra vez, acordava, e por aí vai. Sei que você já entendeu o que quero dizer.

Harry havia compreendido.

— Alguma outra coisa que você queira perguntar, Hole?

Arrastou a pronúncia das duas vogais do nome do detetive, mas não muito, apenas o suficiente para provocá-lo.

— Só mais uma: se você matou seu marido, *fru* Molnes.

Com um movimento incrivelmente rápido e ágil, ela apanhou o copo da mesa e, antes que Harry pudesse detê-la, ele sentiu o objeto roçar sua orelha e ouviu-o se espatifar contra a parede atrás deles. Ela fez uma careta.

— Depois dessa você pode não acreditar, mas fui a melhor artilheira do campeonato feminino de Ørsta, categoria 14 a 16 anos.

A voz era calma, como se ela já nem se lembrasse do que tinha acontecido. Harry viu que rostos assustados se voltavam para eles.

— Dezesseis anos, isso faz um bom tempo. Eu era a garota mais bonita do... humm, provavelmente já contei isso a você. E tinha curvas, não como as que tenho agora. Uma amiga e eu costumávamos entrar no vestiário dos árbitros sem querer querendo, só de toalha, dizendo que tínhamos errado de porta a caminho do chuveiro. Tudo pelo time, claro. Mas não acho que funcionasse muito bem. Os caras provavelmente se perguntavam por que a gente estaria tomando banho *antes* do jogo.

Então ela subitamente ficou de pé e começou a gritar:

— *Ørstagutt hei, Ørstagutt hei, Ørstagutt hei hei hei.*

E desabou de volta na cadeira. O salão ficou em silêncio.

— Era nosso grito de guerra. Torcíamos para os meninos porque o grito de guerra não fica bom se usarmos a palavra equivalente à "menina". Desanda o ritmo. Bom, talvez a gente só gostasse de se exibir.

Harry a tomou pelo braço e a ajudou a descer a escada. Deu ao taxista o endereço dela e uma nota de cinco dólares e pediu que ele a deixasse em casa. O sujeito provavelmente não entendeu muita coisa, mas pareceu captar o sentido geral do que Harry tinha dito.

O detetive entrou em um bar da Soi 2, no final da rua, já na saída para o distrito de Silom. O balcão estava quase vazio e, no palco, duas prostitutas ainda dançavam. Até aquele momento não haviam conseguido nenhum cliente e claramente não alimentavam grandes esperanças de que isso iria acontecer. Pareciam estar fazendo uma faxina ali, diligentemente balançando as pernas enquanto os seios subiam e desciam ao som de "When Susannah Cries". Harry não sabia qual delas achava mais triste.

Alguém colocou diante dele uma cerveja que não tinha sido pedida. Harry deixou a garrafa intocada, pagou a conta e ligou de um telefone junto ao banheiro masculino para a delegacia. Não parecia haver banheiro feminino.

23

Terça-feira, 14 de janeiro

Uma leve brisa soprava em seus cabelos curtos. Harry fitava a cidade de pé em um tijolo na beirada do telhado. Quando semicerrava os olhos, era como olhar para um tapete luminoso e cintilante lá embaixo.

— Desça daí — disse uma voz atrás dele. — Você está me deixando nervosa.

Liz estava sentada em uma cadeira de praia com uma lata de cerveja na mão. Ao voltar à delegacia, Harry a encontrou soterrada por pilhas de relatórios ainda não lidos. Era quase meia-noite, e ela concordou que já estava na hora de dar o dia por encerrado. Fechou a sala, os dois pegaram o elevador até o décimo primeiro andar, descobriram que a porta para o terraço ficava trancada durante a noite, pularam uma janela e usaram uma saída de incêndio para chegar até ali.

O som de uma buzina de navio se destacou em meio ao ruído abafado do tráfego.

— Ouviu isso? — perguntou Liz. — Quando eu era pequena, meu pai dizia que em Bangkok dava pra escutar os elefantes chamando uns aos outros quando eram transportados de navio. Vinham da Malásia, porque as florestas de Bornéu tinham sido devastadas, e viajavam acorrentados no convés a caminho das florestas do norte da Tailândia. Depois que voltei pra cá, continuei pensando que esse estrondo saía das trompas dos elefantes durante anos.

O eco foi sumindo.

— *Fru* Molnes pode ter uma motivação pro crime, mas será que é suficiente? — perguntou Harry ao descer da beirada do telhado.

— Você mataria alguém pra ficar com o direito de usufruto de cinquenta milhões de coroas durante seis anos?

— Depende de quem eu tivesse que matar — respondeu Liz. — Certas pessoas eu mataria por menos.

— Quero dizer: cinquenta milhões de coroas durante seis anos é a mesma coisa que cinco milhões por ano durante seis décadas?

— Negativo.

— Exatamente. Merda!

— Você quer que tenha sido ela? A sra. Molnes?

— Vou dizer a você o que eu quero. Quero que a gente encontre logo esse desgraçado desse assassino pra eu poder voltar pra casa.

Liz soltou um arroto alto e impressionante. Ela assentiu, admirada, e pousou a lata de cerveja no chão.

— Pobre da filha. Runa o nome dela, não é?

— É uma garota dura na queda.

— Tem certeza?

Harry deu de ombros e ergueu um dos braços.

— O que você está fazendo? — quis saber Liz.

— Pensando.

— Com a mão pro alto? O que é isso?

— Energia. Estou captando a energia de todo mundo lá embaixo. Supostamente isso traz a vida eterna. Você acredita nesse tipo de coisa?

— Deixei de acreditar em vida eterna aos 16 anos, Harry.

O detetive se voltou para Liz, mas não conseguiu enxergar o rosto dela na escuridão.

— Seu pai?

Distinguiu o contorno da cabeça dela assentindo.

— Ahã. Carregava o mundo nas costas. Pena que fosse tão pesado.

— Como foi que ele...? — Harry hesitou.

Ouviu o som da lata de cerveja sendo esmagada.

— É só mais uma história triste sobre um veterano da Guerra do Vietnã, Harry. A gente o encontrou na garagem, de uniforme completo, o fuzil ao lado. Tinha escrito uma longa carta, não pra nós, mas pro Exército dos Estados Unidos. Nela dizia não conseguir mais suportar a ideia de que tinha fugido da própria responsabilidade.

Falava que havia se dado conta disso quando, da porta do helicóptero que decolava do telhado da embaixada americana em Saigon, em 1973, viu os vietnamitas do sul desesperados arrombando o prédio pra se refugiar das forças inimigas que se aproximavam. Escreveu que se sentia tão responsável quanto os policiais que tentavam manter aquelas pessoas do lado de fora da embaixada à base de coronhadas, aquelas pessoas a quem eles tinham prometido a vitória na guerra, a democracia. Como oficial, ele se via igualmente responsável pela decisão do Exército dos Estados Unidos de priorizar a evacuação de cidadãos americanos, sacrificando os vietnamitas que haviam lutado ao lado deles. Dedicava seus esforços militares a esses companheiros e lamentava não ter conseguido cumprir com sua responsabilidade. Por fim, ele se despedia de mim e da minha mãe dizendo que a gente devia esquecê-lo o mais rápido possível.

Harry sentiu um impulso de fumar.

— É uma responsabilidade e tanto pra uma pessoa carregar — falou.

— É, mas acho que às vezes é mais fácil se responsabilizar pelos mortos que pelos vivos. Nós temos a obrigação de cuidar deles, Harry. Dos vivos. Afinal, essa é a responsabilidade que nos move.

Responsabilidade. Se havia algo que Harry tentava manter enterrado no ano passado, era isso. Com relação aos vivos e aos mortos, a si mesmo e aos outros. Era algo que sempre acabava em culpa, sem jamais trazer recompensa alguma. Não, ele não conseguia enxergar a responsabilidade como aquilo que o movia. Talvez Torhus tivesse razão, talvez sua motivação para querer justiça não fosse lá muito nobre, afinal. Talvez apenas sua ambição idiota o impedisse de se conformar com o arquivamento de um caso; talvez ela fosse a causa de sua obsessão por pegar alguém, não importa quem, desde que conseguisse as malditas provas e pudesse carimbar a investigação como "concluída". Será que as manchetes dos jornais e os tapinhas nas costas quando voltou da Austrália tinham mesmo sido tão insignificantes quanto ele gostava de acreditar? Quem sabe a ideia de passar por cima de tudo e de todos para reabrir o caso de sua irmã não fosse só um pretexto? Talvez apenas *ser bem-sucedido* tivesse se tornado muito, muito importante para ele.

Houve um segundo de silêncio, em que pareceu que Bangkok prendia a respiração. E logo a mesma buzina voltou a cortar o ar. Um lamento. Parecia um elefante bem solitário, pensou Harry. Então, os carros recomeçaram seu alvoroço.

O bilhete estava sobre o capacho quando ele chegou ao apartamento. *Estou na piscina. Runa.*

Harry havia reparado, no painel do elevador do prédio, que a inscrição "piscina" aparecia ao lado do botão com o número 5 e, ao chegar ao quinto andar, como era de esperar, sentiu o cheiro de cloro. Logo adiante havia uma piscina a céu aberto ladeada por varandas. A água cintilava serena ao luar. Ele se agachou junto à beirada e ofereceu a mão.

— Você se sente em casa aqui, né?

Runa não respondeu, simplesmente mergulhou, passou por ele nadando e desapareceu na água. Tinha deixado as roupas e a prótese em uma trouxa na espreguiçadeira.

— Sabe que horas são? — perguntou Harry.

Ela emergiu de repente, enlaçou-o pelo pescoço e submergiu de novo. Pego totalmente de surpresa, Harry perdeu o equilíbrio, as mãos tateando a pele nua e macia enquanto mergulhava com Runa. Não houve qualquer som, como se a água fosse um edredom quente e pesado que tivessem afastado para em seguida se cobrir com ele. Bolhas se formaram nos ouvidos de Harry, fazendo cócegas, e ele teve a sensação de que sua cabeça se inflava. Quando chegaram ao fundo, ele pegou impulso com os pés para levá-los de volta à superfície.

— Você é maluca! — balbuciou ele.

Ela riu e se afastou, nadando com braçadas rápidas.

Harry estava deitado na beira da piscina, com as roupas pingando, quando ela saiu da água. Ao abrir os olhos, viu que, com a rede usada para a limpeza, Runa tentava capturar uma grande libélula que flutuava na superfície.

— Que milagre — comentou Harry. — Já estava convencido de que os únicos insetos que conseguem sobreviver nessa cidade são as baratas.

— Alguns dos insetos agradáveis sempre sobrevivem — respondeu a garota, levantando a rede com cuidado. Então soltou a libélula, que sobrevoou a piscina com um zumbido baixo.

— E as baratas não são agradáveis?

— Eca, são asquerosas!

— Nem por isso são necessariamente más.

— Talvez não. Mas não acho que sejam boas. Parece que o lance delas é apenas *existir*.

— Apenas *existir* — ecoou Harry, refletindo, sem sarcasmo.

— É como elas são, só isso. São feitas pra gente querer pisar nelas. Se não fossem tantas.

— Teoria interessante.

— Escuta só — sussurrou ela. — Todo mundo está dormindo.

— Bangkok nunca dorme.

— Dorme sim. Ouça. São os ruídos do sono.

A rede ficava presa na ponta de um tubo de alumínio oco, que ela soprou. Soava como o *didgeridoo* dos aborígines australianos. Ele ficou escutando. Ela tinha razão.

Runa desceu com ele ao apartamento para usar o chuveiro.

Ele já estava no corredor e tinha apertado o botão do elevador quando ela saiu do banheiro envolta em uma toalha.

— Suas roupas estão em cima da cama — informou Harry, fechando a porta do apartamento.

Em seguida, os dois esperaram o elevador juntos no corredor. Acima da porta, os números em vermelho faziam a contagem regressiva.

— Quando você vai embora? — perguntou ela.

— Em breve. Se não surgir nada novo.

— Sei que você foi encontrar minha mãe mais cedo.

Harry enfiou as mãos nos bolsos e fitou as unhas dos pés. Ela havia dito que ele precisava cortá-las. O elevador chegou, e Harry ficou parado junto à porta aberta.

— Sua mãe disse que estava em casa na noite em que seu pai morreu. E que você poderia confirmar isso.

Runa soltou um gemido.

— Sério que você quer que eu responda?

— Talvez não.

Ele recuou um passo, e os dois ficaram olhando um para o outro enquanto esperavam que a porta do elevador se fechasse.

— Quem você acha que fez isso? — perguntou o detetive, enfim.

Ela ainda o encarava quando a porta se fechou.

24

Quarta-feira, 15 de janeiro

No meio do solo de guitarra de Jimi em "All Along the Watchtower", a música parou de repente e Jim Love teve um sobressalto, dando-se conta em seguida de que alguém havia tirado seus fones de ouvido.

Girou a cadeira para se deparar com um cara alto e loiro, definitivamente um pouco negligente com o uso do protetor solar, que se agigantava sobre ele na apertada cabine de vigia do estacionamento. Metade de seu rosto estava escondido atrás de óculos escuros estilo aviador de qualidade duvidosa. Jim tinha o olho treinado para esse tipo de coisa; seu próprio par havia lhe custado uma semana de salário.

— Olá — disse o sujeito alto. — Perguntei se você fala inglês.

Não era possível definir de onde vinha o sotaque, e Jim respondeu com um do Brooklyn.

— Melhor do que falo tailandês. Em que posso ajudar? Que empresa você está procurando?

— Não estou procurando empresa nenhuma. Quero bater um papo com você.

— Comigo? Você não é o fiscal da firma de segurança, é? Posso explicar os fones de ouvido e...

— Não, não sou. Sou da polícia. Eu me chamo Hole. E este aqui é meu colega, Nho...

Harry deu um passo para o lado e, atrás dele, junto à entrada, Jim viu um tailandês com o típico corte de cabelo estilo militar e camisa branca recém-passada. Assim, não duvidou nem por um minuto de que o distintivo que o outro exibia fosse genuíno. Franziu o cenho.

— Da polícia, é? Vocês vão todos no mesmo cabeleireiro? Nunca pensaram em dar uma mudada no corte? Tipo esse? — Jim apontou para o tufo no alto da própria cabeça.

O sujeito alto e loiro riu.

— Não acho que o estilo retrô anos 1980 tenha chegado às delegacias ainda.

— Estilo o quê?

— Alguém pode assumir seu posto aqui enquanto a gente conversa?

Jim explicou que tinha vindo de férias à Tailândia com uns amigos quatro anos antes. Haviam alugado motos e partiram para uma viagem rumo ao norte do país. Em uma aldeiazinha às margens do rio Mekong, na fronteira com o Laos, um dos rapazes cometeu a imprudência de comprar um pouco de ópio e guardá-lo na mochila. No caminho de volta, o grupo foi parado pela polícia e revistado. Em uma estrada de terra poeirenta do interior mais longínquo da Tailândia, de repente se deram conta de que o amigo acabaria atrás das grades por um longo tempo.

— Segundo as leis daqui, os filhos da puta podem executar quem contrabandeia merda como aquela. Sabia? E nós, os outros três, que não tínhamos feito nada, pensamos: ah, fodeu, estamos encrencados também, como cúmplices ou coisa do tipo. Que merda, porque um negro americano que nem eu nem parece traficante, né? Aí a gente implorou e implorou, sem conseguir nada, até que um dos policiais falou em cobrar uma multa em vez de nos prender. Catamos até a última moeda que tínhamos, eles confiscaram o ópio e nos deixaram ir. Que felicidade a nossa. O problema foi que a gente deu pros caras o dinheiro da passagem de volta pros Estados Unidos. Aí...

Jim descreveu, com uma abundância de palavras e gestos, como uma coisa foi levando a outra. Ele acabou se tornando guia de turistas americanos, mas teve problemas com o visto permanente e precisou se esconder, ficando sob a proteção de uma garota tailandesa. Por fim, decidiu ficar por ali quando os amigos estavam prontos para ir embora. Depois de muitos percalços, conseguiu o visto devido ao emprego no estacionamento, onde precisavam de gente que falasse inglês para atender os clientes que vinham ao complexo de edifícios para reuniões.

Jim falava tanto que Harry precisou interrompê-lo.

— Merda, espero que seu colega tailandês aí não entenda inglês — falou Jim, olhando nervoso para Nho. — Os caras pra quem a gente deu aquela grana lá no Norte...

— Relaxa, Jim. A gente veio falar sobre outra coisa. Um Mercedes azul-escuro com placa do serviço diplomático supostamente parou aqui no dia 7 de janeiro, por volta das quatro. Talvez você se lembre de ter visto o carro.

Jim desatou a rir.

— Se você me perguntasse que música do Jimi Hendrix eu estava ouvindo, quem sabe eu conseguisse responder, cara, mas quais carros entram e saem daqui...

Harry comprimiu os lábios.

— Na outra vez em que estivemos aqui, pegamos um tíquete na entrada. Você não teria como verificar por aí? Por algum número de registro ou algo assim?

Jim balançou a cabeça.

— A gente não liga pra isso. A maioria dos estacionamentos tem circuito interno de TV. Caso aconteça alguma coisa, a gente pode dar uma olhada nos registros depois.

— Depois? Quer dizer que filmam o lugar?

— Claro.

— Não vi monitor nenhum aí.

— É porque não temos monitor. O estacionamento tem seis andares, então não dá pra gente sentar e ficar assistindo a tudo que acontece. Pô, a maioria dos bandidos, quando vê uma câmera, simplesmente pica a mula, certo? Então a gente só meio que vigia. E, se um deles fizer a burrice de arrombar um dos carros, temos tudo gravado pra vocês da polícia.

— Por quanto tempo as gravações são preservadas?

— Dez dias. É tempo suficiente pra maioria das pessoas perceber que alguma coisa sumiu do carro. Depois disso, gravamos por cima das fitas antigas.

— Isso quer dizer que as imagens do dia 7 de janeiro, entre quatro e cinco horas, ainda devem existir?

Jim deu uma olhada em um calendário na parede.

— Pode crer.

Desceram a escada e entraram em um porão quente e úmido, onde Jim acendeu uma lâmpada solitária e destrancou um dos armários de aço instalados ao longo de uma parede. As fitas estavam armazenadas em pilhas bem-arrumadas.

— Pra checar o que rolou no estacionamento todo você vai precisar assistir a um montão delas.

— Só precisamos ver as vagas de visitantes — disse Harry.

Jim percorreu as prateleiras. Ficou claro que cada câmera tinha uma prateleira própria, com as datas dos registros escritas nos rótulos a lápis. Jim apanhou uma fita.

— Bingo.

O rapaz abriu outro armário, no qual havia um videocassete e um monitor, inseriu a fita e, passados alguns segundos, a imagem em preto e branco apareceu na tela. Harry reconheceu imediatamente as vagas de visitantes; as imagens eram claramente da mesma câmera que tinha visto na outra vez em que haviam estado ali. Na parte inferior da tela, o dia, o mês e a hora da gravação. Correram a fita até três e cinquenta da tarde. Nada do carro do embaixador. Esperaram. Era como olhar para uma imagem congelada; nada acontecia.

— Vamos avançar mais um pouco — disse Jim.

Fora os números do relógio correndo no canto, não houve nenhuma diferença na tela. Às cinco e quinze, dois carros passaram, deixando marcas de rodas molhadas no cimento. Às cinco e quarenta, viram as marcas secando e desaparecendo, mas ainda nenhum sinal do Mercedes do embaixador. Quando o relógio chegou às cinco e cinquenta, Harry pediu que Jim desligasse o videocassete.

— Era pra ter um carro da embaixada em uma das vagas de visitantes — disse Harry.

— Sinto muito — falou Jim. — Parece que alguém passou uma informação furada a você.

— Seria possível ele estar estacionado em outro lugar?

— Claro. Mas qualquer um que não tenha vaga própria precisa passar por essa câmera, então teríamos visto o carro na gravação.

— A gente gostaria de ver um vídeo diferente — pediu Harry.

— Ah, claro. Qual?

Nho remexeu nos bolsos.

— Você sabe dizer qual vaga é ocupada por um carro com este número de registro? — perguntou, entregando ao rapaz um pedaço de papel.

Jim o encarou, desconfiado.

— Porra, cara, você fala inglês.

— É um Porsche vermelho — completou Nho.

Jim devolveu o papel ao policial.

— Nem preciso checar. Ninguém com vaga própria aqui tem um Porsche vermelho.

— *Faen!* — exclamou Harry.

— O que você disse? — quis saber Jim, com um sorrisinho.

— Uma palavra em norueguês que você não quer saber o que significa.

Fizeram o caminho de volta e reencontraram a luz do sol.

— Posso arrumar pra você um bem decente e baratinho — ofereceu Jim, apontando para os óculos de Harry.

— Não, obrigado.

— Precisam de mim pra mais alguma coisa? — perguntou Jim. Deu uma piscadela e riu. Já tinha recomeçado a estalar os dedos. Provavelmente estava louco para voltar aos seus fones de ouvido. — Ei, detetive! — gritou para os policiais, que já se afastavam. Harry se virou. — *Fa-an!*

Continuaram a ouvir a risada do rapaz no trajeto até o carro.

— Então, o que a gente sabe? — perguntou Liz, colocando os pés em cima da mesa.

— Que Brekke está mentindo — respondeu Harry. — Ele disse que, terminada a reunião, acompanhou o embaixador até o carro, no estacionamento do subsolo.

— Por que o cara mentiria sobre isso?

— No telefonema, o embaixador diz que quer confirmar a reunião das quatro. Não há dúvida de que compareceu ao local. Falamos com a recepcionista, e ela confirmou. Assim como confirmou que os dois saíram juntos do escritório, pois Brekke deu uma passada na mesa dela pra deixar um recado. Disse que se lembra disso porque foi por volta das cinco, quando se preparava pra ir embora.

— Que bom que alguém se lembra de alguma coisa nessa história.

— Mas o que Brekke e o embaixador fizeram depois, isso não sabemos.

— E onde ficou o carro? Duvido que ele fosse correr o risco de estacionar na rua naquela área de Bangkok.

— Talvez tivessem combinado de ir a outro lugar, e o embaixador então deixou alguém encarregado do carro enquanto saía com Brekke — sugeriu Nho.

Rangsan pigarreou e virou a página do jornal.

— Em um lugar cheio de ladrõezinhos esperando uma chance como essa?

— É, também acho — concordou Liz. — Continua sendo estranho que ele não tenha usado o estacionamento do subsolo, uma vez que era a coisa mais fácil e segura a se fazer. Ali ele podia estacionar ao lado do elevador.

Liz cutucava o ouvido com o dedo mindinho; a expressão em seu rosto se iluminou.

— Aonde queremos chegar com isso? — perguntou.

Harry lançou os braços no ar, resignado.

— Minha esperança era poder provar que Brekke foi embora do escritório com o embaixador naquele dia, no carro da embaixada, às cinco horas. As imagens mostrariam que o Porsche passou a noite no estacionamento. Mas não considerei a possibilidade de Brekke não ter usado o próprio carro pra ir ao trabalho.

— Vamos esquecer os carros por enquanto — falou Liz. — O que sabemos é que Brekke está mentindo. Então qual é o próximo passo?

Ela se voltou para Rangsan e seu jornal.

— Checar álibis — foi a resposta que veio dali.

25

Quarta-feira, 15 de janeiro

As reações das pessoas ao serem presas são tão variadas quanto imprevisíveis.

Harry considerava já ter presenciado a maioria das reações possíveis; portanto, não ficou especialmente surpreso ao ver o rosto bronzeado de Jens Brekke assumir um tom cinzento enquanto seu olhar percorria o ambiente como o de uma presa perseguida por seu predador. A linguagem corporal muda, e até um terno Armani feito sob medida passa a não cair tão bem. Brekke se manteve de cabeça erguida, mas pareceu ter encolhido.

Na verdade, Brekke não foi preso, apenas conduzido para interrogatório, mas, para alguém que nunca havia sido abordado por dois policiais armados que sequer perguntaram se haviam chegado em uma boa hora, a diferença era puramente retórica. Quando Harry se deparou com Brekke na sala de interrogatórios, a ideia de que o sujeito diante dele tivesse sido capaz de cravar uma faca em alguém a sangue-frio pareceu absurda. Mas já havia pensado isso outras vezes e se enganara.

— Receio que vamos ter que falar em inglês — disse Harry, acomodando-se diante de Brekke. — Tudo será gravado.

Apontou para o microfone entre eles.

— Entendo. — Brekke tentou sorrir. Parecia que ganchos de ferro esticavam sua boca.

— Precisei brigar pra fazer eu mesmo esse interrogatório — comentou Harry. — Como será gravado, um policial tailandês era quem deveria, a rigor, fazer as perguntas, mas, como você é um cidadão norueguês, o chefe disse que tudo bem.

— Obrigado.
— Bom, não tenho certeza se tem muito a agradecer. Você foi informado de que tem direito de chamar um advogado, certo?
— Sim.

Harry quase perguntou por que ele não exercera aquele direito, mas se conteve. Não existiam motivos para oferecer a Brekke mais uma chance de ficar ponderando sobre o assunto. Pelo que havia aprendido, o sistema legal tailandês era bastante semelhante ao norueguês, o que não lhe dava nenhuma razão para acreditar que os advogados ali eram muito diferentes dos da Noruega. O que, por sua vez, significava que a primeira coisa que qualquer um faria seria mandar o cliente ficar calado. Todas as normas tinham sido cumpridas; deveria seguir em frente.

O detetive sinalizou que a gravação podia começar. Nho entrou na sala, leu em voz alta algumas formalidades introdutórias para que ficassem registradas e saiu.

— É verdade que o senhor mantém um relacionamento com Hilde Molnes, esposa do falecido Atle Molnes?
— Como é que é? — Harry foi fulminado por dois olhos ferozes do outro lado da mesa.
— Conversei com a sra. Molnes. Sugiro que diga a verdade.
Seguiu-se uma pausa.
— Sim.
— Um pouco mais alto, por favor.
— Sim!
— Há quanto tempo vem durando essa relação?
— Não sei. Há um bom tempo.
— Desde a recepção ao embaixador, um ano e meio atrás?
— Bem...
— Bem?
— É, acho que está correto.
— Você sabia que a sra. Molnes passaria a ter direito de usufruto sobre uma fortuna substancial, em caso de morte do marido?
— Fortuna?
— Não estou sendo claro?
Brekke resfolegou feito uma bola de praia furada.
— Isso é novidade pra mim. Minha impressão era de que o capital sob controle deles fosse relativamente limitado.

— É mesmo? Da última vez que nos falamos, você me disse que a reunião com Molnes no seu escritório, em 7 de janeiro, era sobre investimentos. Sabemos, além disso, que Molnes devia uma grande quantia. Eu não saberia nem dizer quanto.

Silêncio de novo. Brekke fez menção de dizer alguma coisa, mas mudou de ideia.

— Eu menti — confessou, por fim.

— Tem uma segunda chance de me dizer a verdade agora.

— Molnes me procurou pra discutir meu relacionamento com Hilde... com a esposa dele. Queria que a gente terminasse.

— Um pedido não muito fora de propósito, não é?

Brekke deu de ombros.

— Não sei que informações você tem sobre quem era Atle Molnes.

— Suponhamos que nenhuma.

— A orientação sexual dele não era, digamos, muito favorável ao casamento com Hilde.

Brekke ergueu a vista para Harry, que assentiu para que ele prosseguisse.

— Ele queria que Hilde e eu parássemos de nos encontrar, mas não era por ciúme. Era porque, aparentemente, alguns boatos começaram a circular na Noruega. Molnes dizia que, se o relacionamento se tornasse público, isso prejudicaria não só ele, mas também, injustamente, outras pessoas que ocupavam cargos importantes. Tentei aprofundar a questão, mas foi só o que ele falou.

— E que tipo de ameaças fez a você?

— Ameaças? Como assim?

— Ele não deve ter dito apenas: "Por favor, será que você se importaria de não se encontrar mais com a mulher que você ama?".

— Foi assim mesmo, na verdade. Acho que ele até usou essa expressão.

— Que expressão?

— "Por favor." — Brekke juntou as mãos em cima da mesa diante de si. — Era um sujeito estranho. "Por favor."

Sorriu sem convicção.

— É, imagino que não seja uma expressão muito usada em seu ramo.

— Nem no seu, creio eu.

Harry o encarou, mas o olhar de Brekke não era desafiador.

— Qual foi o acordo entre vocês?

— Nenhum. Falei que ia pensar no assunto. O que eu poderia dizer? O cara estava quase chorando.

— Chegou a considerar a possibilidade de terminar com Hilde?

Brekke franziu o cenho, como se a ideia ainda não tivesse lhe ocorrido.

— Não. Eu... bom, teria sido muito difícil pra mim deixar de vê-la.

— Você me disse que, terminada a reunião, acompanhou o embaixador até o estacionamento no subsolo, onde estava o Mercedes dele. Quer mudar seu depoimento nesse ponto?

— Não... — respondeu Brekke, surpreso.

— Checamos as imagens do circuito interno de TV na data em questão entre três e cinquenta e cinco e quinze da tarde. O Mercedes do embaixador não estava estacionado nas vagas de visitantes. Gostaria de mudar seu depoimento?

— Mudar...? — Brekke olhou para Harry, incrédulo. — Meu Deus, cara, não. Vi o carro dele ao sair do elevador. Nós dois tínhamos que aparecer nessas imagens. Lembro-me até de ter trocado algumas palavras com Molnes antes de ele entrar no carro. Prometi ao embaixador que não comentaria com Hilde que tínhamos conversado.

— Temos provas de que não foi assim que aconteceu. Última chance: quer mudar o depoimento?

— Não!

Harry agora percebia na voz de Brekke uma firmeza que não estava lá antes de o interrogatório começar.

— O que você fez depois de ter acompanhado o embaixador até o estacionamento, conforme sua versão?

Brekke explicou que, a fim de terminar o relatório de análise de uma empresa, tinha subido de volta ao escritório, onde ficou até por volta da meia-noite, quando chamou um táxi e foi para casa.

Harry perguntou se alguém tinha aparecido no escritório ou havia telefonado enquanto ele estava trabalhando, mas Brekke informou que ninguém tinha acesso ao escritório sem a senha, e que o telefone estava bloqueado para chamadas a fim de que ele pudesse trabalhar em paz, como era seu costume quando tinha um relatório a fazer.

— E não tem ninguém que possa fornecer um álibi a você? Alguém que possa testemunhar que você foi pra casa, por exemplo?

— O Ben, zelador de onde moro. Talvez ele lembre. Geralmente repara quando chego tarde em casa, e de terno.

— Um zelador que viu você chegar em casa à meia-noite, nada mais? Brekke ponderou.

— Acho que sim.

— Certo — disse Harry. — Um colega vai assumir o restante do interrogatório. Gostaria de algo pra beber? Café, água?

— Não, obrigado.

Harry se levantou para ir embora.

— Harry?

Ele se voltou.

— Melhor você me chamar de Hole. Ou inspetor.

— Tudo bem. Estou encrencado? — perguntou Brekke em norueguês.

Harry semicerrou os olhos. A aparência de Brekke era deplorável; com os ombros caídos, parecia um saco de pano vazio.

— Se eu fosse você, acho que ligaria agora pra um advogado.

— Certo. Obrigado.

Harry parou junto à porta.

— A propósito, e quanto à promessa que você fez ao embaixador? Vai cumpri-la?

Brekke exibiu um sorriso meio que de desculpas.

— Bobagem. Eu tinha a intenção de contar a Hilde, claro. Digo, tinha que contar a ela. Mas aí veio a notícia da morte dele e... bom, Molnes era um sujeito estranho, e pus na cabeça que deveria manter minha palavra, apesar de agora isso não fazer mais nenhum sentido.

— Só um minutinho que já coloco você no viva voz.

— Alô?

— Estamos escutando, Harry. Diga.

Bjarne Møller, da Divisão de Homicídios, Dagfinn Torhus, do Ministério das Relações Exteriores, e a comissária da Polícia de Oslo ouviram o relatório de Harry sem fazer nenhuma interrupção. Torhus foi o primeiro a falar.

— Então temos um cidadão norueguês sob custódia, suspeito de homicídio. A pergunta é: por quanto tempo a gente consegue manter isso sob sigilo?

A comissária pigarreou.

— Uma vez que o assassinato ainda não é de conhecimento público, acho que temos alguns dias, especialmente porque não existe nada concreto contra Brekke, fora uma mentira em um interrogatório e talvez uma motivação. Se a gente precisar liberar o sujeito, provavelmente é melhor que ninguém nem saiba que ele foi detido.

— Você está me escutando, Harry?

Quem falava agora era Møller. Seguiu-se um ruído que Møller tomou como uma resposta afirmativa.

— O cara é culpado, Harry? Foi ele?

Mais ruído, e Møller tirou o telefone da comissária do gancho.

— O que você disse, Harry? Você...? Certo. Bom, a gente vai discutir isso aqui e mantém contato.

Møller desligou.

— O que ele disse?

— Que não sabia.

Quando Harry enfim chegou em casa, já era tarde. O Le Boucheron estava cheio, então ele acabou jantando em um restaurante da Soi 4, em Patpong, uma rua cheia de bares gays. Estava no prato principal quando um sujeito veio até a mesa e gentilmente perguntou se ele gostaria de uma punheta, retirando-se discretamente depois de Harry balançar a cabeça em negativa.

Harry desceu do elevador no quinto andar. Não havia ninguém por perto, e as luzes no entorno da piscina estavam apagadas. Tirou a roupa e mergulhou. Sentiu o abraço líquido e refrescante da água. Deu algumas voltas a nado na piscina, vencendo a resistência da água. Runa tinha lhe dito que era impossível haver duas piscinas idênticas, que toda água tinha suas idiossincrasias, sua consistência particular, seu cheiro, sua cor. Aquela era como baunilha, segundo ela. Doce e viscosa. Ele inalou, mas só o que conseguiu sentir foi cheiro de cloro e Bangkok. Boiou de costas, os olhos fechados. O som de sua própria respiração debaixo da água lhe dava a sensação de estar trancado em um cômodo pequeno. Abriu os olhos. Uma luz se apagou em um dos apartamentos da ala oposta. Um satélite se movia lentamente entre as estrelas. Uma moto com o silenciador avariado tentava arrancar. Então ele voltou os olhos ao apartamento. Conferiu a contagem dos andares e engoliu água. A luz que tinha se apagado era a do apartamento dele.

Em questão de segundos, Harry saiu da piscina e pegou a calça, procurando em vão alguma coisa no entorno que pudesse servir de arma. Apanhou a redinha de limpar piscina apoiada à parede, percorreu os poucos metros que o separavam do elevador e apertou o botão. As portas se abriram, e, ao entrar, ele sentiu um leve cheiro de curry. Em seguida, a sensação foi de ter tido um segundo subtraído de sua vida; quando voltou a si, estava com as costas no chão frio de pedra do corredor. Por sorte, o golpe o atingiu na testa, mas viu uma figura enorme debruçando-se sobre ele e soube de imediato que não teria muita chance de escapar. Acertou a coxa mais próxima com o cabo da redinha, mas o alumínio era leve e não produziu grande efeito. Conseguiu evitar o primeiro chute e se pôs de joelhos, mas o segundo o atingiu no ombro e fez seu corpo girar. As costas doíam, mas a adrenalina surtiu efeito, e ele se pôs de pé com um rugido de dor. À luz do elevador aberto, viu um rabicho de cavalo que pendia de uma cabeça raspada, ao mesmo tempo que um punho veio em sua direção, acertando seu supercílio e arremessando-o de volta à área da piscina. A figura o seguiu até ali, e Harry fez menção de dar um soco com a esquerda para, com a direita, acertar um golpe onde imaginava estar o rosto do oponente. Foi como esmurrar uma pedra de granito; pareceu ter machucado mais a própria mão do que o outro. Harry recuou um passo e inclinou a cabeça para o lado, sentindo o peito se encher de ar e medo. Tateou o cinto, encontrou as algemas, soltou-as dali e segurou-as como a um soco inglês. Esperou que o bloco de granito chegasse mais perto e, arriscando-se a tomar um soco, se abaixou. Então atacou, girando o quadril, depois o ombro e o corpo todo, golpeando com fúria desesperada na escuridão, os nós dos dedos cobertos com o metal das algemas. Sentiu, enfim, que o impacto fazia algo ceder. Bateu de novo e voltou a sentir que o ferro abria caminho na pele. O sangue escorria quente e espesso entre seus dedos; Harry não sabia se era o seu ou o do sujeito que o atacava, mas voltou a erguer o punho para mais um golpe, chocado com o fato de o outro ainda estar de pé. Foi então que ouviu uma risada grave e gutural, e logo uma carga de concreto aterrissou sobre sua cabeça, a escuridão tornou-se ainda maior e qualquer noção de espaço deixou de existir.

26

Quinta-feira, 16 de janeiro

A água fez Harry voltar à consciência; instintivamente tomou fôlego e, no momento seguinte, viu-se arrastado até o fundo da piscina. Tentou resistir, mas não fez diferença. A submersão na água amplificou o clique metálico de alguma coisa sendo trancada, e o braço que o agarrava o soltou. Abriu os olhos; tudo em volta tinha uma tonalidade turquesa, e ele tocou os azulejos do fundo. Impulsionou o corpo para cima, mas sentiu um puxão no pulso que confirmou o que seu cérebro tentava lhe explicar e ele se recusava a entender. Morreria afogado ali. Woo havia atado seu braço ao gradil do ralo usando suas próprias algemas.

Harry olhou para o alto. O brilho da lua chegava até ele filtrado pela água. Esticou o braço livre na direção da superfície, e ele ficou para fora d'água. Cacete, a piscina tinha só um metro de profundidade naquele ponto! Harry se agachou e tentou ficar de pé, esticando-se com todo o esforço de que era capaz. A algema se enterrou em seu polegar, mas ainda assim a boca continuava a vinte centímetros da superfície. Viu a sombra à beira da piscina se afastar. Merda! Sem pânico, pensou. Entrar em pânico consome oxigênio.

Foi até o fundo da piscina novamente e tateou o gradil com os dedos. Era de aço e totalmente irremovível; nem se mexia, mesmo quando agarrado e puxado com as duas mãos. Quanto tempo aguentaria sem respirar? Um minuto? Dois? Os músculos todos doíam, as têmporas latejavam, e estrelas vermelhas dançavam diante de seus olhos. Tentou se soltar com outro puxão. Tinha a boca seca de medo, e o cérebro começava a produzir imagens que ele sabia serem alucinações; estava ficando sem combustível e desidratado.

Foi quando uma ideia absurda lhe ocorreu — se bebesse o máximo de água que conseguisse, talvez pudesse fazer o nível da piscina descer o suficiente para voltar a respirar. Com a mão livre, deu pancadas na parede da piscina, ciente de que ninguém ia escutá-lo, pois, ainda que o mundo subaquático estivesse silencioso, o alarido metropolitano de Bangkok seguia inabalável lá fora, abafando quaisquer outros sons. E de que adiantaria, também, se alguém pudesse ouvir? Tudo o que alguém poderia fazer era ficar ao seu lado em seus últimos momentos. A cabeça de Harry começou a queimar, e o detetive se preparou para passar por aquilo que toda pessoa que se afoga acaba tendo que fazer, mais cedo ou mais tarde: inalar água. A mão livre esbarrou em algo metálico. A redinha de limpar piscina. Tinha ficado esquecida na borda. Harry a apanhou e puxou-a para si. Runa tinha brincado de tocar *didgeridoo*. Tubo oco. Ar. Levou a extremidade do cabo de alumínio à boca e aspirou. Engoliu água, quase sufocou, sentiu o gosto de insetos mortos e ressequidos e manteve o tubo preso entre os dentes, enquanto refreava o reflexo de tossir. Por que será que aquilo se chamava oxigênio, do grego *oxys*, "ácido"? Não tinha nada de ácido, era doce; mesmo em Bangkok, o ar era doce feito mel. Harry aspirou partículas avulsas de alumínio e areia, que aderiram ao muco em sua garganta, mas ele nem percebeu. Inspirava e expirava com tal paixão que parecia ter acabado de correr uma maratona.

O cérebro voltava a funcionar. Foi quando se deu conta de que tinha conseguido apenas adiar o inevitável. O oxigênio do sangue era convertido em dióxido de carbono, que devia ser liberado pelo pulmão, e o cabo de alumínio, comprido demais, não lhe permitia expelir totalmente o nitrogênio. De modo que seguia inalando sem parar aquele ar reciclado, uma mistura contendo quantidades cada vez menores de oxigênio e maiores do letal CO_2. Esse excesso de dióxido de carbono no sangue é chamado de hipercapnia, e ele não demoraria a morrer disso. Na verdade, como estava respirando muito rápido, aquilo acelerava o processo. Depois de algum tempo, viria a sonolência, o cérebro se desanimaria da busca por ar, e ele respiraria cada vez menos até, enfim, parar.

Era tão solitário ali, pensou Harry. Acorrentado. Como os elefantes nos navios. Os elefantes. Soprou o tubo com toda força de que era capaz.

Anne Verk morava em Bangkok havia três anos. O marido era CEO do escritório da Shell na Tailândia; os dois não tinham filhos, eram um tanto infelizes e resistiriam ainda a alguns anos juntos. Então ela voltaria para a Holanda a fim de terminar os estudos e encontrar um novo marido. Totalmente entediada, havia se candidatado a uma vaga de professora voluntária em um projeto chamado Império e, para sua surpresa, tinha sido aceita. Tratava-se de um projeto idealista cujo objetivo era oferecer aulas, principalmente de inglês, às prostitutas de Bangkok. Anne Verk lhes ensinava o básico para o trabalho nos bares; era por isso que vinham às aulas. Sentadas atrás de suas carteiras escolares, aquelas moças tímidas e sorridentes repetiam entre risinhos o que Anne dizia: "Posso acender o cigarro para o senhor?" Ou: "Sou virgem. O senhor é bem atrevido. Gostaria de uma bebida?"

Naquele dia, uma das meninas explicava à turma em um inglês hesitante que estava bastante orgulhosa de seu vestido vermelho novo e que o tinha comprado na loja de departamentos Robinson's. Às vezes era difícil imaginar aquelas meninas trabalhando como prostitutas em algumas das áreas mais violentas de Bangkok.

Como a maioria dos holandeses, Anne falava um inglês excelente e, uma vez por semana, dava aulas para alguns dos outros professores também. Saiu do elevador no quinto andar. Tinha sido uma noite especialmente exaustiva, com muitas discussões sobre os métodos de ensino. Ela não via a hora de chegar ao apartamento de duzentos metros quadrados para se livrar daqueles sapatos quando ouviu uns ruídos estranhos, uma espécie de trompete rouco. De início, achou que vinham do rio, mas logo percebeu que eram da piscina. Encontrou o interruptor e, ao se aproximar da borda, demorou alguns segundos para assimilar a visão de um homem debaixo d'água e do cabo da redinha de limpar piscina em posição vertical. Então correu em disparada.

Harry viu a luz se acender e uma figura à beira da piscina. E a figura desaparecendo logo em seguida. Parecia uma mulher. Será que tinha entrado em pânico? Ele começava a perceber os primeiros sinais da hipercapnia. Em tese, era para ser uma sensação quase agradável, como o sono de uma anestesia, mas só conseguia sentir o terror que corria por suas veias feito água de uma geleira derretendo. Forçou-se a se concentrar em respirar com calma, nem muito, nem pouco, mas só pensar já se tornava um desafio.

Não percebeu, portanto, que o nível da água estava baixando e, quando a mulher pulou na piscina e o ergueu até a superfície, teve certeza de que um anjo viera em seu socorro.

Parte Quatro

27

Sexta-feira, 17 de janeiro

O resto da noite foi só dor de cabeça, literalmente. Harry se sentou em uma cadeira no apartamento, um médico apareceu, tirou uma amostra de sangue e disse que ele havia tido sorte. Como se Harry precisasse que alguém lhe dissesse isso. Mais tarde, Liz sentou-se ao seu lado e fez anotações sobre o que tinha acontecido.
— O que ele queria aqui no apartamento? — perguntou.
— Não faço a menor ideia. Talvez me assustar.
— Ele pegou alguma coisa?
Harry olhou em volta.
— Nada, se a minha escova de dentes ainda estiver no banheiro.
— Palhaço. Como está se sentindo?
— Como se estivesse de ressaca.
— Vamos abrir uma investigação imediatamente.
— Esqueça isso. Vá pra casa descansar por algumas horas.
— Você de repente pareceu ficar ótimo.
— Sou um bom ator, não sou? — Ele esfregou o rosto com as mãos.
— Isso não é brincadeira, Harry. Você tem noção de que foi envenenado por CO_2?
— Não mais do que um cidadão comum de Bangkok, de acordo com o médico. Estou falando sério, Liz. Vá pra casa. Não tenho mais energia pra continuar conversando. Amanhã vou estar bem.
— Tire o dia de folga.
— Como quiser, mas vá embora.
Harry tomou os comprimidos que o médico receitou, dormiu um sono sem sonhos e acordou apenas no fim da manhã, quando Liz ligou para perguntar como ele estava. Harry respondeu com um grunhido.

— Não quero ver você por aqui hoje — disse ela.

— Também te amo — respondeu. Desligou o telefone e levantou-se para se vestir.

Era o dia mais quente do ano, e na delegacia todo mundo estava resmungando. Mesmo dentro do escritório de Liz, o ar-condicionado não conseguia dar conta. O nariz de Harry tinha começado a descascar, e seu aspecto já rivalizava com o de Rudolph, a rena do nariz vermelho. Já havia bebido quase três litros de água.

— Se esta é a estação fria, como é...?

— Ok, Harry. — Para Liz, falar sobre o calor não o tornaria mais suportável. — E sobre o Woo, Nho? Alguma pista?

— Nada. Tive uma conversa séria com o sr. Sorensen na Thai Indo Travellers. Ele disse que não sabe onde Woo está e que o cara não é mais empregado da empresa.

Liz suspirou.

— E não temos a menor ideia do que ele queria no apartamento de Harry. Ótimo. E quanto a Brekke?

Sunthorn tinha se encarregado de falar com o zelador do edifício onde Brekke morava. Ele lembrou que o norueguês tinha voltado para casa pouco depois da meia-noite daquele dia, mas não sabia dizer o horário exato.

Liz informou que o pessoal da perícia já estava vasculhando o escritório e o apartamento de Brekke. Examinariam particularmente as roupas e os sapatos, para ver se encontravam sangue, cabelo, fibras, qualquer coisa que pudesse ligar o sujeito à vítima ou à cena do crime.

— Tenho algumas informações sobre as fotos que encontramos na pasta de Molnes — anunciou Rangsan.

Ele fixou três imagens ampliadas em um quadro ao lado da porta. Ainda que as fotos estivessem na cabeça de Harry tempo suficiente para não provocarem o choque inicial, ele sentiu o estômago revirar.

— Mandamos as fotos para a Divisão de Crimes Contra a Moralidade Pública para ver o que os caras podiam nos dizer a respeito. Eles não conseguiram relacionar as imagens a nenhum dos distribuidores conhecidos de pornografia infantil. — Rangsan virou uma das fotos. — Pra começar, foram impressas em papel alemão, que não é vendido na Tailândia. Além disso, estão um pouco fora de foco e, à primeira vista, parecem trabalho amador, não voltado à distribuição. A perícia conversou com um especialista, que afirmou que as fotografias foram tiradas de longa distância com uma teleobjetiva, provavelmente de fora do ambiente retratado. Segundo ele, isso aqui deve ser a moldura de uma janela.

Rangsan apontou para uma mancha cinza no canto da fotografia.

— O fato de as fotos ainda assim parecerem profissionais sugere que há um novo nicho de mercado a ser atendido: o dos voyeurs.

— E?

— Nos Estados Unidos, a indústria pornô fatura alto vendendo fotos íntimas supostamente amadoras, fotos que são, na verdade, criadas por atores profissionais e fotógrafos que intencionalmente fingem o amadorismo, usando equipamentos simples e modelos pouco produzidas. Parece que o público se dispõe a pagar mais pelo que imaginam ser fotos autênticas, tiradas dos quartos das pessoas. O mesmo vale para vídeos que parecem gravados de um apartamento do outro lado da rua, sem o conhecimento ou consentimento dos participantes. Esse tipo de coisa agrada particularmente àqueles voyeurs que observam a cena sem serem notados. Achamos que essas fotos se enquadram nessa categoria.

— Ou pode ser que as fotos não tenham sido produzidas para serem distribuídas, mas com o propósito de chantagear alguém — interveio Harry.

Rangsan negou com a cabeça.

— Consideramos a possibilidade, mas, se fosse o caso, os adultos estariam identificáveis. Uma característica típica de pornografia infantil comercial é que o rosto dos abusadores fica escondido, como nessas fotos.

Ele apontou para as três imagens. Dava para ver as nádegas e a parte de baixo das costas de alguém. A pessoa usava apenas a parte de cima de um moletom vermelho, no qual dava para distinguir o pedaço de um número dois e um zero.

— Vamos supor que essa foto seria usada para chantagear alguém, mesmo que o fotógrafo não tenha enquadrado o rosto — insistiu Harry. — Ele pode ter mostrado ao chantageado apenas as fotos nas quais não poderia ser identificado.

— Parou! — Liz levantou uma das mãos. — O que você está querendo dizer, Harry? Que o homem na foto é Molnes?

— É uma hipótese. Ele estava sendo chantageado, mas não podia pagar o que devia por causa das dívidas de jogo.

— E daí? — perguntou Rangsan. — Isso não dá ao chantagista um motivo para assassinar Molnes.

— O embaixador pode ter ameaçado entregar o chantagista à polícia.

— E ser condenado por pedofilia? — Rangsan revirou os olhos, enquanto Sunthorn e Nho tentavam sem sucesso esconder um sorriso.

Harry deu de ombros e ergueu as mãos.

— Como eu disse, era uma hipótese, e concordo que devemos abandoná-la. Outra possível hipótese é que Molnes era o chantagista...

— E Brekke era o abusador... — Liz apoiou o queixo nas mãos, o olhar vago. — Bem, Molnes precisava do dinheiro, e Brekke teria um motivo para matá-lo. Mas ele já tinha um, de modo que, na verdade, não estamos chegando a lugar algum. O que você acha, Rangsan? É possível *excluirmos* a possibilidade de ser Brekke nas imagens?

Ele negou com a cabeça.

— As fotos não são nítidas, então não podemos descartar ninguém, a não ser que Brekke tenha alguma marca característica e particular.

— Quem se habilita a ir dar uma conferida na bunda do Brekke? — perguntou Liz, causando uma gargalhada geral.

Sunthorn tossiu discretamente.

— Se Brekke tivesse matado Molnes por causa das fotos, por que as deixaria no local do crime?

Um longo silêncio.

— Sou só eu que acho que estamos perdendo tempo? — perguntou Liz, enfim.

O ar-condicionado gorgolejou, e Harry se deu conta de que o dia prometia ser tão longo quanto quente.

Harry parou diante da porta que levava ao jardim do embaixador.

— Harry? — Runa passou a mão pelo rosto para enxugar os olhos e subiu as escadas da piscina.

— Oi — respondeu Harry. — Sua mãe está dormindo.

Ela deu de ombros.

— Prendemos Jens Brekke.

Ele esperou que Runa dissesse alguma coisa, perguntasse o motivo, mas ela não falou nada. Harry suspirou.

— Não quero importunar você com essas coisas, Runa. Mas estou metido nisso, e você também; então, queria saber se podemos nos ajudar.

— Certo — respondeu ela. Harry tentou interpretar o tom de voz da garota. E decidiu ir direto ao ponto.

— Preciso descobrir um pouco mais sobre esse cara, que tipo de pessoa ele é, se é o que afirma ser, essas coisas. Pensei em começar pelo relacionamento dele com a sua mãe. Sabe, a diferença de idade é significativa...

— Você suspeita de que ele esteja se aproveitando da minha mãe?

— Algo do tipo.

— Minha mãe poderia estar se aproveitando *dele*, mas o contrário...?

Harry se sentou em uma das cadeiras que ficavam embaixo do salgueiro, e Runa continuou de pé.

— Minha mãe não gosta que eu fique por perto quando eles estão juntos, então eu nem conheço muito bem o cara.

— Conhece melhor do que eu.

— Será? Humm. Ele parece legal, mas talvez seja apenas fachada. Pelo menos tenta ser legal comigo. Foi ideia dele, por exemplo, me levar pra ver o boxe. Acho que pensa que gosto de esportes porque pratico saltos ornamentais. Se ele está se aproveitando dela? Não sei. Desculpa, não estou ajudando muito, mas não sei o que passa pela cabeça dos homens dessa idade. Vocês não são muito abertos em relação ao que sentem...

Harry endireitou os óculos de sol.

— Obrigado. Isso já é ótimo, Runa. Pode pedir a sua mãe que me ligue quando acordar?

Runa estava de pé ao lado da piscina, de costas para a água, e saltou com uma cambalhota, a coluna arqueada e a cabeça voltada para baixo. Harry observou as bolhas subirem à superfície enquanto se virava para ir embora.

Depois do almoço, Harry e Nho pegaram o elevador para o primeiro andar, onde Jens Brekke era mantido sob custódia.

Brekke ainda vestia o terno com o qual tinha sido preso, mas havia desabotoado a camisa e enrolado as mangas, de modo que já não parecia um corretor. A franja estava grudada em sua testa suada, e ele observava, com ar de surpresa, as próprias mãos apoiadas sobre a mesa.

— Este é meu colega Nho — apresentou Harry.

Brekke ergueu os olhos com uma expressão desafiadora e assentiu.

— Na verdade, só tenho uma pergunta — disse Nho. — O senhor acompanhou o embaixador até o estacionamento do subsolo onde ele deixou o carro na terça-feira, 7 de janeiro, às cinco horas?

Brekke olhou para Harry, depois para Nho.

— Sim — respondeu.

Nho olhou para Harry.

— Obrigado — disse Harry. — É só isso.

28

Sexta-feira, 17 de janeiro

O trânsito rastejava pelas ruas, Harry estava com dor de cabeça, e o ar-condicionado zunia de forma ameaçadora. Nho parou na cancela do estacionamento do Barclays Tailândia e baixou a janela do carro, e um homem com um uniforme limpo e bem-passado o informou de que Jim Love não estava no trabalho.

Nho mostrou a identificação da polícia e explicou que eles gostariam de ver uma das gravações feitas pela câmera local, mas o homem negou com um movimento da cabeça, afirmando que teriam que entrar em contato com a empresa de segurança. Nho se voltou para Harry e deu de ombros.

— Explique que é uma investigação de assassinato — disse Harry.
— Já fiz isso.
— Então vamos ter que dar mais explicações.

Harry saiu do carro. O calor e a umidade atingiram seu rosto; era como tirar a tampa de uma panela de água fervendo. Ele contornou o carro, um pouco tonto. O funcionário do estacionamento fechou a cara ao ver o *farang* de quase dois metros de altura e olhos vermelhos se aproximar e colocou a mão sobre a arma.

Harry parou de frente para o homem, deu um sorriso forçado e agarrou o cinto do cara com a mão esquerda. O homem gritou, mas não teve tempo de reagir; Harry puxou o cinto dele e enfiou a mão direita por dentro das calças. O puxão foi tão forte que o levantou do chão. A cueca cedeu, e deu para ouvir de longe o som dela se rasgando. Nho gritou alguma coisa, mas era tarde demais. Harry já segurava a cueca branca no alto, triunfante. Pouco depois, a cueca voou por cima da cabine do funcionário, aterrissando nos arbustos. Harry caminhou lentamente de volta para o carro e entrou.

— Técnica antiga — disse a um Nho que o observava com olhos arregalados. — Você vai ter que assumir as negociações a partir daqui. Caramba, como está quente...

Nho saiu do veículo e, depois de uma breve negociação, enfiou a cabeça na janela do carro e disse a Harry que os seguisse até o subsolo. O funcionário do estacionamento manteve uma boa distância de Harry, a expressão carrancuda.

O aparelho de vídeo zumbia, e Harry acendeu um cigarro. Tinha a impressão de que a nicotina, em determinadas situações, estimulava as atividades mentais. Como acontecia quando alguém precisava fumar, por exemplo.

— Certo — disse Harry. — Então você acha que Brekke está dizendo a verdade?

— Você também acha — respondeu Nho. — Ou não teria me trazido até aqui.

— Correto. — A fumaça fazia os olhos de Harry arderem. — E você pode ver bem aqui por que eu acho isso.

Nho observou as imagens, mas desistiu, meneando a cabeça.

— Essa gravação é de segunda-feira, 13 de janeiro — explicou Harry. — Por volta das dez da noite.

— Errado — retrucou Nho. — Essa é a mesma gravação que a gente viu da última vez, é do dia do assassinato, 7 de janeiro. A data está no canto da imagem.

Harry soprou um anel de fumaça, mas havia uma corrente de ar vinda de algum lugar, e o anel desapareceu quase que de imediato.

— É a mesma gravação, mas a data estava errada desde o início. Acho que deve ser fácil alterar a data e a hora no aparelho e, consequentemente, na imagem, e nosso amigo que perdeu a cueca pode confirmar isso.

Nho olhou para o homem, que deu de ombros e concordou.

— Mas isso não explica como você sabe quando a gravação foi feita — disse Nho.

Harry fez um gesto com a cabeça na direção do monitor.

— Eu me dei conta disso quando fui acordado essa manhã pelo tráfego na ponte Taksin, que fica bem perto do apartamento onde estou hospedado — respondeu. — Há pouquíssimo tráfego nessa imagem. Esse é um estacionamento de seis andares em um complexo comercial bastante movimentado. A gravação aponta um horário entre quatro e cinco da tarde, e vemos apenas dois carros passando no intervalo de uma hora.

Harry bateu a cinza do cigarro.

— E vou mostrar o que pensei em seguida. — Ele se levantou e apontou na tela para as linhas pretas que apareciam no cimento. — Marcas de pneus molhados. Dos dois carros. Quando foi a última vez que as ruas estiveram molhadas em Bangkok?

— Faz uns dois meses, ou mais.

— Errado. Três dias atrás, em 13 de janeiro, entre dez e dez e meia, caiu uma chuva de verão. Sei disso porque minha camisa ficou ensopada.

— Tem razão — concordou Nho, fechando a cara. — As gravações nunca são interrompidas. Bom, se essa gravação não é a de 7 de janeiro, e sim a do dia 13, então a fita com a gravação que queremos não é essa aqui.

Harry pediu ao funcionário que encontrasse a fita que trazia a etiqueta de 13 de janeiro e, trinta segundos depois, viram que a gravação tinha sido interrompida às nove e meia da noite. Depois de cinco segundos de chuvisco na tela, a imagem apareceu mais uma vez.

— A fita foi apagada aqui — concluiu Harry. — As imagens que aparecem depois do chuvisco na tela são de uma gravação antiga. — Ele indicou a data. — Primeiro de janeiro, cinco e vinte e cinco da manhã.

Harry pediu ao atendente que pausasse a imagem, e os dois policiais se sentaram, observando-a fixamente, enquanto Harry terminava seu cigarro.

Nho pressionou as mãos, palma contra palma, em frente à boca.

— Então alguém alterou a gravação pra parecer que o carro do embaixador nunca esteve no estacionamento. Por quê?

Harry não respondeu. Observou o horário. Cinco e vinte e cinco. Trinta e cinco minutos antes de o Ano-Novo ser celebrado em Oslo. Onde ele estava naquele dia? O que tinha feito? Teria ido ao Schrøder's? Não, estaria fechado. Devia estar dormindo. Não se lembrava de ter visto fogos de artifício, de qualquer forma.

A empresa de segurança confirmou que Jim Love estivera no turno da noite no dia 13 de janeiro e ofereceu o endereço e o número de telefone do empregado sem muitos questionamentos. Nho ligou para a casa de Love, mas ninguém atendeu.

— Mande uma viatura verificar — disse Liz, parecendo satisfeita por finalmente ter uma pista concreta a seguir.

Sunthorn entrou no escritório e lhe entregou uma pasta.

— Não temos nenhum registro de Jim Love — falou. — Mas Maisan, um dos infiltrados da Narcóticos, reconheceu a descrição. Se for o mesmo cara, foi visto no Miss Duyen várias vezes.

— O que isso significa? — perguntou Harry.

— Que ele não era tão inocente nessa história de ópio quanto dizia ser — respondeu Nho.

— Miss Duyen é uma casa de ópio em Chinatown — explicou Liz.

— Casa de ópio? Isso não é, tipo, ilegal?

— Claro.

— Desculpe, foi uma pergunta idiota — disse Harry. — Mas pensei que a polícia combatesse esse tipo de coisa.

— Não sei como as coisas funcionam lá de onde você vem, Harry, mas aqui tentamos ser práticos. Se fecharmos o Miss Duyen, outra casa de ópio vai aparecer em outro lugar na semana seguinte. Ou os caras vão simplesmente vender ópio na rua. A vantagem do Miss Duyen é que lá temos tudo sob controle; nossos infiltrados podem entrar e sair quando querem, e as pessoas que decidem ficar doidonas podem fazer isso em um ambiente relativamente respeitável.

Alguém tossiu.

— Além disso, o Miss Duyen provavelmente paga bem — murmurou uma voz vinda de trás do *Bangkok Post*.

Liz fingiu não escutar.

— Se o cara não apareceu para trabalhar hoje e não está em casa, aposto que está em uma das esteiras de bambu do Miss Duyen. Que tal você e Harry darem uma olhada, Nho? Fale com o Maisan, talvez ele possa ajudar. Pode ser bom para o nosso turista ver esse tipo de coisa.

29

Sexta-feira, 17 de janeiro

Maisan e Harry caminharam por uma rua estreita, onde uma brisa abafada espalhava o lixo ao longo dos muros frágeis das casas. Nho ficou no carro; segundo Maisan, ele podia ser reconhecido como policial a quilômetros de distância. Além disso, seria suspeito se três pessoas aparecessem ao mesmo tempo no Miss Duyen.

— Fumar ópio não é exatamente uma atividade social — explicou Maisan, com um sotaque levemente americano. Harry se perguntou se o sotaque e a camiseta do The Doors não estavam um pouco exagerados para um policial da Narcóticos à paisana. Maisan parou em frente a um portão de ferro, pisou na guimba de cigarro no asfalto com o salto da bota direita e entrou.

Por ter vindo do sol forte, Harry não conseguiu distinguir nada logo de cara, mas pôde ouvir vozes baixas, murmúrios, e percebeu duas pessoas de costas desaparecendo dentro de uma sala.

— Merda! — exclamou Harry ao bater a cabeça no batente da porta e se virou ao ouvir uma risada familiar.

Pensou distinguir uma enorme figura na escuridão perto da parede, mas devia estar enganado. Woo devia estar tentando se manter quietinho por um tempo. Harry se apressou para não perder de vista as duas pessoas que seguiam à frente. Elas desapareceram escada abaixo, e Harry foi atrás delas. O dinheiro passava de uma mão a outra, e uma porta se abriu apenas o suficiente para que eles pudessem entrar.

Lá dentro, o cheiro era de terra, mijo, fumaça e ópio.

A única imagem que Harry tinha de uma casa de ópio vinha de um filme de Sergio Leone no qual Robert De Niro era atendido por mulheres de sarongues de seda, e todos se deitavam em camas macias com grandes almofadas; tudo era iluminado por uma luz suave, amarela, que dava um toque divino a toda a cena. Pelo menos era assim que se lembrava. Tirando a iluminação suave, havia muito pouco da versão hollywoodiana ali. A poeira flutuava no ar, dificultando a respiração, e, com exceção de alguns beliches junto às paredes, todos estavam deitados em tapetes e esteiras de bambu no chão duro.

A escuridão e o ar úmido, somados a tosses abafadas e ruídos roucos ecoando pelo ar, levaram Harry a supor que havia poucas pessoas ali, mas, gradualmente, conforme seus olhos foram se acostumando à luz, ele pôde ver que a sala era bem grande, sem divisórias, e devia ter uma centena de pessoas ali, quase todas homens. Apesar da tosse, o local era estranhamente silencioso. A maioria parecia estar dormindo, enquanto outros mal se moviam. Harry viu um idoso segurando um cachimbo com as mãos, e ele o fumava com tanta intensidade que a pele enrugada das maçãs do rosto se esticava.

A loucura era organizada; eles ficavam deitados em fileiras que, por sua vez, eram divididas em quadrados, para que houvesse espaço para caminhar entre os corpos, algo muito parecido com um cemitério. Harry seguiu Maisan pelas fileiras, examinando os rostos e tentando prender a respiração.

— Está vendo o seu cara? — perguntou Maisan.

Harry balançou a cabeça.

— Está escuro demais.

Maisan sorriu.

— Eles tentaram colocar luz de neon um tempo atrás, para prevenir os roubos. Mas as pessoas deixaram de vir.

Maisan avançou ainda mais na escuridão do cômodo. Logo, emergiu das sombras e apontou para a saída.

— Disseram que um garoto negro às vezes vai ao Yupa House, nessa mesma rua. Algumas pessoas compram o ópio e fumam lá. O dono não se incomoda.

Agora que as pupilas de Harry tinham se adaptado para enxergar no escuro, elas eram novamente submetidas à enorme lâmpada de dentista no céu lá fora. Harry apanhou os óculos escuros e os colocou.

— Harry, sei de um lugar barato onde você pode comprar...

— Valeu. Estou bem com esses.

Chamaram Nho. No Yupa House, teriam que mostrar uma identificação da polícia tailandesa para terem acesso ao livro de hóspedes, e Maisan não queria dar bandeira no bairro.

— Obrigado — disse Harry.

— Se cuida — respondeu Maisan, desaparecendo nas sombras.

O recepcionista do Yupa House parecia um reflexo dos espelhos deformantes nos parques de diversão. Um rosto comprido se assentava sobre um pescoço fino, por sua vez enterrado em ombros estreitos e atarracados. Tinha cabelos ralos e uma barba pegajosa. Era formal, educado e, como vestia um terno preto, lembrava a Harry um agente funerário.

O homem assegurou a Harry e Nho que ninguém com o nome de Jim Love estava hospedado ali. Quando descreveram Love, o homem sorriu e negou com a cabeça. Acima da recepção havia uma placa declarando as regras básicas da casa: proibido armas, objetos aromáticos e fumar na cama.

— Com licença — disse Harry para o recepcionista, puxando Nho em direção à porta. — Então, você não é o mestre em saber quem está mentindo?

— Com ele é mais complicado — respondeu Nho. — Ele é vietnamita.

— E daí?

— Você não sabe o que Nguyen Cao Ky disse sobre seus compatriotas durante a Guerra do Vietnã? Que os vietnamitas nasceram mentirosos. Está nos genes, depois de serem ensinados geração após geração que a verdade só traz má sorte.

— Você está dizendo que ele está mentindo?

— Estou dizendo que eu não faço ideia. O cara é bom.

Harry se virou, voltou à recepção e pediu a chave mestra. O recepcionista sorriu, nervoso.

O detetive elevou um pouco a voz, articulando a palavra "chave mestra", e deu um sorriso forçado.

— Gostaríamos de dar uma olhada no hotel, quarto por quarto. Entende? Se encontrarmos alguma irregularidade, seremos, naturalmente, obrigados a fechar o hotel para uma averiguação mais minuciosa, mas eu duvido de que iremos nos deparar com qualquer problema.

O recepcionista balançou a cabeça, e de repente era como se não entendesse inglês.

— Eu disse que duvido de que vamos encontrar um problema. Estou vendo a placa que proíbe as pessoas de fumar na cama.

Harry apanhou a placa e bateu com ela no balcão.

O recepcionista olhou fixamente para a placa. Era possível distinguir algo pulsando em seu pescoço fino.

— No quarto 304 está registrado um homem chamado Jones — disse. — Pode ser ele.

Harry se virou e sorriu para Nho, que deu de ombros.

— O sr. Jones está lá?

— Ficou no quarto desde que fez o check-in.

O recepcionista os levou até o andar de cima. Eles bateram na porta, mas ninguém respondeu. Nho fez um sinal para que o recepcionista a abrisse, e, de um coldre na panturrilha, sacou uma Beretta 35 milímetros preta, carregada e com a trava de segurança liberada. O recepcionista começou a ter um tique nervoso, mexendo a cabeça como se fosse uma galinha. Ele girou a chave e deu dois passos apressados para trás. Harry abriu a porta com cautela. As cortinas estavam fechadas, e o quarto estava escuro. A mão do detetive esgueirou-se para dentro e acendeu a luz. Deitado na cama, Jim Love repousava imóvel, os olhos fechados e com fones no ouvido. Um ventilador de teto girava e zumbia, agitando as cortinas. O cachimbo estava no criado-mudo, ao lado da cama.

— Jim! — chamou Harry, mas Jim Love não reagiu.

Ou estava dormindo, ou o som nos fones estava muito alto, pensou Harry, olhando ao redor para se assegurar de que Jim não tinha companhia. Então viu uma mosca emergindo lentamente da narina direita do rapaz. Harry caminhou até a cama e colocou a mão em sua testa. Era como tocar mármore frio.

30

Sexta-feira, 17 de janeiro

Todos, exceto Rangsan, estavam reunidos na sala de Liz naquela noite.

— Diga que temos uma pista — falou Liz, em tom ameaçador.

— O pessoal da perícia tem muitas — disse Nho. — Mandaram três homens pra lá e encontraram um monte de impressões digitais, cabelos e fibras de tecido. Disseram que o Yupa House parece ter passado uns seis meses sem uma faxina.

Sunthorn e Harry riram, mas Liz se limitou a olhar para eles.

— Alguma pista que possa realmente estar ligada ao assassinato?

— Ainda não sabemos se é um homicídio — falou Harry.

— Sabemos sim — respondeu Liz. — Sujeitos suspeitos de serem cúmplices de um assassinato não tomam uma overdose acidentalmente poucas horas antes de serem presos.

— Quem nasceu pra forca não morre afogado, como diz um ditado norueguês — comentou Harry.

— O quê?

— Concordo com você.

Nho acrescentou que overdoses eram raras entre os usuários de ópio. Geralmente, eles perdem a consciência antes de conseguirem inalar demais. A porta se abriu, e Rangsan entrou na sala.

— Novidades — disse, sentando e apanhando um jornal. — Descobriram a causa da morte.

— Achei que o resultado da necropsia só sairia amanhã — disse Nho.

— Não foi necessário fazer a necropsia. Os caras da perícia encontraram uma leve camada de cianureto no ópio. O sujeito deve ter morrido na primeira tragada.

Por um momento, a mesa ficou em silêncio.

— Chame o Maisan. — Liz estava novamente animada. — Temos que descobrir onde Love comprava o ópio.

— Melhor não ficar muito otimista — advertiu Rangsan. — Maisan conversou com o principal fornecedor do Love, e o cara disse que não via o sujeito fazia um bom tempo.

— Ótimo — falou Harry. — De qualquer forma, pelo menos sabemos que alguém tentou botar a culpa pelo assassinato em Brekke.

— Isso não ajuda em nada — disse Liz.

— Eu não teria tanta certeza — retrucou Harry. — Não sabemos se Brekke foi um bode expiatório escolhido aleatoriamente. Talvez o assassino tenha uma razão pra escolher ele; quem sabe uma rixa não resolvida.

— E daí?

— Se soltarmos Brekke, alguma coisa pode acontecer. Talvez a gente consiga tirar o assassino da toca.

— Desculpe — disse Liz. E olhou para a mesa. — Brekke vai continuar preso.

— O quê? — Harry não podia acreditar no que ouvia.

— Ordens do chefe.

— Mas...

— É assim que funciona.

— Temos também uma nova pista que aponta pra Noruega — retomou Rangsan. — A perícia mandou os resultados dos testes feitos na gordura presente na faca pros seus colegas noruegueses, pra ver a opinião deles. Os caras da Noruega descobriram que se tratava de gordura de rena, e não há muitos desses bichos na Tailândia. Um dos caras da perícia sugeriu que a gente deveria prender o Papai Noel.

Nho e Sunthorn riram.

— O pessoal de Oslo explicou que a gordura de rena é usada pelos lapões, na Noruega, para proteger a lâmina das facas.

— Uma faca tailandesa com gordura norueguesa. Isso está ficando cada vez mais interessante. — Liz se levantou de repente. — Boa noite a todos. Espero que amanhã apareçam descansados e prontos pra ação.

Harry deteve Liz perto do elevador e pediu uma explicação.

— Olha, Harry, estamos na Tailândia, e aqui as regras são diferentes. Nosso chefe de polícia se antecipou e falou pra comissária em Oslo que a gente tinha pegado o assassino. Ele achou que Brekke era o culpado e, quando reportei as últimas novidades, não ficou muito satisfeito. Insistiu que o sujeito fosse mantido sob custódia, pelo menos até que apresentasse um álibi.

— Mas...

— Vamos encarar os fatos, Harry. Não se esqueça de que, na Tailândia, você é condicionado a nunca admitir um erro.

— E quando todo mundo sabe quem cometeu o erro?

— Daí todo mundo coopera pra que não pareça um erro.

As portas do elevador se abriram e se fecharam, poupando Liz de ouvir a opinião de Harry sobre o assunto. Harry pensou na canção "All Along the Watchtower". Especialmente na parte que dizia que devia haver algum jeito de ir embora dali.

Será que havia?

Do lado de fora do seu apartamento existia uma carta, com o nome de Runa no verso.

Harry desabotoou a camisa. O suor escorria como uma fina camada de óleo por seu peito e seu abdome. Tentou se lembrar de como era ter 17 anos. Tinha se apaixonado por alguém? Provavelmente.

Colocou a carta em cima da mesa de cabeceira, fechada, do jeito que pretendia devolvê-la, e deitou-se na cama. Meio milhão de carros e um sistema de ar-condicionado tentaram niná-lo.

Pensou em Birgitta, a garota sueca que havia conhecido na Austrália e que tinha dito que o amava. O que Aune havia falado mesmo? Que ele tinha "medo de se comprometer com outras pessoas"? O último pensamento que passou pela sua cabeça foi que qualquer redenção só se torna completa com uma ressaca. E vice-versa.

31

Sábado, 18 de janeiro

Jens Brekke parecia não ter dormido desde a última vez que Harry o viu. Seus olhos estavam vermelhos, e as mãos, inquietas sobre a mesa.

— Então você não se lembra do funcionário de cabelo afro do estacionamento? — perguntou Harry.

Brekke negou com a cabeça.

— Como disse, não uso o estacionamento.

— Vamos esquecer Jim Love por enquanto e vamos nos concentrar em quem está tentando colocar você na prisão.

— Como assim?

— Alguém teve muito trabalho pra destruir seu álibi.

Jens ergueu tanto as sobrancelhas que elas quase desapareceram por trás do cabelo.

— No dia 13 de janeiro, alguém manipulou a gravação de 7 de janeiro e apagou as horas em que veríamos o carro do embaixador na garagem e você acompanhando-o até o estacionamento.

As sobrancelhas de Jens desceram e se curvaram quando ele franziu o cenho.

— Hein?

— Pense nisso.

— Quer dizer que tenho inimigos?

— Talvez. Ou talvez fosse apenas conveniente ter um bode expiatório.

Jens passou a mão na nuca.

— Inimigos? Não consigo pensar em nenhum, não desse tipo. — Seu rosto se iluminou. — Mas isso quer dizer que você vai me deixar sair.

— Desculpe, você ainda não está limpo.

— Mas você acabou de dizer que...

— O chefe de polícia não vai deixar você sair até que tenha um álibi. Então estou pedindo que você vasculhe seu cérebro. Alguém, qualquer pessoa, qualquer um, viu você depois que se despediu do embaixador e antes de chegar em casa? Havia alguém na recepção quando você saiu do escritório ou quando pegou o táxi? Parou em algum lugar, qualquer coisa assim?

Jens apoiou a testa na ponta dos dedos. Harry acendeu um cigarro.

— Porra, Harry! Todo esse lance do vídeo me deu um branco. Não consigo pensar direito. — Ele gemeu e deu uma porrada na mesa. — Sabe o que aconteceu ontem à noite? Sonhei que matei o embaixador. Que saímos juntos e fomos até um hotel, onde eu o apunhalei nas costas com uma enorme faca de açougueiro. Tentava parar, mas não conseguia me controlar. Era como se eu estivesse preso dentro de um robô e eu continuava a esfaquear, e eu...

Ele fez uma pausa.

Harry não disse nada; deu a Jens todo o tempo de que ele precisava para se recuperar.

— Eu odeio estar preso — disse o sujeito. — Nunca suportei me sentir preso. Meu pai costumava...

Engoliu em seco e apertou a mão direita. Harry percebeu os nós dos dedos ficarem brancos. Estava quase sussurrando quando continuou.

— Se alguém tivesse aparecido aqui com uma confissão, dizendo que eu poderia ir embora se a assinasse, não sei o que eu teria feito.

Harry levantou.

— Continue tentando se lembrar de alguma coisa. Agora que já falamos das gravações, talvez você consiga pensar com mais clareza.

Harry caminhou em direção à porta.

— Harry?

O detetive se perguntou por que as pessoas se tornavam tão falantes quando alguém lhes virava as costas.

— Sim?

— Por que você acha que eu sou inocente quando todos os outros parecem pensar o contrário?

Harry respondeu sem se virar.

— Primeiro, porque não temos nenhuma prova contra você, apenas um motivo meia-boca e a ausência de um álibi.
— E segundo?
Harry sorriu e virou a cabeça.
— Porque achei que você era um merda na primeira vez que o vi.
— E?
— Sou péssimo em julgar as pessoas. Tenha um bom dia.

Bjarne Møller abriu um dos olhos, virou-se para o relógio na mesa de cabeceira e se perguntou quem poderia considerar seis horas da manhã um horário razoável para fazer um telefonema.
— Eu sei que horas são — disse Harry, antes que seu chefe tivesse a chance de perguntar. — Olha, preciso que você verifique o histórico de um cara pra mim. Não tenho detalhes agora; por enquanto é só instinto.
— Instinto?
— Isso. Um palpite. Acho que o cara que procuramos é norueguês; portanto, as opções ficaram reduzidas.
Møller pigarreou, deslocando um bocado de muco.
— Por que norueguês?
— Bom, no paletó de Molnes e na faca do crime encontramos um pouco de gordura de rena. E o ângulo da facada sugere que era uma pessoa relativamente alta. Não me parece um tailandês típico.
— Está bem, mas não dava pra ter esperado pra ligar, Hole?
— Claro — disse Harry. E ficou em silêncio.
— Então, por que não esperou?
— Porque cinco detetives e um chefe de polícia estão aqui esperando você se mexer, chefe.

Møller ligou de volta duas horas depois.
— Por que exatamente você nos pediu pra buscar informações sobre esse cara, Hole?
— Bom, imaginei que uma pessoa que usa gordura de rena para proteger a lâmina da faca deve ter estado no norte da Noruega. Então me lembrei de uns colegas que voltaram do serviço militar em Finnmark com uma dessas grandes facas de lapão. Ivar Løken esteve no Departamento de Defesa por vários anos e foi transferido para Vardø. Além disso, eu diria que ele sabe como usar uma faca.

— Pode ser verdade — disse Møller. — O que mais sabe sobre ele?

— Não muito. Tonje Wiig acha que ele foi colocado na geladeira até se aposentar.

— Bom, não há nada sobre ele no banco de dados da polícia, mas... — Møller fez uma pausa.

— Mas?

— Temos um arquivo sobre ele.

— Como assim?

— O nome dele apareceu na tela, mas não consegui entrar no arquivo. Uma hora mais tarde, recebi um telefonema do alto-comando do Departamento de Defesa, em Huseby, perguntando por que eu estava tentando acessar esse arquivo.

— Nossa.

— Disseram pra eu enviar uma carta se precisasse de qualquer informação sobre Ivar Løken.

— Esqueça.

— Já esqueci, Harry. Isso não vai dar em nada.

— Você falou com o Hammervoll, da Divisão de Crimes Contra a Moralidade Pública?

— Sim.

— O que ele falou?

— Não preciso nem dizer que não havia arquivos sobre pedófilos noruegueses na Tailândia.

— Era o que eu imaginava. Maldita proteção de dados.

— Não tem nada a ver com isso.

— Ah, não?

— Começamos um banco de dados há alguns anos, mas não tivemos recursos para mantê-lo atualizado. São casos demais.

Quando Harry ligou para Tonje Wiig com o intuito de marcar uma reunião o mais rápido possível, ela insistiu para que se encontrassem no Author's Lounge do Oriental Hotel para tomar um chá.

— Todo mundo frequenta esse lugar — disse ela.

Harry descobriu que "todo mundo" era branco, rico e bem-vestido.

— Bem-vindo ao melhor hotel do mundo, Harry — anunciou Tonje, direto das profundezas de uma poltrona no saguão do hotel.

Ela usava uma saia azul de algodão e segurava um chapéu de palha no colo, o que, somado às outras pessoas presentes no saguão, conferia ao local um toque de colonialismo antigo e despreocupado.

Ambos se retiraram para o Author's Lounge, foram servidos de xícaras de chá e cumprimentaram educadamente outras pessoas brancas que pareciam achar que ser branco era razão suficiente para cumprimentarem uns aos outros. Harry se atrapalhou e fez retinir a porcelana.

— Não é seu estilo? — Tonje tomou um gole de chá, olhando maliciosamente por cima da xícara.

— Estou tentando entender por que estou sorrindo pra americanos vestidos com roupas de golfe.

Ela riu.

— Ah, um ambiente levemente refinado nunca matou ninguém.

— Calças quadriculadas são refinadas?

— Humm, bem, então considere que estou me referindo às pessoas.

Harry teve a impressão de que a mulher sentada à sua frente não tinha muito da cidade rural de Fredrikstad. Pensou em Sanphet, o velho motorista que tinha vestido uma camisa recém-passada e calças compridas e havia sentado sob o sol incandescente para que seus visitantes não se sentissem constrangidos com seu estilo de vida simples. Aquilo tinha sido mais refinado do que qualquer coisa que vira até agora entre os estrangeiros em Bangkok.

Perguntou o que Tonje sabia sobre pedófilos na Tailândia.

— Só sei que a Tailândia atrai muitos deles. Tenho certeza de que você se lembra do caso do norueguês que foi pego, literalmente, de calças arriadas em Pattaya no ano passado. Os jornais noruegueses publicaram uma foto encantadoramente posada de três meninos indicando o cara para a polícia. O rosto do homem estava escondido, mas não o dos meninos. Na versão em inglês do *Pattaya Mail*, foi o contrário. Usaram o nome completo do cara na manchete e depois passaram a denominá-lo insistentemente de "o norueguês". — Tonje meneou a cabeça. — Pessoas que nunca tinham ouvido falar da Noruega de repente sabiam que Oslo era a capital, porque o artigo informava que as autoridades norueguesas o queriam em Oslo. Todos se perguntavam por que o queriam de volta. Aqui, o cara ficaria preso por um bom tempo.

— Se as penas são tão rigorosas aqui, por que há tantos pedófilos?

— As autoridades querem que a Tailândia se livre da reputação de Eldorado dos pedófilos. Isso prejudica o turismo. Mas, dentro da polícia, esses casos não são prioridade, porque prender estrangeiros só traz problemas.

— E o resultado é que as autoridades trabalham umas contra as outras?

Tonje abriu um sorriso radiante, que Harry percebeu que não era destinado a ele, mas a um dos "todo mundo" que passava atrás dele.

— Sim e não — respondeu ela. — Algumas cooperam. As autoridades da Suécia e da Dinamarca, por exemplo, chegaram a um acordo com o governo tailandês para designar policiais para investigar casos específicos em que seus cidadãos estejam envolvidos. Também aprovaram leis que permitem que suecos e dinamarqueses sejam condenados em seus respectivos países por abuso de menores na Tailândia.

— E a Noruega?

Tonje deu de ombros.

— Ainda não temos um acordo. Sei que a polícia norueguesa tem se esforçado pra chegar a um acordo equivalente, mas não acho que tenham noção do que está acontecendo em Pattaya e Bangkok. Já viu as crianças que ficam por aí vendendo chicletes?

Harry assentiu. A área em torno das boates, em Patpong, estava repleta delas.

— Esse é o código. A goma de mascar significa que elas estão à venda.

Harry lembrou com um arrepio que havia comprado um pacote de Wrigley's de um menino descalço de olhos castanhos que parecia aterrorizado. Tinha achado que ele estava com medo por causa da multidão e do ruído.

— Ivar Løken, o cara que você me mostrou no funeral. Você falou que ele é ex-militar? Sabe mais alguma coisa sobre o interesse dele em fotografia? Já viu alguma fotografia do cara?

— Não, mas já vi o equipamento dele; é bem impressionante.

As maçãs do rosto de Tonje coraram levemente quando ela se deu conta do motivo do sorriso involuntário de Harry.

— E essas viagens pra Indochina... você tem certeza de que ele foi pra lá mesmo?
— Certeza? Por que ele mentiria?
— Alguma ideia?
Ela cruzou os braços como se estivesse com frio.
— Não. O chá estava bom?
— Tenho que pedir um favor a você, Tonje.
— E qual seria?
— Um convite pra jantar.
Ela ergueu os olhos, surpresa.
— Se você tiver um tempo — acrescentou.
Ela sorriu maliciosamente.
— Estou à sua disposição, Harry. A hora que você quiser.
— Ótimo. Estava pensando se você poderia convidar Ivar Løken para jantar hoje entre as sete e as dez.
Ela sabia manter uma expressão impassível para evitar grandes constrangimentos. Depois de Harry ter explicado suas razões, Tonje acabou concordando. Harry se atrapalhou mais uma vez com a porcelana, disse que precisava ir embora e deixou a mesa repentinamente, de modo desajeitado.

32

Sábado, 18 de janeiro

Qualquer um pode arrombar uma casa — tudo que precisa fazer é colocar um pé de cabra na moldura da porta, na altura da fechadura, e pressioná-lo com o peso do corpo até as linguetas saírem voando. Invadir, por outro lado, entrar na casa de forma que o ocupante não perceba que teve visitas, é uma arte. Uma arte que logo ficou claro que Sunthorn dominava com perfeição.

Ivar Løken morava em um complexo de apartamentos do outro lado da ponte Phra Pinklao. Sunthorn e Harry ficaram dentro do carro na frente do prédio por quase uma hora até o verem sair. Esperaram mais dez minutos, até terem certeza de que Løken não retornaria para buscar algum objeto esquecido.

A segurança do local era meio negligente. Dois homens uniformizados estavam ao lado da porta da garagem batendo papo; eles repararam no homem branco e no tailandês relativamente bem-vestido indo na direção do elevador e retomaram a conversa.

Quando Harry e Sunthorn pararam na porta de Løken, no décimo terceiro andar, ou 12B como sugeria o botão do elevador, Sunthorn segurou duas pinças, uma em cada mão, e as inseriu na fechadura. No segundo seguinte, ele as retirou.

— Calma — sussurrou Harry. — Não se estresse. Temos todo tempo do mundo. Tente com outras pinças.

— Não tenho outras. — Sunthorn sorriu e abriu a porta.

Harry mal podia acreditar. Talvez Nho não estivesse brincando ao dar aquela indireta sobre a ocupação de Sunthorn antes de entrar para a polícia. De qualquer forma, se não tinha sido um criminoso, certamente agora era, pensou Harry enquanto tirava os sapatos e entrava no apartamento escuro. Liz havia explicado que, para conseguir um mandado de busca, era preciso ter a assinatura de um advogado, o que significava informar o chefe de polícia a respeito. Isso seria um problema, segundo Liz, já que o chefe tinha ordenado expressamente que os esforços fossem concentrados em Jens Brekke. Harry havia retrucado que não estava sob a jurisdição do chefe de polícia e só pretendia dar uma passada no apartamento de Løken para ver se conseguia alguma coisa. Liz, entendendo o subentendido, respondera que queria saber o mínimo possível do plano de Harry. No entanto, tinha comentado que Sunthorn era uma boa companhia.

— Vá pro carro e espere — sussurrou Harry. — Se Løken aparecer, ligue pra esse número e deixe-o tocar três vezes, não mais, ok?

Sunthorn assentiu e foi embora.

Harry acendeu a luz assim que se certificou de que não havia janelas com vista para a rua. Em seguida, localizou o telefone e verificou se estava funcionando. Então, enfim, deu uma olhada no lugar. Era um típico apartamento de solteiro, desprovido de quaisquer objetos decorativos ou calor humano. Três paredes nuas, a quarta coberta com estantes repletas de livros, e uma TV portátil modesta. O centro da sala tinha uma mesa de madeira sustentada por cavaletes e uma luminária.

Em um canto havia duas sacolas de viagem abertas com equipamento fotográfico, e um tripé para câmera estava encostado na parede. A mesa estava coberta com tiras de papel, presumivelmente aparas, pois havia ali em cima duas tesouras, uma grande e uma pequena.

Duas câmeras, uma Leica e uma Nikon F5 com uma lente teleobjetiva, fitavam Harry sem nada registrar. Ao lado delas, binóculos com visão noturna. Harry já havia visto binóculos assim antes; eram israelenses, e ele já tinha usado esse tipo de equipamento para vigiar suspeitos. As baterias captavam as fontes externas de luz e permitiam que se enxergasse bem mesmo em ambientes que estivessem em total escuridão.

Uma porta levava ao quarto. A cama estava desfeita, o que fez Harry supor que Løken pertencia à minoria de estrangeiros em Bangkok que não tinha uma empregada. O serviço não era caro, e haviam comentado com Harry que os tailandeses meio que esperavam que os estrangeiros contribuíssem para aumentar dessa forma a oferta de empregos no país.

Ao lado do quarto existia um banheiro.

Harry acendeu a luz e se deu conta de imediato do motivo para Løken não ter uma empregada.

O banheiro claramente também servia como câmara escura. O local cheirava a produtos químicos, e as paredes estavam cobertas por fotografias em preto e branco. Uma fileira havia sido pendurada para secar em uma cordinha que ia de uma ponta a outra da banheira. Elas mostravam o perfil de um homem, do peito para baixo, e Harry agora podia ver que não era a moldura da janela que prejudicava o enquadramento da foto: a parte superior da janela tinha um intricado mosaico de vidro com desenhos de lótus e Buda.

Um menino que não tinha mais do que 10 anos estava sendo forçado a realizar sexo oral, e o zoom da câmera tinha ampliado e aproximado tanto a cena que Harry podia ver os olhos da criança. Estavam distraídos e distantes, pareciam não registrar mais nada. Ele usava apenas uma camiseta.

Harry se aproximou da imagem granulada. O homem tinha uma mão na cintura e a outra na parte de trás da cabeça do menino. O detetive conseguia distinguir a sombra do perfil no mosaico de vidro, mas era impossível discernir qualquer outro detalhe.

De repente, o banheiro apertado e fedido pareceu se encolher; era como se as fotografias na parede sitiassem Harry. Ele cedeu ao impulso, arrancando as fotos, meio furioso, meio desesperado, o sangue latejando nas têmporas. Observou seu rosto no espelho antes de cambalear, tonto, para fora da sala, com uma pilha de fotos embaixo do braço. Sentou-se pesadamente em uma cadeira.

— Voyeur do caralho! — murmurou quando a respiração voltou ao normal.

Tinha acabado com o plano. Como não estavam com um mandado de busca, o acordo era de que não deixariam vestígios; iam apenas descobrir o que havia no apartamento e, depois, caso houvesse algo, voltariam com um mandado.

Harry olhou fixo para a parede, tentando se convencer de que era necessário ter provas concretas para persuadir a mula teimosa do chefe de polícia. Se fossem rápidos, podiam encontrar um advogado e voltar com o mandado antes que Løken voltasse do jantar. Enquanto pesava os prós e os contras, apanhou o binóculo com visão noturna, ligou-o e olhou para fora. A janela dava para um quintal, e, inconscientemente, Harry procurou um mosaico de vidro, como o das fotos, mas só conseguiu enxergar paredes caiadas envoltas pelo brilho verde do binóculo.

Harry olhou para o relógio. Concluiu que devia pendurar as fotos de volta. O chefe de polícia teria que se contentar com a sua palavra. Então seu sangue gelou.

Tinha ouvido alguma coisa. Na verdade, podia ouvir mil coisas, mas um som em particular não pertencia à cacofonia já familiar das ruas. E vinha do corredor. Foi um clique bem discreto. Óleo no metal. Quando a corrente de ar comprovou que alguém tinha aberto a porta, pensou em Sunthorn, mas logo se deu conta de que a pessoa que havia acabado de entrar tentava fazer o mínimo de barulho possível. Harry prendeu a respiração enquanto seu cérebro acelerava, vasculhando seus arquivos sonoros em um ritmo furioso. Um especialista em sons na Austrália tinha lhe dito que a membrana do ouvido pode distinguir a diferença de pressão entre um milhão de frequências distintas. E aquele não tinha sido o som de uma maçaneta sendo aberta; era o de uma arma recentemente lubrificada sendo engatilhada.

Harry estava no fundo do cômodo, um alvo contra as paredes brancas, e o interruptor ficava na parede oposta, perto da porta. Apanhou a tesoura maior que estava no meio da mesa, agachou-se e seguiu o fio da luminária até a tomada na parede. Arrancou o plugue e enfiou a tesoura na tomada com toda a força.

Uma luz azul brilhou na tomada, e depois dela houve uma pequena explosão. Então o cômodo ficou escuro como breu.

O choque elétrico anestesiou seu braço, e, com o cheiro de plástico queimado e metal em suas narinas, esgueirou-se pela parede, gemendo.

Harry tentou escutar, mas tudo o que conseguia distinguir era o tráfego e seu próprio coração. O ritmo das batidas era tão forte que Harry podia senti-lo; era como um cavalo galopante a toda velocidade. Ouviu algo ser cuidadosamente colocado no chão e percebeu que a pessoa tinha tirado os sapatos. Harry ainda estava com a tesoura na mão. Era uma sombra se mexendo? Impossível dizer; estava tão escuro que mesmo as paredes brancas não eram visíveis. A porta do quarto rangeu, e um clique soou em seguida. Harry percebeu que o intruso estava tentando acender a luz, mas o curto-circuito obviamente tinha estragado todos os fusíveis do apartamento. Pelo menos agora sabia que a pessoa estava familiarizada com o apartamento. Mas, se fosse Løken, Sunthorn teria ligado. Teria? Por um instante imaginou a cabeça de Sunthorn recostada na janela do carro, um pequeno buraco na têmpora.

Harry pensou que talvez devesse tentar engatinhar em direção à porta da frente, mas alguma coisa lhe dizia que era isso que a outra pessoa estava esperando. Quando abrisse a porta, sua silhueta seria como um dos alvos da galeria de tiro em Økern. Merda! O sujeito devia estar sentado no chão em algum ponto do apartamento, com a arma apontada diretamente para a porta.

Se ao menos pudesse fazer contato com Sunthorn! De repente se deu conta de que ainda tinha o binóculo pendurado no pescoço. Colocou o aparelho junto aos olhos, mas viu apenas uma névoa verde, como se alguém tivesse cuspido nas lentes. Ajustou o foco para o mais longe possível. A lente ainda estava embaçada, mas Harry foi capaz de discernir a silhueta de uma pessoa de pé junto à parede do outro lado da mesa. O braço estava dobrado, e a arma, apontada para o teto. A distância entre a beirada da mesa e a parede devia ser de uns dois metros.

Harry se lançou para a frente, agarrou o tampão da mesa com as duas mãos e o segurou na frente do corpo, como um aríete. Ouviu um gemido e o baque de uma arma caindo no chão, então saiu de trás da mesa e agarrou o que parecia ser a cabeça de seu oponente. Apertou o braço ao redor do pescoço.

— *Politiet!* — gritou. O homem ficou paralisado quando Harry pressionou o aço frio da lâmina da tesoura contra seu rosto quente. Por um tempo os dois ficaram assim, agarrados um ao outro, dois estranhos na escuridão, ambos tentando recuperar o fôlego como se tivessem acabado de correr uma maratona.

— Hole? — murmurou o outro homem.

Harry se deu conta de que, na hora do pânico, tinha gritado em norueguês.

— Gostaria que você me soltasse. Sou Ivar Løken e não vou fazer nada.

33

Sábado, 18 de janeiro

Løken acendeu uma vela enquanto Harry analisava a arma dele, uma Glock 31 de fabricação especial. Tinha retirado o pente e o guardado no bolso. A arma era mais pesada do que qualquer outra que já tinha segurado.

— Tenho essa arma desde que servi na Coreia — disse Løken.

— Entendo. Coreia. O que você foi fazer lá?

Løken pegou fósforos em uma gaveta e se sentou à mesa, de frente para Harry.

— A Noruega tinha um hospital de campanha lá com a ONU. Eu era um jovem segundo-tenente, achava que gostava da agitação. Depois do armistício, em 1953, continuei trabalhando para a ONU, no recém-criado Alto-Comissariado para os Refugiados. Uma multidão de refugiados atravessava a fronteira da Coreia do Norte, e aquilo era terra sem lei. Eu dormia com ela embaixo do travesseiro. — Apontou para a arma.

— Sei. E o que fez depois disso?

— Bangladesh e Vietnã. Fome, guerra e refugiados fugindo de barco. Depois disso, a vida na Noruega me pareceu insuportavelmente banal. Aguentei morar lá apenas por alguns anos antes de sentir que precisava dar no pé outra vez. Sabe como é.

Harry não sabia. E também não sabia o que pensar a respeito daquele homem magro que estava sentado à sua frente. O cara parecia um velho cacique, nariz aquilino e olhos intensos, profundos. O cabelo era branco, e o rosto, bronzeado e enrugado. Além disso, Løken parecia estar à vontade com a situação, o que deixava Harry ainda mais alerta.

— Por que você voltou? E como conseguiu passar pelo meu colega?

O norueguês de cabelos brancos deu um sorriso de lobo, um dente de ouro reluzindo na luz bruxuleante da vela.

— O carro de vocês não combina com a vizinhança. Temos apenas *tuk-tuks*, táxis e latas-velhas estacionadas por aqui. Vi duas pessoas no carro, ambas aparentemente tensas. Então, fui até a esquina e entrei no café, de onde consegui ficar de olho em vocês. Depois de um tempo, vi o pisca alerta ligado e vi você entrando no prédio. Imaginei que um de vocês ficaria de vigia e esperei até que seu colega retornasse. Aí terminei minha bebida, chamei um táxi, fui até o estacionamento subterrâneo e peguei o elevador. Belo espetáculo o do curto-circuito...

— Gente normal não repara em carros estacionados na rua. A menos que tenham sido treinadas para isso ou tenham sido alertadas por alguém.

— Bom, pra começar, Tonje Wiig teria poucas chances de ganhar um Oscar pela atuação quando me convidou para jantar.

— Então, bem, o que *significa* tudo isso aqui?

Løken se esticou para pegar as fotos e os equipamentos que estavam espalhados pelo chão.

— Você vive de tirar fotos... disso? — indagou Harry.

— Sim.

Harry sentiu o pulso acelerar.

— Sabe quantos anos você pode pegar de prisão aqui na Tailândia por uma coisa dessas? Aqui tem material suficiente para uns dez anos de prisão, acho.

Løken riu. Uma risada breve.

— Acha que sou idiota, detetive? Você não precisaria invadir minha casa se tivesse um mandado de busca. Se eu corria algum risco de ser punido pelo material que tenho dentro desse apartamento, agora estou definitivamente fora de perigo, depois do que você e seu colega fizeram. Qualquer juiz vai julgar inadmissível uma prova obtida desse jeito. Não é apenas irregular, é absolutamente ilegal. Você mesmo pode acabar encarando uma temporada na cadeia, Hole.

Harry o golpeou com a arma. Foi como abrir uma torneira; o sangue esguichou do nariz de Løken. O ex-militar não se moveu, apenas baixou os olhos para a camisa florida e para as calças brancas, agora manchadas de sangue.

— Isso aqui é seda tailandesa de verdade, sabia? — disse ele. — Não é barato.

A violência devia ter acalmado Harry, mas teve o efeito contrário; ele sentia a fúria crescendo.

— Parece que dinheiro não é problema pra você, pedófilo filho da puta. Suponho que você receba muito dinheiro por essa merda. — Harry chutou as fotos no chão.

— Bom, não exatamente — retrucou Løken, segurando um lenço branco no nariz. — Pagam de acordo com a tabela salarial do governo. Mais um adicional por trabalhar no exterior.

— Do que você está falando?

O dente de ouro brilhou mais uma vez. Harry se deu conta de que segurava a arma com tanta força que sua mão começava a doer. Estava contente de ter tirado o pente.

— Você não está a par de algumas coisas, Hole. Eles deveriam tê-lo informado, mas a comissária de polícia provavelmente achou desnecessário, já que isso não tem nada a ver com a investigação de assassinato. Mas agora que você me pegou, vou contar o resto. A comissária e Dagfinn Torhus, do Ministério das Relações Exteriores, me contaram sobre as fotos que você encontrou na pasta do embaixador, e agora você já sabe, evidentemente, que elas são minhas. — Com a mão estendida em direção às fotos, continuou: — As fotos em questão e as que você está vendo aqui são parte de uma investigação de pedofilia que, por várias razões, foi considerada secreta até segunda ordem. Venho vigiando essa pessoa há mais de seis meses. As fotos são provas no inquérito.

Harry não duvidou nem por um minuto da explicação de Løken; soube imediatamente que era verdade. As coisas se encaixavam como se, no fundo, ele já soubesse de tudo o tempo todo. O mistério a respeito do trabalho de Løken, o equipamento fotográfico, o binóculo com visão noturna, as viagens para o Vietnã e Laos; tudo agora fazia sentido. E o cara que estava com o nariz sangrando diante dele de repente já não era um inimigo, mas um colega, um aliado cujo nariz ele tinha tentado estraçalhar.

Harry meneou a cabeça e colocou a arma sobre a mesa.

— Tudo bem, acredito em você. Mas por que tanto segredo?

— Você sabe do acordo que a Suécia e a Dinamarca têm com a Tailândia para investigar casos de abuso sexual aqui?

Harry assentiu.

— Bom, a Noruega está negociando com as autoridades tailandesas, e, enquanto isso, estou realizando uma investigação completamente extraoficial. Temos o suficiente para prender o sujeito, mas vamos ter que esperar. Se a gente prendesse o cara agora, revelaríamos que estamos investigando o caso de forma ilegal em território tailandês, o que é politicamente inaceitável.

— Então pra quem você trabalha?

Løken abriu os braços.

— Pra embaixada.

— Isso eu sei. Quis dizer: quem dá as ordens? Quem está por trás disso? E o Parlamento? Eles sabem?

— Tem certeza de que quer saber tudo isso, Hole?

Os olhos dele encontraram os de Harry. Ele estava prestes a dizer algo, mas recuou, balançou a cabeça em negação.

— Me diga então quem é o cara da foto.

— Não posso. Desculpe, Hole.

— É Atle Molnes?

Løken baixou os olhos para a mesa e sorriu.

— Não, não é o embaixador. Ele foi o principal mentor da investigação.

— Então é...?

— Como eu já disse, não tem por que eu contar isso agora a você. Se nossos casos vierem a se conectar, poderemos voltar a conversar, mas essa vai ser uma decisão dos nossos superiores. — Ele se levantou. — Estou cansado.

— Como foi? — perguntou Sunthorn quando Harry voltou para o carro. O detetive perguntou se podia fumar dentro do veículo e mandou a fumaça para dentro dos pulmões com avidez.

— Não há nada lá. Viagem perdida. Meu palpite é de que o cara está limpo.

Em seu apartamento, Harry se sentou.

Assim que chegou, conversou com sua irmã por telefone por quase meia hora. Ou melhor, ele falou e ela ouviu. É impressionante tudo o que pode acontecer em pouco mais de uma semana. Ela contou que havia ligado para o pai e que o tinha convidado para jantar. Almôndegas. Ela mesma prepararia a refeição, e esperava que o pai conseguisse se abrir um pouco. Harry também torcia por isso.

Mais tarde, ele folheou a agenda e discou outro número.

— Alô? — disse a voz do outro lado da linha.

Harry prendeu a respiração.

— Alô? — A voz repetiu.

Harry desligou. Havia algo de suplicante na voz de Runa. Harry não fazia ideia do motivo de ter ligado para ela. Poucos segundos depois, o telefone tocou. Ele segurou o receptor e esperou ouvir a voz de Runa. Era Jens Brekke.

— Lembrei — disse ele. Parecia empolgado. — Quando voltei do estacionamento, uma mulher entrou no elevador no térreo. Ela desceu no quarto andar. Acho que ela vai se lembrar de mim.

— Por quê?

Brekke soltou uma risada meio nervosa.

— Porque eu convidei ela pra sair.

— Você convidou ela pra sair?

— É, ela é uma das meninas que trabalham com McEllis. Já esbarrei nela algumas vezes. Estávamos sozinhos no elevador, e o sorriso dela era tão bonito que não consegui me conter.

Uma pausa.

— Você se lembrou disso *só agora*?

— Não, o que lembrei só agora foi quando isso aconteceu. Foi depois de ter acompanhado o embaixador até o carro dele. Por alguma razão, pensei que o lance do flerte tinha sido no dia anterior. Mas daí me ocorreu que ela entrou no elevador no térreo, e que, portanto, eu devia estar vindo do subsolo. Não costumo ir ao estacionamento subterrâneo.

— E o que ela respondeu?

— Ela aceitou, e eu me arrependi imediatamente. Era pra ser só um flerte. Pedi o cartão dela e falei que ia ligar um dia pra gente combinar o encontro. Não telefonei, é claro, mas tenho certeza de que ela não se esqueceu de mim.

— Você ainda tem o cartão?

— Sim, não é ótimo?

Harry deliberou.

— Olha, Jens, isso é bom, mas as coisas não são tão fáceis. Você ainda não tem um álibi. Em teoria, você poderia ter pegado o elevador de novo para o subsolo depois disso. Poderia ter só ido buscar alguma coisa que tinha esquecido no escritório, entende?

— Ah. — Ele pareceu confuso. — Mas...

Jens ficou em silêncio, e Harry pôde ouvir um suspiro.

— Droga, você tem razão, Harry.

Harry desligou.

34

Domingo, 19 de janeiro

Harry acordou com um sobressalto. Acima do murmúrio monótono que vinha da ponte Taksin, pôde distinguir o som de um barco dando partida no Chao Phraya. Um apito soou, e a claridade fez seus olhos se abrirem, atentos. Sentou-se na cama, cobriu o rosto com as mãos e esperou que o apito cessasse, até perceber que se tratava do telefone. Relutando, pegou o fone do gancho.

— Acordei você? — Era Jens novamente.

— Tudo bem — disse Harry.

— Sou um idiota. Sou tão idiota que nem sei se me atrevo a contar a você.

— Então não conte.

Silêncio, exceto pelo clique de uma moeda sendo inserida no telefone.

— Estou brincando. Vá em frente.

— Está bem, Harry. Fiquei acordado a noite toda pensando, tentando lembrar o que eu fiz enquanto estava no escritório naquela noite. Sabe, consigo me lembrar de casas decimais de transações que fiz meses atrás, mas não sou capaz de lembrar as coisas simples e pontuais enquanto estou na prisão, com uma sentença por homicídio pesando em meus ombros. Você consegue entender isso?

— Deve ser justamente por isso que você não lembra. Já não falamos sobre isso antes?

— Tudo bem, foi isso que aconteceu: lembra quando eu disse a você que tinha bloqueado as minhas ligações enquanto estava no escritório naquela noite? Então, eu fiquei deitado na cama pensando na Lei de Murphy. Se eu tivesse deixado o telefone ligado, alguém poderia ter telefonado e a conversa teria sido gravada, e eu poderia provar onde estava. Com o bônus de que não dá pra alterar a data e a hora das minhas gravações, como o funcionário do estacionamento fez com o vídeo.

— Aonde você quer chegar?

— Lembrei, graças a Deus, que, mesmo tendo bloqueado o sistema para receber ligações, eu ainda assim podia realizá-las. Então telefonei para a minha secretária e pedi a ela que fosse até o escritório e verificasse minhas gravações. E, veja que maravilha, ela encontrou uma ligação que eu tinha feito, e daí eu me lembrei de todo o resto. Às oito horas, telefonei pra minha irmã em Oslo. Diga que isso serve!

Harry não tinha nenhuma intenção de fazer isso.

— Sua irmã pode fornecer a você um álibi e você realmente não se lembrava disso?

— Não, e sabe por quê? Porque ela não estava em casa. Eu só deixei uma mensagem na secretária eletrônica dela.

— E você não se lembrava disso? — repetiu Harry.

— Meu Deus, Harry, a gente esquece esse tipo de ligação antes mesmo de desligar, não? Você se lembra de todas as ligações que fez quando a pessoa com quem você queria falar não o atendeu?

Harry teve que admitir que ele estava certo.

— Já falou com seu advogado?

— Ainda não. Queria contar a você primeiro.

— Tudo bem, Jens. Ligue pro advogado agora, e eu vou mandar alguém até o seu escritório para verificar essa informação.

— Esse tipo de gravação tem validade perante a lei, sabe?

Havia uma leve tensão na voz dele agora.

— Relaxe, não vai demorar muito. Eles vão ter que soltar você agora.

O fone chiou com a respiração de Brekke.

— Você pode repetir isso, Harry, por favor?

— Eles vão ter que soltar você agora.

Jens deu uma risada estranha.

— Nesse caso, vou convidá-lo para um jantar, Harry.

— Melhor não.

— Por quê?

— Eu sou da polícia.

— Podemos considerar isso um jantar de negócios.

— Acho que não, Jens.

— Você que manda.

Um estrondo veio da rua, talvez fogos de artifício ou um pneu furado.

— Vou pensar nisso.

Harry desligou, foi até o banheiro e se olhou no espelho. Como era possível ficar tanto tempo em um clima tropical e ainda estar tão pálido? Não gostava particularmente do sol, mas nunca tinha demorado tanto tempo para ficar bronzeado. Talvez seu estilo de vida ao longo do último ano tivesse acabado com sua produção de melanina. Jogou água fria no rosto, pensou nos frequentadores de compleição mais morena do Schrøder's e se olhou no espelho novamente. Bem, pelo menos seu nariz estava da cor de um bom vinho do Porto.

35

Domingo, 19 de janeiro

— Estamos de volta à estaca zero — anunciou Liz. — Brekke conseguiu um álibi e temos que esquecer Løken por enquanto. Ah, e o psicopata gigante que tentou matar nosso detetive visitante está à solta. — Ela se reclinou na cadeira e olhou para o teto. — Alguma sugestão, pessoal? Se não tiverem nada, a reunião está encerrada, e vocês podem ir fazer o que quiserem, mas espero que alguns relatórios estejam na minha mesa até amanhã cedo, no mais tardar.

Os policiais saíram porta afora, esbarrando uns nos outros. Harry ficou onde estava.

— E então?

— Nada — falou ele, um cigarro apagado balançando pra cima e pra baixo na boca. A inspetora tinha proibido que fumassem no escritório dela.

— Sinto que temos alguma coisa.

Um sorriso suave apareceu nos cantos da boca de Harry.

— Era isso que eu queria, inspetora. Saber que você sente que temos alguma coisa.

Ela franziu o cenho.

— Volte quando tiver alguma coisa pra me contar.

Harry pegou o cigarro e o colocou de volta no maço.

— Tudo bem — disse, levantando-se. — Farei isso.

Jens se recostou na cadeira e sorriu com as bochechas coradas, a gravata-borboleta reluzindo. Para Harry, ele parecia um garoto fazendo aniversário.

— Eu me sinto quase feliz por ter ficado preso por um tempo. Isso faz qualquer pessoa apreciar muito mais as coisas simples da vida. Como uma garrafa de Dom Perignon, safra 1985, por exemplo.

Ele estalou os dedos para o garçom, que foi rapidamente até a mesa, pegou a garrafa de champanhe suada do balde e encheu o copo.

— Adoro quando fazem isso. Faz com que eu me sinta o Super-Homem. O que você acha, Harry?

Harry tocou o copo.

— Acho justo. Mas não é a minha praia, na verdade.

— Nós somos diferentes, Harry.

Jens fez a declaração com um sorriso. Parecia novamente à vontade em seu terno. Ou apenas tinha vestido outro quase idêntico. Harry não tinha certeza.

— Algumas pessoas precisam do luxo como outras precisam de ar — continuou Jens. — Um carro caro, roupas bonitas e um atendimento impecável são meio que essenciais para eu sentir... bem, para eu sentir que existo. Consegue entender isso?

Harry assentiu.

— Humm. — Jens segurou a taça de champanhe pela haste. — Eu sou o decadente entre nós dois. Você devia confiar em suas primeiras impressões. Eu *sou* um merda. E, enquanto houver espaço pra merdas nesse mundo, pretendo continuar a ser um. *Skål.*

Ele saboreou a champanhe antes de engolir. Então sorriu e gemeu de prazer. Harry não conteve o riso e ergueu seu copo, mas Jens lhe dirigiu um olhar de reprovação.

— Água? Não está na hora de você começar a aproveitar a vida, Harry? Você não precisa ser assim tão rigoroso consigo mesmo.

— Às vezes é preciso.

— Bobagem. Todos os seres humanos são basicamente hedonistas, mas alguns demoram mais pra perceber isso. Você é comprometido?

— Não.

— E não está na hora?

— Com certeza. Só não entendo o que isso tem a ver com aproveitar a vida.

— Verdade. — Jens fixou os olhos no copo. — Já contei a você sobre a minha irmã?

— Aquela pra quem você ligou?

— Isso. Ela é solteira, sabia?

Harry riu.

— Não pense que tem alguma dívida de gratidão comigo, Jens. Não fiz grande coisa, exceto mandar você pra cadeia.

— Não estou brincando. É uma garota maravilhosa. É editora, mas acho que ela trabalha demais pra ter tempo pra homens e acaba espantando os pretendentes. É tipo você, austera, uma personalidade forte. A propósito, já reparou que todas as garotas norueguesas dizem isso quando ganham um concurso de Miss Qualquer Coisa e são entrevistadas pelos jornalistas? Falam que têm personalidade forte. Personalidade forte parece ser um requisito básico pra ganharem uma coroa.

Ele parecia pensativo.

— Minha irmã adotou o nome de solteira da minha mãe quando chegou à maioridade. E fez isso por vingança.

— Não tenho certeza de que eu e sua irmã formaríamos um bom par.

— Por que não?

— Bom, sou um covarde. Estou procurando uma mulher discreta e tão bonita que ninguém ouse dizer isso a ela.

Jens riu.

— Pode se casar tranquilamente com a minha irmã. Não tem problema se você não gostar dela, porque ela trabalha tanto que você quase não vai vê-la.

— Então por que você ligou pra casa dela e não pro trabalho? Eram duas da tarde quando você deu o telefonema, não?

Jens balançou a cabeça.

— Não conte a ninguém, mas não consigo calcular a diferença de fuso. Quero dizer, nunca sei se devo adicionar ou subtrair horas. É constrangedor. Meu pai costuma dizer que sou pré-senil. Diz que vem do lado da minha mãe.

Jens se apressou em acrescentar, como uma garantia a Harry, que sua irmã não tinha esse problema; muito pelo contrário.

— Já chega, Jens. Conte mais sobre você. Já começou a pensar em casamento?

— Não diga essa palavra. Ela me dá calafrios. Casamento... — Jens estremeceu. — O problema é que, por um lado, não sirvo pra monogamia, mas, por outro, sou um romântico. Se eu me casar, não vou poder farrear com outras mulheres. Entende o que quero dizer? E o pensamento de não ter relações sexuais com outras mulheres é insuportável, não acha?

Harry tentou demonstrar empatia.

— Suponha que eu realmente saia com a menina do elevador, o que você acha que poderia acontecer depois do encontro? Pânico absoluto, certo? E tudo isso só pra provar a mim mesmo que ainda sou capaz de me interessar por outras mulheres. É uma fraqueza, realmente. Hilde é... — Jens buscou as palavras certas. — Ela tem uma coisa que eu nunca encontrei em nenhuma outra mulher. E, acredite, eu procurei. Acho que não conseguiria explicar bem o que é, mas não quero perdê-la porque sei que seria difícil encontrar alguém como ela novamente.

Harry pensou que essa era uma razão tão boa quanto qualquer outra que já tinha ouvido na vida. Jens rolou o copo entre os dedos e deu um sorriso torto.

— A prisão deve ter mexido mesmo comigo, porque normalmente não falo essas coisas. Prometa que não vai contar nada a nenhum dos meus amigos.

O garçom veio até a mesa e fez um sinal para eles.

— Venha. Já começou — disse Jens.

— O que já começou?

O garçom os conduziu até a parte de trás do restaurante. Eles passaram pela cozinha e subiram por uma escada estreita. Havia bacias de lavar roupas empilhadas no corredor, e uma mulher idosa que estava sentada em uma cadeira sorriu para eles com dentes pretos.

— Bétele — explicou Jens. — É um hábito terrível. Eles mastigam isso até o cérebro apodrecer e os dentes caírem.

Harry ouviu os gritos que vinham de trás de uma porta. O garçom a abriu e, em seguida, eles entraram em uma grande sala sem janelas. Uns vinte ou trinta homens formavam um círculo. Gesticulavam e apontavam para notas surradas que eram contadas e passavam de mão em mão com uma velocidade vertiginosa. Os homens eram, na maioria, brancos, e alguns deles vestiam ternos de linho de cores claras.

— Briga de galo — explicou Jens. — Só para convidados.

— Pra que isso? — Harry precisou gritar para ser ouvido. — Eu li que brigas de galo ainda são legais na Tailândia.

— Até certo ponto. As autoridades permitem uma versão mais atenuada da briga de galo. A garra deve ficar amarrada à parte de trás do pé, pra que os bichos não se matem. E o tempo da briga é restrito. Não é até a morte. Essa aqui segue a regra antiga, e não há limite para as apostas. Vamos nos aproximar?

Harry era mais alto do que os homens à sua frente, de modo que não tinha dificuldades de ver o ringue. Dois galos com penas marrons, vermelhas e alaranjadas desfilavam, suas cabeças balançando, aparentemente sem interesse um pelo outro.

— Como vão fazer eles lutarem? — perguntou Harry.

— Não se preocupe. Esses galos se odeiam mais do que você e eu poderíamos nos odiar.

— Por quê?

Jens olhou para Harry.

— Eles estão no mesmo ringue. São galos.

Então, como se reagissem a um sinal, os bichos se atacaram. Tudo que Harry podia ver eram asas batendo e palha voando. Os homens berravam em frenesi; alguns chegavam a dar pulos. Um cheiro agridoce e estranho de adrenalina e suor se espalhava pelo ambiente.

— Consegue ver o galo com a crista cortada? — perguntou Jens.

Harry não conseguia.

— É o vencedor.

— Como você sabe disso?

— Simplesmente sei. Sabia antes da luta começar.

— Como...?

— Não faça perguntas. — Jens sorriu.

Os gritos morreram. Um dos galos tombou no ringue. Alguns homens lamentaram; outro, vestido de terno de linho cinza, jogou o chapéu no chão, frustrado. Harry ficou observando o galo morrer. Um músculo se contraiu sob as penas, e então o animal ficou imóvel. Era absurdo; aquilo parecera somente uma brincadeira, uma massa de asas, pernas e gritos.

Uma pena manchada de sangue passou perto do rosto de Harry. O galo foi levado para fora do ringue por um homem de calças largas. O sujeito parecia prestes a se debulhar em lágrimas. O outro galo havia retomado o ar empertigado. Harry podia ver a crista cortada agora.

O garçom veio até Jens com um maço de notas. Alguns caras o encararam, outros o cumprimentaram com um gesto, mas ninguém disse nada.

— Você nunca perde? — perguntou Harry quando já estavam de volta ao restaurante. Jens tinha acendido um charuto e pedido um conhaque, um Richard Hennessy 40%. O garçom teve de checar o nome duas vezes. Era difícil pensar que o Jens à sua frente era o mesmo homem que ele havia acalmado ao telefone na noite anterior.

— Você sabe por que jogos de azar são uma doença e não um ofício, Harry? Porque o jogador ama o risco. Vive e respira pela incerteza palpitante.

Assoprou a fumaça do charuto em anéis largos.

— Comigo é o contrário. Posso chegar a extremos para eliminar o risco. O que você me viu ganhar hoje cobre meus custos e todo meu esforço, e olha que isso não foi pouca coisa.

— Mas você nunca perde?

— O retorno é razoável.

— Razoável? Quer dizer, o suficiente para arrancar dos jogadores, mais cedo ou mais tarde, tudo o que têm?

— Por aí.

— Mas o jogo não perde um pouco do charme se você já sabe o resultado?

— Charme? — Jens levantou o maço de dinheiro. — Acho isso aqui bem charmoso. E é o que me permite pagar por tudo isso. — Ele abriu as mãos, mostrando o espaço ao redor. — Sou um cara simples. — Jens observou o brilho de charuto aceso. — Tudo bem, vamos ser francos. Não tenho lá muita sorte.

E desatou a rir alto. Harry acabou sorrindo junto.

Jens consultou o relógio e se levantou de pronto.

— Tenho muito a fazer antes da bolsa dos Estados Unidos abrir. Uma loucura. Até mais. Não deixe de pensar na minha irmã.

Ele saiu, e Harry ficou sentado fumando um cigarro e pensando um pouco na irmã de Jens. Então, pegou um táxi para Patpong. Não sabia bem o que estava procurando, mas entrou em uma boate e quase pediu uma cerveja, mas mudou de ideia e saiu às pressas. Comeu pernas de rã no Le Boucheron, e o proprietário se aproximou para contar a ele, em um inglês sofrível, que gostaria de voltar para a Normandia. Harry contou que seu pai tinha estado lá no dia Dia D. Não era exatamente verdade, mas foi o suficiente para melhorar o humor do francês.

Harry pagou a conta e entrou em outro bar. Uma menina empoleirada em saltos ridiculamente altos parou ao lado dele, fitando-o com grandes olhos castanhos, e perguntou se ele queria um boquete. É claro que sim, pensou, negando com um gesto de cabeça. Harry reparou que a televisão, pendurada acima das prateleiras de vidro do bar, estava passando os melhores momentos de uma partida do Manchester United. Pelo espelho, podia ver as garotas dançando no palco pequeno bem atrás dele. Elas usavam pequenas estrelas douradas para cobrir os mamilos, de modo que o bar não podia ser acusado de estar violando a lei contra a nudez. E cada uma trazia um número preso nas calcinhas mínimas. A polícia não perguntava o porquê disso, e todo mundo sabia que era para evitar mal-entendidos quando os clientes escolhiam as garotas. Harry já tinha reparado em uma. Número 20. Dim estava atrás de quatro dançarinas, e seus olhos cansados percorriam a fileira de homens no bar como um radar. De vez em quando um sorriso fugaz perpassava seus lábios, mas não trazia vida aos seus olhos. Ela estabeleceu contato visual com um homem que parecia usar uma espécie de uniforme tropical. Alemão, pensou Harry, sem saber exatamente por quê. Ele observou os quadris da garota se movendo lentamente de um lado para o outro, os cabelos negros e brilhantes balançando às suas costas quando ela se virava, e a pele lisa e reluzente que parecia iluminada por dentro. Não fossem aqueles olhos, seria linda, refletiu Harry.

Por uma fração de segundo, seus olhos se encontraram no espelho, e Harry imediatamente se sentiu pouco à vontade. Ela não pareceu reconhecê-lo, mas ele desviou o olhar para a televisão, que mostrava as costas de um jogador que estava sendo substituído. O mesmo número. "Solskjær" estava escrito na parte superior da camisa. Harry pareceu despertar de um sonho.

— Porra! — berrou, batendo o copo contra o balcão e derrubando Coca-Cola no colo de sua dedicada cortesã. Harry abriu caminho para fora do bar ouvindo os gritos indignados atrás dele: "Você não é meu amigo!"

36

Domingo, 19 de janeiro

Dois homens de verde corriam por entre os arbustos, um deles bem encurvado, carregando um companheiro ferido nos ombros. Deitaram-no sob a proteção de um tronco caído, empunhavam seus fuzis, miravam e disparavam em direção à vegetação rasteira. Uma voz rouca anunciou que aquela era a luta desesperada do Timor Leste contra o presidente Suharto e seu regime brutal.

No púlpito, um homem remexia nervosamente seus papéis. Tinha viajado para longe para falar do seu país, e aquela noite era importante. Mesmo que não houvesse muitas pessoas na sala de conferências do Grupo de Correspondentes Estrangeiros da Tailândia — apenas uma plateia de quarenta a cinquenta ouvintes —, elas eram vitais; juntos, poderiam levar sua mensagem a milhões de leitores. Já tinha assistido ao filme que estava sendo exibido uma centena de vezes, e sabia que, em dois minutos, teria sua deixa para começar seu discurso, entrando, assim, na linha de fogo.

Ivar Løken se assustou involuntariamente ao sentir uma mão em seu ombro e uma voz sussurrando:

— Temos que conversar. Agora.

Na meia-luz, distinguiu o rosto de Hole. Levantou-se, e os dois saíram da sala juntos, enquanto um combatente com metade do rosto queimado e rígido explicava por que havia passado os últimos oito anos de sua vida na selva indonésia.

— Como você me achou? — perguntou Løken, quando já estavam do lado de fora.

— Falei com Tonje Wiig. Você vem sempre aqui?

— Não sei o que você quer dizer com "sempre", mas gosto de me manter atualizado. E encontro pessoas úteis aqui.

— Como o pessoal das embaixadas da Suécia e da Dinamarca?

O dente de ouro brilhou.

— Como eu disse, gosto de me manter atualizado. O que houve?

— Sei de tudo.

— Ah, é?

— Sei quem você está perseguindo. E sei que os dois casos estão ligados.

O sorriso de Løken desapareceu.

— O engraçado é que, logo que cheguei à Tailândia, fiquei a poucos metros do lugar que você estava vigiando.

— Jura? — Não dava pra saber se havia sarcasmo na voz de Løken.

— A inspetora Crumley me levou pra um passeio turístico rio acima. Ela me mostrou uma casa que pertencia a um norueguês que havia trazido um templo inteiro da Birmânia para Bangkok. O cara teve uma conversa com o embaixador no dia em que morreu, mas não conseguimos falar com ele. Conheci um amigo do sujeito, Bork, no funeral, e fui informado de que ele estava viajando a negócios. Mas você conhece Ove Klipra, não é?

Løken não respondeu.

— Bom, essa conexão só ficou clara pra mim quando eu estava assistindo a um jogo de futebol.

— Uma partida de futebol?

— O norueguês mais famoso do mundo por acaso joga no time pelo qual Klipra torce.

— E daí?

— Você sabe qual é o número da camisa de Ole Gunnar Solskjær?

— Não, por que diabos eu deveria saber disso?

— Bom, garotos do mundo todo sabem, e você pode comprar a camisa do cara em todas as lojas de artigos esportivos da Cidade do Cabo a Vancouver. Às vezes, adultos compram essa camisa também.

Løken assentiu enquanto olhava fixamente para Harry.

— Número 20 — disse.

— Como na fotografia. Outras coisas me ocorreram também. O cabo da faca que encontramos nas costas de Molnes tinha um mosaico de vidro especial, e um professor de história da arte falou que se tratava de uma faca antiga, do norte da Tailândia, provavelmente produzida pelo povo Shan. Conversei com o professor agora há pouco. Ele me disse que o povo Shan também se espalhou para algumas regiões da Birmânia, onde, entre outras coisas, construíram templos. Uma característica desses templos era que as janelas e as portas eram decoradas com o mesmo tipo de mosaicos de vidro encontrados na faca. Fiz uma visita ao professor antes de vir pra cá e mostrei uma de suas fotos. Ele não teve a menor dúvida de que se tratava da janela de um templo Shan, Løken.

O orador tinha começado sua fala. A voz soava metálica e estridente nos alto-falantes.

— Bom trabalho, Hole. E agora?

— Agora me diga o que está acontecendo nos bastidores e eu vou assumir o restante da investigação.

Løken gargalhou.

— Você está brincando, né?

Harry não estava.

— Uma sugestão interessante, Hole, mas não acho que vá colar. Meus chefes...

— Acho que sugestão não é a palavra certa, Løken. Pense em *ultimato*.

Løken riu ainda mais alto.

— Você tem colhões, tenho que admitir, Hole. Mas o que o faz acreditar que está em condições de impor um ultimato?

— Você vai ter um problemão quando eu contar ao chefe de polícia de Bangkok o que está acontecendo.

— Eles vão chutar você pra fora daqui, Hole.

— Ah, é? Pra começar, minha missão aqui é investigar um assassinato, não salvar o traseiro de alguns burocratas em Oslo. Pessoalmente não tenho qualquer objeção ao fato de você estar investigando um pedófilo, mas isso não é da minha alçada. E, quando o Parlamento souber que eles não foram informados a respeito dessa investigação ilegal, meu palpite é que outras pessoas correm mais o risco de levar um chute no traseiro do que eu. Do meu ponto de vista, minhas chances de ficar desempregado são maiores se eu me tornar um cúmplice e guardar esse segredo comigo. Aceita um cigarro?

Harry estendeu um maço recém-aberto de Camel. Løken balançou a cabeça em negativa, mas mudou de ideia em seguida. Harry acendeu os dois cigarros, e ambos sentaram em cadeiras junto à parede. Do auditório, dava pra ouvir o som alto de aplausos.

— Por que você não deixa isso pra lá, Hole? Você já entendeu há um bom tempo que seu trabalho aqui era encontrar uma solução satisfatória e evitar confusão, então por que não aceita seu papel e evita um monte de problemas para você mesmo e para todo mundo?

Harry respirou fundo e expirou longamente. Reteve a maior parte da fumaça em seu corpo.

— Voltei a fumar Camel nesse outono — disse, dando um tapinha no bolso. — Uma vez tive uma namorada que fumava Camel, mas ela não me deixava fumar os cigarros dela; achava que isso poderia se tornar um mau hábito. A gente estava viajando de trem de Pamplona a Cannes, e eu fiquei sem cigarros. Ela me falou que aquilo ia me ensinar uma lição. A viagem era de quase dez horas e, no final das contas, acabei tendo que filar um cigarro de uma pessoa de outra cabine, enquanto ela fumava os Camel dela. Estranho, né?

Harry ergueu o cigarro e soprou a fumaça.

— Bom, continuei pegando cigarros de estranhos quando chegamos a Cannes. No início, ela achou engraçado. Quando comecei a pedir cigarros de mesa em mesa em restaurantes de Paris, ela não achou tão engraçado e falou que eu podia pegar um dos dela, mas recusei. Quando ela encontrou alguns amigos noruegueses em Amsterdã e eu comecei a pedir cigarros a eles, mesmo com o maço dela sobre a mesa, ela achou que eu estava sendo infantil. Comprou um maço pra mim e disse que eu deveria parar de implorar pelos cigarros dos outros, mas eu o deixei no quarto do hotel. Quando voltamos a Oslo e eu continuei fazendo a mesma coisa por lá, ela disse que eu era doente mental.

— Qual é a moral da história?

— Ela parou de fumar.

Løken riu.

— Então foi um final feliz.

— Mais ou menos na mesma época ela conheceu um músico de Londres.

Løken balbuciou.

— Você deve ter ido um pouco longe demais, então.

— Com certeza.

— Mas não aprendeu grande coisa com isso?
— Não.
Fumaram em silêncio.
— Já entendi — disse Løken, apagando o cigarro. As pessoas tinham começado a sair do auditório. — Vamos tomar uma cerveja em algum lugar pra eu contar a história toda.

— Ove Klipra constrói estradas. Tirando isso, sabemos bem pouco sobre o cara. Sabemos que ele veio pra Tailândia com 25 anos, tem um curso de engenharia incompleto e uma reputação ruim. Além disso, mudou o nome de Pedersen pra Klipra, que é o nome da região onde ele cresceu em Ålesund.

Estavam sentados em um sofá baixo de couro, e na frente deles havia um aparelho de som, uma TV e uma mesa com uma cerveja, uma garrafa de água, dois microfones e um catálogo de músicas. A princípio, Harry achou que Løken estava brincando quando disse que eles iriam a um bar de karaokê, mas explicou o motivo. Lá poderiam ocupar uma sala à prova de som, por hora, sem dar nomes, poderiam pedir o que quisessem para beber e, o mais importante, seriam deixados em paz. Além disso, haveria um número suficiente de pessoas ali para que passassem despercebidos. Era simplesmente o melhor lugar possível para uma reunião secreta, e tudo indicava que Løken já tinha estado lá.

— O que você quer dizer com reputação ruim?
— Quando começamos a nos aprofundar nesse caso, descobrimos que ocorreram alguns episódios com meninos menores de idade em Ålesund. Nada foi registrado, mas os boatos se espalharam, e ele achou que tinha chegado a hora de se mudar. Quando chegou aqui, abriu uma empresa de engenharia, mandou fazer alguns cartões de visita em que se autodeclarava doutor e começou a bater em algumas portas dizendo que podia construir estradas. Naquela época, há uns vinte anos, havia apenas duas maneiras de conseguir uma concessão pra construção de estradas: ou ser parente de alguém do governo ou ser rico o suficiente para subornar alguém do governo. Klipra não se encaixava em nenhuma das duas possibilidades, e, claro, as probabilidades estavam contra ele. Mas o cara aprendeu duas coisas que,

certamente, cimentaram a base da fortuna que tem hoje: aprendeu tailandês e aprendeu a bajular. Nem precisei investigar muito sobre a bajulação; ele se gabou bastante disso para os noruegueses que vivem aqui. Diz que se tornou tão hábil em agradar que mesmo os tailandeses às vezes acham que ele passa dos limites. Além disso, ele compartilhou seu interesse por garotos com alguns dos políticos com quem começou a se relacionar. Digamos que não foi uma desvantagem ter os mesmos vícios deles quando os contratos pra construção do novo elevado de Bangkok foram assinados.

— Pista pra carros e trilhos?

— Isso. Você provavelmente já percebeu os enormes pilares de aço que estão sendo colocados por toda a cidade.

Harry assentiu.

— Até agora são seis mil pilares, mas haverá mais. E eles não são apenas pra via expressa, já que o novo trem vai passar por cima dela. Estamos falando de cinquenta quilômetros de uma pista supermoderna e sessenta quilômetros de trilhos no valor de 25 bilhões de coroas para salvar essa cidade do caos. Entende? Esse deve ser o projeto de engenharia rodoviária mais grandioso do mundo; o Messias dos asfaltos e dormentes.

— E Klipra está envolvido?

— Ninguém sabe direito quem está envolvido. O que se sabe é que a principal construtora, que era de Hong Kong, retirou-se da concorrência, e que o orçamento e o cronograma estão provavelmente fora da realidade.

— Superfaturamento? Estou chocado — comentou Harry, irônico.

— Mas isso também significa que sobrará mais dinheiro para as outras empresas, e meu palpite é de que Klipra já está bem ancorado no projeto. Se houver mais desistências, os políticos terão de aceitar que elas ajustem suas propostas. Se Klipra tiver capacidade financeira para dar uma mordida no bolo que foi oferecido a ele, poderá em breve se tornar um dos mais poderosos empresários da região.

— Tudo bem, mas o que isso tem a ver com o abuso de crianças?

— Homens poderosos têm uma tendência a distorcer as leis a seu favor. Não tenho nenhuma razão para duvidar da integridade do governo atual, mas as chances de uma extradição diminuem bastante quando o cara tem influência política, ainda mais quando a prisão dele poderá provocar um grande atraso no cronograma da obra.

— Então, o que você está fazendo?

— As coisas estão caminhando. Estamos aguardando que um novo acordo de extradição entre em vigor. Uma vez que estiver concluído, esperamos um pouco, prendemos Klipra e explicamos às autoridades tailandesas que as fotos foram tiradas após a assinatura do acordo.

— E assim o condenamos por pedofilia?

— Talvez até por assassinato.

Harry recostou-se em sua cadeira.

— Achou que era o único que tinha relacionado a faca a Klipra, detetive? — disse Løken, tentando acender seu cachimbo.

— O que você sabe sobre a faca? — perguntou Harry.

— Acompanhei Tonje Wiig ao hotel quando ela foi identificar o corpo do embaixador. Aproveitei pra tirar algumas fotos.

— Com uma multidão de policiais em volta assistindo a tudo?

— Bom, é uma câmera bem pequena. Cabe até em um relógio de pulso como esse. — Løken sorriu. — Não é um modelo comercial.

— E então você relacionou o mosaico de vidro da faca ao da casa de Klipra?

— Fiz contato com uma pessoa envolvida na venda do templo, um *pongyi*, no Centro Mahasi em Rangoon. A faca era parte da decoração do lugar. De acordo com o monge, são feitas em pares. Deve haver outra idêntica.

— Espera aí — disse Harry. — Se você entrou em contato com o monge, deve ter tido um pressentimento de que a faca estava de alguma forma ligada aos templos de Myanmar.

Løken deu de ombros.

— Ah, não vem com essa de que você entende de história da arte — insistiu Harry. — Precisei de um especialista só pra confirmar que havia uma relação com os Shan ou com algum outro povo. Você já suspeitava de Klipra antes mesmo de fazer perguntas.

Løken queimou os dedos e atirou o fósforo fora, irritado.

— Eu tinha meus motivos pra acreditar que o assassinato podia ter algo a ver com Klipra. Sabe, eu estava em um apartamento na frente da casa do cara no dia em que o embaixador foi assassinado.

— E?

— Atle Molnes passou por lá por volta das sete horas. Às oito, ele e Klipra saíram juntos no carro.

— Tem certeza de que eram eles? Eu vi o carro, e, como a maior parte dos veículos de embaixadas, ele tem as janelas escuras, quase não dá pra ver nada.

— Vi Klipra através da lente da câmera quando o carro chegou. Ficou estacionado na garagem, onde há uma porta que se abre diretamente para o interior da casa. Inicialmente, vi apenas Klipra se levantando e andando até a porta. Depois não vi mais ninguém por um tempo, até que distingui o embaixador andando na sala de estar. Em seguida, o carro saiu, e Klipra não estava mais em casa.

— Não dá pra ter certeza de que era o embaixador.

— Por que não?

— Porque, de onde você estava, só teria como enxergar a metade inferior do corpo da pessoa. O resto teria ficado escondido pelo mosaico.

Løken riu.

— Bom, metade do corpo foi mais do que suficiente — disse, finalmente conseguindo acender o cachimbo. Ele tragou a fumaça, satisfeito. — Só havia uma pessoa na cidade que usava um paletó amarelo como o dele.

Em outras circunstâncias, Harry até teria sorrido, mas no momento havia muitas informações em sua cabeça.

— Por que Torhus e a comissária não foram informados a respeito disso?

— Quem disse que não foram?

Harry sentiu a cabeça latejar. Os políticos o haviam mantido completamente no escuro. Olhou em volta, procurando alguma coisa para destruir.

37

Domingo, 19 de janeiro

Eram quase onze horas quando Harry chegou em casa.
— Você tem visita — disse o porteiro.
Harry pegou o elevador, deitou-se de costas na beira da piscina e ficou ouvindo o som ritmado das braçadas de Runa.
— Você precisa ir pra casa — disse, depois de um tempo. Ela não respondeu, e Harry se levantou e voltou pela escada para o apartamento.

Bjarne Møller estava de pé junto à janela olhando para fora. Ainda não era noite, mas já estava completamente escuro. Parecia que o frio não daria trégua no futuro próximo. Pelo menos os meninos pareciam estar se divertindo; eles vieram até a mesa com os dedos congelados e as bochechas vermelhas, discutindo quem tinha saltado mais longe.
Os anos passavam rápido; não fazia muito tempo desde que havia ajudado os meninos a descer as colinas de Grefsenkollen em seus esquis. Na noite anterior, fora até o quarto deles perguntar se queriam que lesse uma história, e ambos lhe lançaram um olhar engraçado.
Trine tinha dito que ele parecia cansado. Será? Talvez. Tinha muitas coisas na cabeça, mais do que havia imaginado ao aceitar o trabalho de chefe da Divisão de Homicídios. Quando não eram os relatórios, as reuniões e os orçamentos, era um dos policiais que batia em sua porta com um problema que ele não era capaz de resolver — uma esposa que desejava se separar, uma hipoteca que tinha aumentado ou nervos à flor da pele.
O trabalho policial de coordenar investigações pelo qual havia ansiado ao assumir o cargo tinha se tornado secundário. E ele ainda não estava acostumado com assuntos confidenciais, a ler nas entrelinhas

ou lidar com disputas de carreira. De vez em quando, perguntava-se se ainda devia ocupar o cargo, mas sabia que Trine tinha gostado do aumento salarial. E os meninos queriam esquis para saltos. Talvez fosse a hora de comprar os computadores que vinham pedindo também. Pequenos flocos de neve caíam do outro lado da vidraça. Ele tinha sido tão bom como policial.

O telefone tocou.

— Møller — disse.

— Aqui é Hole. Você sabia o tempo todo?

— Oi? Harry, é você?

— Você sabia que eu fui escolhido justamente pra que a investigação não chegasse a lugar algum?

Møller baixou a voz. Já tinha esquecido os esquis e os computadores.

— Não tenho a menor ideia do que você está falando.

— Só quero ouvir você dizer que não sabia que o pessoal de Oslo suspeitava de quem era o assassino desde o início.

— Tudo bem, Harry. Eu não sabia... E com isso eu quero dizer: não sei do que você está falando.

— A comissária de polícia e Dagfinn Torhus, do Ministério das Relações Exteriores, sempre souberam que o embaixador tinha estado na casa de um norueguês chamado Ove Klipra e que ambos saíram no mesmo carro meia hora antes de o embaixador chegar ao hotel. Também sabem que Klipra tinha um belo motivo pra matar o embaixador.

Møller se sentou pesadamente.

— E esse motivo seria?

— Ele é um dos homens mais ricos de Bangkok. O embaixador estava com graves dificuldades financeiras e tinha tomado a iniciativa de iniciar uma investigação completamente ilegal sobre Klipra por pedofilia. Quando o embaixador foi encontrado morto, estava com uma pasta que continha fotos de Klipra com um garoto. Não é difícil imaginar o motivo de ele ter visitado o empresário. Molnes deve ter conseguido convencê-lo de que estava sozinho na investigação e de que havia feito as fotos sozinho. Então, deve ter dado um preço pelo "pacote completo". Não é o que os chantagistas fazem? É claro que seria impossível saber quantas cópias Molnes tinha feito, e Klipra provavelmente sacou que um chantagista que também é um jogador incurável como o embaixador obrigatoriamente voltaria a chantageá-lo. Então Klipra sugeriu que dessem uma volta, saiu do carro pra ir ao banco e disse a Molnes que o esperasse no hotel, que voltaria em seguida com o dinheiro. Quando Klipra chegou, sequer precisou procurar pelo quarto; dava pra ver o carro do embaixador estacionado em frente, certo? Porra, o cara conseguiu até rastrear e relacionar a faca com Klipra.

— Que cara?

— Løken. Ivar Løken. Um velho militar da inteligência que tem atuado aqui há vários anos. Parece que trabalha para a ONU, com refugiados, diz ele, mas como posso saber? Acho que quem paga o salário do cara é a Otan, ou algo assim. Ele está espionando Klipra há meses.

— O embaixador sabia disso? Você não disse que ele tinha começado a investigação?

— Como assim?

— Você acha que o embaixador ia chantagear Klipra mesmo sabendo que tinha um cara da inteligência vigiando-o?

— É claro que ele sabia. Não tinha pegado as cópias das fotos com Løken? Mas e daí? Não tem nada de mais o embaixador da Noruega fazer uma visita de cortesia ao norueguês mais rico de Bangkok, certo?

— Talvez não. O que mais esse Løken falou?

— Ele me contou o real motivo de eu ter sido escolhido pra esse trabalho.

— E qual seria esse motivo?

— As pessoas que sabiam que Klipra estava sendo investigado corriam um risco. Se fossem descobertas, a coisa ia pegar fogo; haveria um clamor político, cabeças iam rolar etc. Então, quando o embaixador foi encontrado morto e elas começaram a ter uma ideia de quem poderia ser o culpado, precisaram se assegurar de que o assassinato não atrairia atenção para as investigações ilegais. Tinham que encontrar um meio-termo, fazer *alguma coisa*, mas que não fosse suficiente pra trazer a investigação à tona. Se enviassem um oficial da polícia norueguesa, não poderiam ser acusados de não fazer nada. Tinham me dito que não podiam enviar uma equipe de policiais, porque a polícia tailandesa se ofenderia.

A risada de Harry se fundiu com outra conversa que estava acontecendo em algum lugar entre a terra e um satélite.

— Então, escolheram o cara que pensaram ter menos chance de descobrir alguma coisa. Dagfinn Torhus fez sua pesquisa e encontrou o candidato perfeito, alguém que definitivamente não ia causar problemas. Porque o tal cara provavelmente passaria todas as noites com um engradado de cerveja e todos os dias dormindo de ressaca. Harry Hole era perfeito porque praticamente nem conseguia mais trabalhar. Eles poderiam justificar a escolha, se isso viesse à tona, dizendo que o funcionário em questão havia recebido muitíssimas recomendações após uma investigação semelhante na Austrália. Se isso não fosse suficiente, Møller teria dado seu aval, e quem melhor que o chefe do cara pra julgar esse tipo de coisa?

Møller não gostou do que ouviu. Agora conseguia rever com clareza o olhar que a comissária tinha lhe dirigido quando perguntaram sobre Hole, o imperceptível levantar de sobrancelha. Tinha sido uma ordem.

— Mas por que Torhus e a comissária arriscariam os empregos só pra pegar um pedófilo?

— Boa pergunta.

Silêncio. Nenhum dos dois se atrevia a colocar em palavras o que estavam pensando.

— O que vai acontecer agora, Harry?

— Agora vamos entrar na Operação Salvando Nossa Pele.

— O que você quer dizer?

— Que ninguém quer segurar a batata quente. Nem Løken nem eu. O acordo é que nós dois vamos manter a boca fechada a respeito disso por enquanto e pegar Klipra juntos. Imagino que você preferiria cuidar do caso aí, não? Talvez indo diretamente ao Parlamento? Você também tem uma pele a salvar.

Møller pensou na situação. Não tinha certeza de que queria salvar a pele. O pior que poderia acontecer era ser rebaixado de volta ao trabalho policial.

— Isso é coisa grande, Harry. Preciso pensar, depois ligo pra você, está bem?

— Tudo bem.

Ainda conseguiam escutar alguns sons de outra conversa em algum lugar do espaço, mas de repente tudo ficou em silêncio. Ouviram apenas o som das estrelas.
— Harry?
— Sim?
— Que se dane essa história de pensar. Estou com você.
— Sabia que estaria, chefe.
— Avise quando prender o cara.
— Ah, esqueci de dizer. Ninguém viu Klipra desde que o embaixador foi assassinado.

38

Segunda-feira, 20 de janeiro

Løken passou o binóculo com visão noturna para Harry.
— Tudo limpo — disse ele. — Conheço a rotina. O vigia vai se sentar na cabine que fica no fim da entrada de carros, perto do portão. Só vai começar uma nova ronda em vinte minutos.

Estavam ambos sentados no sótão de uma casa a cerca de cem metros da propriedade de Klipra. A janela estava fechada, mas entre duas tábuas existia espaço suficiente para o binóculo. Ou para uma câmera. Entre o sótão e a casa de Klipra, feita de madeira de teca e ornada com cabeças de dragões, havia uma série de pequenos contêineres, uma rua e um muro alto e branco com arame farpado.

— O único problema dessa cidade é que tem gente em todos os lugares. O tempo todo. Então vamos ter que dar a volta e pular o muro que fica atrás daquele contêiner.

Løken indicou a direção, e Harry apanhou o binóculo.

O ex-militar o havia instruído a usar roupas discretas, justas e escuras. Ele escolheu uma calça jeans preta e a velha camiseta preta do Joy Division. Pensou em Kristin ao vesti-la; o Joy Division foi a única banda que ele conseguiu fazer com que ela gostasse. Pensou que talvez isso compensasse o fato de ela não gostar do Camel.

— Vamos lá — disse Løken.

O ar do lado de fora estava estagnado, e a poeira pairava sobre o caminho de cascalho. Um grupo de meninos estava jogando *takraw* em um círculo, tentando impedir com os pés que uma pequena bola de borracha tocasse o chão, e não percebeu a presença dos dois *farangs* vestidos de preto. Harry e Løken atravessaram a rua, esgueiraram-se por trás dos contêineres e chegaram ao muro sem serem notados.

A névoa noturna refletia uma luz amarela formada por milhões de lâmpadas de diferentes tamanhos, o que nunca permitia que Bangkok ficasse completamente no escuro em noites como aquela. Løken jogou uma pequena mochila por cima do muro e colocou um tapete de borracha fino e estreito sobre o arame farpado.

— Vai primeiro — disse, entrelaçando os dedos para que Harry apoiasse o pé.

— E você?

— Não se preocupe comigo, vá de uma vez.

Løken impulsionou Harry para que ele alcançasse o topo do muro. O detetive colocou um pé sobre o tapete e, ao passar o outro pé por cima do muro, ouviu o som do arame rasgando a borracha. Tentou não pensar na história do menino que tinha deslizado pelo mastro da Feira de Romsdal sem se lembrar do cunho que ficava na parte inferior com uma corda amarrada em volta. Seu avô havia contado que os berros do menino ao ser castrado tinham atravessado todo o fiorde.

Um segundo depois, Løken estava de pé ao lado dele.

— Nossa, você foi rápido — sussurrou Harry.

— Exercício do dia para o velho militar aqui.

Com Løken na frente, percorreram o gramado ao longo da parede lateral da casa, com a cabeça abaixada, até pararem em uma quina. Løken pegou o binóculo e aguardou até ter certeza de que o vigia estava olhando em outra direção.

— Agora!

Harry partiu, tentando imaginar que era invisível. A distância até a garagem não era grande, mas ela estava iluminada, e não havia onde se esconder entre o local onde estavam e a cabine do vigia. Løken o seguia de perto.

Harry pensava que não havia muitas maneiras de invadir uma casa, mas Løken insistira em planejar tudo até o último detalhe. Quando ressaltou que ambos deveriam correr juntos na última etapa crítica, Harry perguntou se não seria mais sensato que um deles corresse na frente, enquanto o outro ficava de sentinela.

— Pra quê? Vamos saber se formos descobertos. E, se a gente correr separado, as chances de sermos vistos é dobrada. Não ensinam nada disso na polícia hoje em dia?

Harry não teve qualquer outra objeção ao resto do plano.

Um Lincoln Continental branco dominava a garagem, de onde, de fato, uma porta lateral dava acesso à casa. Løken achava que a fechadura daquela porta era mais fácil do que a da principal, e, além disso, não era possível avistá-los do portão.

Løken apanhou as pinças e começou a trabalhar.

— Você está de olho no tempo? — sussurrou, e Harry assentiu. De acordo com o cronograma, restavam dezesseis minutos até a próxima ronda do vigia.

Doze minutos depois, Harry começou a sentir o corpo inteiro formigar. Aos treze minutos, desejava que Sunthorn aparecesse feito uma nuvem de fumaça.

Aos quatorze, sabia que teriam que abortar a operação.

— Vamos dar o fora daqui — sussurrou.

— Espere só um pouco — disse Løken, inclinado sobre a fechadura. — Um segundinho.

— Agora! — sibilou Harry entre os dentes.

Løken não respondeu. Harry tomou fôlego e passou o braço pelo ombro do colega. Løken se virou para ele, e seus olhares se encontraram. O dente de ouro reluziu em um sorriso.

— Consegui — murmurou ele.

A porta se abriu sem fazer barulho. Os dois esgueiraram-se para dentro e trancaram a porta com cuidado. Naquele exato momento, ouviram passos na garagem, viram o feixe de luz de uma lanterna passar pela janela e pela fresta embaixo da porta, e, em seguida, a maçaneta foi sacudida com força. Permaneceram imóveis, as costas contra a parede. Harry prendeu a respiração; seu coração batia forte, bombeando sangue rapidamente para o corpo inteiro. Então, os passos se afastaram.

Harry mal conseguiu manter a voz baixa.

— Você disse vinte minutos!

Løken deu de ombros.

— Mais ou menos.

Harry concordou, respirando pela boca. Acenderam as lanternas e estavam prestes a avançar pela casa quando ouviram um ruído sob os pés de Harry.

— O que é isso? — Ele dirigiu o feixe de luz da lanterna para baixo. Havia pequenas lascas brancas no chão de parquet de madeira escura.

Løken iluminou com a lanterna a parede caiada.

— Klipra é um enrolador. Era para a casa ser construída apenas com teca. Agora realmente perdi o respeito pelo cara — disse ele. — Vamos, Harry. Cada segundo é valioso!

Revistaram a casa de forma rápida e sistemática, seguindo as instruções de Løken. Harry se concentrava em fazer o que lhe fora pedido: lembrar onde as coisas tinham estado antes de mexer nelas, não deixar impressões digitais e verificar se havia pedaços de fita lacrando gavetas e armários antes de abri-los. Depois de algumas horas, sentaram-se à mesa da cozinha. Løken tinha achado umas revistas de pornografia infantil e um revólver que parecia não ser usado havia muito tempo. Tirou fotos de ambos.

— O cara se mandou com muita pressa — comentou. — Tem duas malas vazias no quarto, a *nécessaire* ainda está no banheiro e os armários estão cheios de roupa.

— Ele pode ter levado uma terceira mala — sugeriu Harry.

Løken olhou para o colega com uma mistura de desgosto e indulgência. Da maneira como teria olhado para um recruta esforçado, mas não muito inteligente, pensou Harry.

— Nenhum homem tem duas nécessaires para artigos de higiene, Hole.

Recruta, pensou Harry.

— Faltou só um cômodo — disse Løken. — O escritório no primeiro andar está trancado, e a fechadura é uma monstruosidade alemã que eu não consigo abrir.

Pegou um pé de cabra da mochila.

— Esperava que a gente não precisasse disso — prosseguiu. — Aquela porta vai ficar uma porcaria depois que tivermos terminado.

— Não importa — disse Harry. — Acho que coloquei os chinelos dele na prateleira errada, de qualquer forma.

Løken riu.

Usaram o pé de cabra nas dobradiças em vez de na fechadura. Harry não conseguiu segurar a porta pesada a tempo, e ela caiu para dentro do cômodo com um estrondo considerável. Ficaram parados por alguns instantes, à espera dos gritos do vigia.

— Acha que ele ouviu? — perguntou Harry.

— Não. Há tantos ruídos por habitante aqui que um estrondo a mais ou a menos não faz diferença.

Os feixes de luz das lanternas percorriam as paredes como baratas amarelas.

Na parede acima da mesa pendia uma bandeirinha vermelha e branca do Manchester United e uma foto emoldurada do time. Logo abaixo, esculpido em madeira, o brasão de armas da cidade em vermelho e branco, com um navio.

O feixe da lanterna se deteve em uma fotografia. Ela mostrava um homem com boca grande, sorridente, queixo duplo e olhos ligeiramente esbugalhados, reluzindo de alegria. Ove Klipra parecia um homem que gostava de sorrir. Tinha cabelos loiros e cacheados que balançavam ao vento. A foto devia ter sido tirada a bordo de um barco.

— Ele não se encaixa exatamente na imagem de um pedófilo — disse Harry.

— Geralmente é assim — respondeu Løken. Harry olhou para o colega, mas foi cegado pelo feixe da lanterna. — O que é isso?

Harry se virou. Løken havia direcionado a luz a uma caixa de metal cinza no canto. O detetive reconheceu o objeto de imediato.

— Sei o que é isso — disse, contente por, finalmente, ser capaz de dar uma contribuição. — É um gravador que vale meio milhão de coroas. Vi um idêntico no escritório de Brekke. Ele grava conversas telefônicas, e a gravação e o registro do horário não podem ser alterados, de forma que tudo pode ser usado em tribunais. Bom para quem faz negócios na casa dos milhões ao telefone.

Harry folheou os documentos sobre a mesa. Viu papel timbrado de empresas japonesas e americanas, acordos, contratos, minutas de contratos e alterações nas minutas. O projeto do novo elevado era mencionado em muitos deles. Observou um livreto que trazia o selo do Barclays Tailândia na capa. Era um relatório sobre uma empresa chamada Phuridell. Em seguida, ergueu a luz da lanterna. E parou quando a luz fixou um objeto na parede.

— Na mosca! Olha aqui, Løken. Essa deve ser a outra faca que você mencionou.

Løken não respondeu; estava de costas para Harry.

— Você ouviu o que eu...?

— Temos que sair daqui, Harry. Agora.

Harry se virou e observou a lanterna de Løken apontando para uma pequena caixa na parede com uma luz vermelha piscando. No segundo seguinte, foi como se uma agulha de tricô estivesse sendo enfiada em seu ouvido. O apito era tão alto que ele ficou quase surdo de imediato.

— Alarme com *delay*! — gritou Løken, já no meio do caminho. — Desligue a lanterna!

Harry cambaleou escada abaixo na escuridão, atrás de Løken. Conseguiram chegar até a porta lateral que dava para a garagem.

— Espere. — Harry ajoelhou-se e pegou os pedaços de gesso no chão.

Do lado de fora, já podiam ouvir vozes e o tilintar de chaves. A luz da lua ganhava um tom azulado ao atravessar o mosaico de vidro que ficava acima da porta e refletia no chão de madeira diante deles.

— O que você está fazendo?

Harry não teve tempo de responder, porque eles ouviram a maçaneta girar. Chegaram até a porta lateral e, no segundo seguinte, já estavam correndo de cabeça abaixada pela grama, enquanto o gemido histérico do alarme ficava cada vez mais fraco atrás deles.

— Essa foi por um triz — disse Løken, quando já estavam do outro lado do muro. Harry olhou para ele. Viu o reflexo do luar no dente de ouro. Løken não estava sequer ofegante.

39

Segunda-feira, 20 de janeiro

Quando Harry enfiou a tesoura na tomada na casa de Løken, um cabo da fiação elétrica entrou em curto em algum lugar dentro da parede. Por isso, os dois tiveram de se sentar à luz bruxuleante de uma vela mais uma vez. Løken tinha acabado de abrir uma garrafa de Jim Beam.

— Por que está franzindo o nariz, Hole? Não gosta do cheiro?

— Não há nada de errado com o cheiro.

— É o gosto, então?

— O gosto é maravilhoso. Jim e eu somos velhos amigos.

— Ah. — Løken se serviu de uma dose generosa. — Deixaram de ser bons companheiros, talvez?

— Dizem que ele exerce má influência sobre mim.

— E quem faz companhia a você agora?

Harry levantou a garrafa de Coca.

— O imperialismo cultural norte-americano.

— Está na seca?

— Bebi uma quantidade generosa de cerveja no outono.

Løken deu uma gargalhada.

— Então, achei o motivo. Andei pensando na razão de Torhus ter escolhido você.

Harry sabia que esse era um elogio. Løken achava que Torhus podia ter escolhido sujeitos mais idiotas. Havia tentado encontrar um motivo porque não o considerava um policial incompetente.

Harry acenou com a cabeça em direção à garrafa.

— Isso ajuda a lidar com o nojo?

Løken ergueu as sobrancelhas.

— Quero dizer, a bebida ajuda a esquecer o trabalho por um tempo? Os meninos, as fotos, toda essa merda?

O ex-militar tomou a bebida de uma só vez e se serviu de outra dose. Tomou um gole, pousou o copo na mesa e se recostou na cadeira.

— Tenho qualificações especiais pra esse trabalho, Harry.

O detetive tinha apenas uma vaga ideia do que o colega estava querendo dizer.

— Eu sei o que eles pensam, o que os motiva, o que os excita, quais tentações eles podem resistir e quais não podem. — Løken encheu o cachimbo. — Conheço os caras há muito tempo.

Harry não sabia o que dizer. Então, ficou em silêncio.

— Está na seca, não é? Então acho que você é bom nisso, hein, Harry? Em renunciar às coisas? Você toma uma decisão e se mantém firme aconteça o que acontecer, não é?

— Bom, sim, acho que sim. O problema é que as decisões nem sempre são boas.

Løken riu novamente. E Harry se lembrou de um velho amigo que ria de um jeito parecido. Tinha enterrado o tal amigo em Sydney, mas recebia visitas regulares dele à noite.

— Somos parecidos, então — comentou Løken. — Nunca encostei em uma criança em toda minha vida. Sonhei com isso, fantasiei sobre isso e chorei por causa disso, mas nunca fiz nada. Consegue compreender?

Harry engoliu em seco.

— Nem sei quantos anos eu tinha na primeira vez que meu padrasto me violentou, mas acho que não havia completado nem 5. Enterrei um machado na coxa dele quando tinha 13. Atingi uma artéria, o cara entrou em choque e quase morreu. Ele sobreviveu, mas acabou em uma cadeira de rodas. Disse que tinha sido um acidente. Que o machado havia escorregado da mão dele quando cortava madeira. Provavelmente considerou que estávamos quites.

Løken ergueu o copo e olhou para o líquido marrom.

— Você deve achar que isso é um enorme paradoxo — continuou. — Que crianças que foram abusadas sexualmente têm maior probabilidade estatística de se tornarem abusadores.

Harry deu um sorriso forçado.

— É verdade — disse Løken. — Os pedófilos em geral sabem exatamente o sofrimento que estão provocando nas crianças. Muitos abusadores já experimentaram esse medo, a confusão e a culpa. Você sabia que vários psicólogos afirmam que existe uma estreita relação entre a excitação sexual e o desejo de morrer?

Harry fez que não. Løken esvaziou o copo de uma vez só e fez uma careta.

— É como a mordida de um vampiro. Você pensa que está morto e, em seguida, acorda e descobre que se tornou um vampiro também. Imortal, com uma insaciável sede de sangue.

— E com um desejo eterno de morrer?

— Exatamente.

— E o que faz você ser diferente?

— Todo mundo é diferente, Hole.

Løken terminou de colocar o tabaco no cachimbo e o pôs sobre a mesa. Tinha tirado a blusa preta de gola alta, e o suor brilhava em seu torso nu. Ele era musculoso e tinha uma boa constituição física, mas sobras de pele e músculos cansados denunciavam sua idade. Talvez um dia ele morresse, afinal.

— Quando encontraram uma revista de pornografia infantil no meu armário no alojamento dos oficiais em Vardø, fui convocado pelo comandante. Tive sorte, admito; eles não me denunciaram. Não sujaram minha ficha, apenas pediram que eu pedisse baixa da força aérea. Por meio dos meus contatos na inteligência, fui para os Serviços Especiais, órgão precursor da CIA. Eles me mandaram fazer um curso nos Estados Unidos e depois fui enviado para a Coreia, sob o pretexto de trabalhar em um hospital de campanha norueguês.

— E pra quem exatamente você está trabalhando agora?

Løken deu de ombros para indicar que aquilo realmente não importava.

— Você não tem vergonha? — perguntou Harry.

— Claro — disse Løken, com um sorriso cansado no rosto. — Todo santo dia. É uma das minhas fraquezas.

— Então por que está me contando tudo isso?

— Bom, primeiro porque estou velho demais para ficar me escondendo por aí. Segundo, tenho outras pessoas a considerar além de mim mesmo. E terceiro, porque a vergonha reside mais em um plano emocional do que intelectual.

Um canto da boca de Løken se ergueu em um sorriso sarcástico.

— Eu assinava o *Archives of Sexual Behavior* pra ver se algum pesquisador conseguia explicar que tipo de monstro eu era. Mais por curiosidade do que por vergonha. Li um artigo sobre um monge pedófilo na Suíça; tenho certeza de que nunca fez nada também. No meio do artigo, informavam que ele tinha se trancado em um quarto e bebido óleo de fígado de bacalhau com fragmentos de vidro, aí nem terminei de ler. Prefiro me ver como um produto da minha educação e do meu ambiente, mas, apesar de tudo, uma pessoa com moral. Consigo conviver comigo mesmo, Hole.

— Mas, sendo um pedófilo, como consegue trabalhar com prostituição infantil? Isso não excita você?

Løken fitou a mesa, absorto em pensamentos.

— Você já fantasiou estuprar uma mulher, Hole? Não precisa responder, eu sei que já. Isso não quer dizer que você vá estuprar alguém, certo? Também não significa que seja incapaz de trabalhar em casos de estupro. Mesmo que você entenda como um homem pode perder o autocontrole. É realmente muito simples. É errado. É contra a lei. O desgraçado vai ter que pagar.

Løken terminou o terceiro copo. O conteúdo da garrafa já estava abaixo do rótulo.

Harry meneou a cabeça.

— Desculpe, estou tendo dificuldade em aceitar isso. Se você compra pornografia infantil, você é parte do esquema. Sem pessoas como você, não haveria um mercado pra esse lixo.

— Verdade. — Os olhos de Løken estavam vidrados. — Não sou santo. E ajudei a fazer do mundo o vale de lágrimas que ele é. O que eu posso dizer? É como na canção: se chover, sou como todo mundo, vou me molhar.

Harry de repente se sentiu velho também. Velho e cansado.

— Então, o que foi aquilo com os pedaços de gesso? — perguntou Løken.

— Só uma ideia meio louca. O gesso me pareceu semelhante ao que encontramos na chave de fenda que estava no porta-malas de Molnes. Amarelado. Não inteiramente branco como gesso normal. Vou mandar os flocos pra análise e comparar com o gesso do carro.

— E no que isso vai ajudar?

Harry deu de ombros.

— A gente nunca sabe se algo vai ajudar. Noventa e nove por cento da informação que recolhemos durante um caso acaba se mostrando inútil. Tudo que podemos fazer é torcer pra estarmos atentos o suficiente pra distinguir o um por cento que importa e que está bem embaixo do nosso nariz.

— Verdade. — Løken fechou os olhos e se recostou na cadeira.

Harry desceu as escadas até a rua e comprou uma sopa de macarrão com camarões de um homem banguela com um boné do Liverpool. O cara tirou duas conchas de sopa de um caldeirão preto e colocou o conteúdo em um saco plástico, deu um nó e sorriu, mostrando as gengivas. Na cozinha, Harry encontrou dois pratos de sopa. Løken acordou assustado quando o detetive o sacudiu, e eles comeram em silêncio.

— Acho que sei quem deu a ordem para a investigação — disse Harry.

Løken não respondeu.

— Sei que você não podia esperar até que o acordo com a Tailândia fosse assinado e selado pra começar seu trabalho. Era urgente, né? Era urgente obter resultados, por isso você começou a investigação.

— Você não desiste?

— E isso tem alguma importância agora?

Løken atirou a colher na mesa.

— Pode levar um tempão pra reunir provas. Talvez anos. O tempo era mais importante do que qualquer outra coisa.

— Aposto que não há nada por escrito que permita rastrear quem ordenou essa investigação. Caso isso venha à tona, Torhus, do Ministério das Relações Exteriores, vai se ferrar sozinho. Estou certo?

— Bons políticos sempre se certificam de ter costas largas, não é? Eles têm secretários de Estado pra fazer o trabalho sujo. E secretários de Estado não dão ordens. Eles apenas dizem aos diretores o que eles têm que fazer pra subir na hierarquia em uma carreira estagnada.

— Você por acaso estaria se referindo ao secretário de Estado Askildsen?

Løken colocou um camarão na boca e o mastigou em silêncio.

— Então, o que Torhus receberá em troca dessa operação? Um cargo de diretor-geral?

— Não sei. Não falamos sobre esse tipo de coisa.
— E a comissária de polícia? Ela não está correndo riscos demais?
— Suponho que ela provavelmente seja uma boa social-democrata.
— Ambições políticas?
— Talvez. Talvez nenhum deles esteja correndo tantos riscos quanto você pensa. Ter um escritório no mesmo edifício que o embaixador não quer dizer...
— Que você esteja na folha de pagamento deles? Então pra quem você trabalha? É freelancer?

Løken sorriu para sua imagem refletida na sopa.
— Então, o que aconteceu com aquela mulher, Hole?

Harry olhou espantado para o detetive.
— Aquela que parou de fumar — insistiu Løken.
— Já disse. Ela conheceu um músico inglês e foi pra Londres com ele.
— E depois disso?
— Quem disse que aconteceu alguma coisa depois disso?
— Você. Pelo jeito como falou dela. — Løken riu. Largou a colher e se recostou novamente na cadeira. — Diga, Hole. Ela realmente parou de fumar? Pra sempre?
— Não — disse Harry, tranquilamente. — Mas agora ela não fuma mais. E nunca mais vai fumar.

Harry olhou para a garrafa de Jim Beam, fechou os olhos e tentou se lembrar do calor de uma dose, a primeira dose.

Ele ficou no apartamento até que Løken adormecesse. Então, passou os braços por debaixo dos ombros do homem mais velho e o levou para a cama. Cobriu-o com um cobertor e saiu em seguida.

O porteiro do River Garden estava dormindo também. Harry pensou em acordá-lo, mas desistiu — todo mundo devia dormir um pouco esta noite. Alguém havia passado uma carta por baixo da porta de Harry. Ele a deixou fechada em cima da mesa de cabeceira junto com a outra, foi para perto da janela e viu um navio cargueiro deslizando sob a ponte Taksin, preto e silencioso.

40

Terça-feira, 21 de janeiro

Eram quase dez horas quando Harry chegou à delegacia. Encontrou Nho de saída.

— Você já soube?

— Do quê? — Harry bocejou.

— Da ordem dada por sua comissária em Oslo.

Harry negou com a cabeça.

— Ficamos sabendo na reunião desta manhã. Os figurões se reuniram.

Liz deu um pulo da cadeira quando Harry irrompeu em seu escritório.

— Bom dia, Harry?

— Não é um bom dia. Fui pra cama quase às cinco. O que foi isso que ouvi sobre diminuir o ritmo da investigação?

Liz suspirou.

— Parece que nossos chefes tiveram uma conversinha. Sua comissária de polícia veio falando sobre orçamento curto e falta de pessoal e disse que quer você de volta, e o nosso chefe de polícia está começando a ficar inquieto por causa de todos os outros casos de assassinato que deixamos de lado por causa desse. É claro que eles não falaram em engavetar o caso, apenas considerá-lo um caso normal, não prioritário.

— O que isso quer dizer?

— Quer dizer que tenho ordens pra colocá-lo em um avião nos próximos dias.

— E?

— Disse a eles que os aviões em geral estão lotados em janeiro, e que poderia demorar até uma semana.

— Então temos uma semana?

— Não. Se a classe econômica estiver lotada, devo comprar a passagem na primeira classe.

Harry riu.

— Trinta mil coroas. Orçamento apertado? Eles estão ficando nervosos, Liz.

Liz se recostou, fazendo a cadeira ranger.

— Você quer falar sobre esse assunto, Harry?

— Você quer?

— Não sei se *querer* é um bom verbo. Algumas coisas ficam melhores quando a gente deixa elas pra lá, não é?

— Então por que não deixamos pra lá?

Ela virou a cabeça, abriu as cortinas e olhou para fora. De onde Harry estava sentado, a luz sobre a cabeça de Liz parecia uma auréola.

— Você sabe qual é o salário médio de um recruta da polícia aqui da Tailândia, Harry? Cento e cinquenta dólares por mês. Há 120 mil policiais aqui tentando sustentar suas famílias, e não conseguimos nem pagar o suficiente pra que se sustentem sozinhos. Você acha realmente estranho que alguns deles tentem complementar seus salários fazendo vista grossa pra algumas coisas?

— Não.

Ela suspirou.

— Pessoalmente, eu nunca consegui agir assim. Só Deus sabe como um dinheirinho extra cairia bem, mas não me sinto confortável com esse tipo de coisa. Provavelmente isso deve parecer um juramento de escoteira, mas o fato é que alguém tem que fazer o trabalho direito.

— Além disso, é sua...

— Responsabilidade, é sim. — Ela deu um sorriso cansado. — Todos temos uma cruz pra carregar.

Harry começou a falar. Liz apanhou um café, avisou a central telefônica que não atenderia nenhuma ligação, fez uma anotação, tomou mais café, olhou para o teto, disse uns palavrões e finalmente pediu a Harry que saísse para que ela pudesse refletir um pouco.

Uma hora depois, chamou-o de volta. Estava furiosa.

— Porra, Harry, você tem noção do que está me pedindo pra fazer?

— Sim. E posso ver que você também tem.

— Posso perder meu emprego se concordar em acobertar você e esse Løken.

— Eu agradeço.

— Vá se foder!

Harry abriu um sorriso.

A mulher que atendeu o telefone na Câmara de Comércio de Bangkok desligou quando Harry falou em inglês. Então ele pediu a Nho que fizesse a ligação e escreveu o nome Phuridell, que tinha visto na primeira página do relatório no escritório de Klipra.

— Só preciso que descubra o que eles fazem, quem é o dono, essas coisas.

Nho saiu para fazer a ligação, e Harry tamborilou com os dedos na mesa até decidir pegar o telefone e dar outro telefonema.

— Hole — foi a resposta. Era, claro, o nome de seu pai, e Harry sabia que o velho tinha o hábito de atender dessa forma, assim como toda a família. Aquela resposta o fez ter a sensação de que sua mãe ainda estava na poltrona verde da sala de estar, fazendo um bordado ou lendo um livro. Harry suspeitava de que estava prestes a conversar com ela também.

Seu pai tinha acabado de acordar. Harry perguntou quais eram os planos dele para o dia e ficou surpreso ao saber que o velho estava indo para a cabana em Rauland.

— Vou cortar lenha — disse. — Estou ficando sem.

O velho raramente ia à cabana.

— Como vão as coisas? — perguntou o pai.

— Bem. Logo vou estar em casa. Como está minha irmã?

— Está se virando, mas nunca vai ser uma boa cozinheira.

Ambos sorriram. Harry podia visualizar como a cozinha devia ter ficado depois de sua irmã ter feito o almoço de domingo.

— Bom, é melhor você trazer alguma coisa bonita daí pra ela — aconselhou o pai.

— Vou procurar um souvenir. E você? Quer alguma coisa?

A linha ficou em silêncio. Harry se xingou; sabia que os dois estavam pensando a mesma coisa. O que ele queria, Harry não podia comprar em Bangkok. Era assim o tempo todo; sempre que achava que tinha conseguido fazer o pai sair da concha, dizia ou fazia alguma coisa que o fazia se lembrar da mãe. Então ele se fechava mais uma vez, voltava ao seu isolamento silencioso e autoimposto. Era ainda pior para sua irmã. Ela ficava duplamente sozinha quando Harry não estava lá.

Seu pai tossiu.

— Você podia... podia me trazer uma dessas camisas tailandesas.

— Sério?

— Sim, isso seria legal. E um par de tênis de corrida da Nike; eles devem ser baratos na Tailândia. Tirei os meus antigos do armário ontem e eles não prestam mais. Por falar nisso, você está correndo? Está pronto pra uma prova em Hanekleiva?

Quando Harry colocou o fone no gancho, sentia um estranho aperto no peito.

Ele não fez mais nada pelo resto do dia.

Rabiscou alguma coisa e se perguntou se seus rabiscos lembravam algo.

Jens ligou para perguntar como estava indo o caso. Harry respondeu que era segredo de Estado, e Jens compreendeu, mas disse que dormiria melhor se soubesse que tinham outro suspeito. Então o corretor contou ao detetive uma piada que havia acabado de ouvir ao telefone, sobre um ginecologista que disse a um colega que uma de suas pacientes tinha um clitóris que parecia um pepino em conserva. "Grande assim?", perguntou o colega. "Não", respondeu o ginecologista. "Salgado."

Jens pediu desculpas pela qualidade das piadas que circulavam pelo mundo das finanças.

Mais tarde, Harry tentou contar a piada a Nho, mas o inglês de um dos dois não estava à altura da tarefa, porque ambos ficaram constrangidos.

Em seguida, o detetive entrou no escritório de Liz e perguntou se podia ficar ali por um tempo. Depois de uma hora, ela ficou de saco cheio da presença silenciosa de Harry e pediu que ele saísse.

O detetive jantou no Le Boucheron mais uma vez. O dono falou com ele em francês, e Harry sorriu e disse algo em norueguês.

Sonhou com ela novamente. Os cabelos ruivos esparramados e os olhos calmos e confiantes. Esperou pela imagem que geralmente se seguia, de algas saindo pela boca e pelas órbitas oculares, mas dessa vez ela não surgiu.

— É Jens.

Harry acordou e percebeu que tinha atendido o telefone ainda dormindo.

— Jens? — Harry se perguntava por que seu coração tinha começado a bater tão rápido.

— Desculpe, Harry, mas é uma emergência. Runa desapareceu.

Harry acordou de imediato.

— Hilde está enlouquecida. Ela devia estar em casa na hora do jantar, mas já são três da madrugada. Chamei a polícia, e eles acionaram as viaturas na rua, mas queria pedir sua ajuda também.

— Minha ajuda pra quê?

— Pra quê? Não sei. Você não pode vir aqui? Hilde está quase arrancando os cabelos.

Harry conseguia imaginar a cena. E não tinha a menor vontade de presenciá-la.

— Olha, Jens, não tem muito que eu possa fazer agora. Dê um calmante pra ela, se não estiver bêbada demais, e ligue pra todos os amigos de Runa.

— A polícia falou a mesma coisa. Hilde diz que ela não tem amigos.

— Merda!

Parte Cinco

41

Quarta-feira, 22 de janeiro

Hilde Molnes estava definitivamente bêbada demais para tomar um calmante. Estava bêbada demais para a maioria das coisas, exceto para ficar ainda mais bêbada.

Jens não se dava conta disso. Parecia um animal perseguido, vindo correndo da cozinha trazendo água com gelo.

Harry sentou no sofá, ouvindo, distraído, as lamúrias de Hilde.

— Ela acha que algo terrível aconteceu — disse Jens.

— Explique que mais de oitenta por cento das pessoas desaparecidas reaparecem sãs e salvas — pediu o detetive, como se o que dizia precisasse ser traduzido por Jens na linguagem lamurienta de Hilde.

— Já expliquei, mas ela fala que tem certeza de que fizeram alguma coisa com Runa. Que é o coração dela que está dizendo.

— Bobagem!

Jens sentou-se na beirada da cadeira, torcendo as mãos. Parecia totalmente incapaz de pensar ou agir e olhava suplicante para Harry.

— As duas vinham discutindo muito recentemente. Fiquei pensando se talvez... se Runa não fugiu pra punir a mãe. Não é lá muito improvável.

Hilde Molnes tossiu, dando sinal de vida no sofá. Sentou-se e tomou mais uns goles de gim. Fazia um bom tempo que a tônica tinha sido deixada de lado.

— Ela às vezes fica desse jeito — justificou Jens, como se a mulher não estivesse presente. E de certa forma não estava, pelo que Harry podia ver. Hilde estava de boca aberta e roncava baixinho. Jens olhou para ela.

— No dia em que a gente se conheceu, ela me disse que bebia tônica pra não contrair malária. Tônica contém quinino, sabe? Mas o sabor fica tão sem graça sem gim... — Ele exibiu um sorriso cansado e novamente tirou o telefone do gancho para conferir se estava funcionando. — Para o caso de ela...

— Entendo — falou Harry.

Sentaram-se no terraço e ficaram escutando a cidade. O ruído das britadeiras sobrepujava o do tráfego.

— São as obras do novo elevado — comentou Jens. — Estão trabalhando nisso dia e noite agora. Vai atravessar o bairro bem ali. — Ele apontou.

— Ouvi dizer que tem um norueguês envolvido no projeto, Ove Klipra. Conhece?

Harry olhava para Jens de canto de olho.

— Ove Klipra, sim, claro. Somos seu principal corretor. Já fiz um bocado de operações de câmbio pra ele.

— Ah, é? E você tem ideia do que ele anda aprontando no momento?

— Aprontando? Ele vem comprando uma porção de empresas, se é a isso que você se refere.

— Que tipo de empresas?

— Na maior parte pequenas, familiares. Klipra quer aumentar sua participação nas licitações de transportes com a aquisição de empresas subcontratadas.

— É uma jogada inteligente?

Obviamente aliviado por poder pensar em outra coisa, Jens se animou.

— Sim, contanto que ele seja capaz de financiar essas aquisições. E contanto que as empresas não quebrem antes de ele ganhar as licitações.

— Você conhece uma empresa chamada Phuridell?

— E como conheço. — Jens riu. — Klipra nos pediu uma auditoria da empresa, e recomendamos a aquisição. Mas a questão é: como você conhece a Phuridell?

— Não foi uma recomendação muito feliz, certo?

— Não, não exatamente... — Jens parecia perplexo.

— Ontem pedi a uma pessoa que vasculhasse informações sobre a empresa, e parece que, pra todos os efeitos, ela está bem falida.

— É isso mesmo, mas por que esse interesse na Phuridell?

— Vamos dizer que estou mais interessado em Klipra. Você deve ter uma ideia aproximada do patrimônio total dele. Nesse caso, qual deve ser o tamanho do estrago nas contas por causa da Phuridell?

Jens deu de ombros.

— Em circunstâncias normais não seria um problema, mas, nesse processo das licitações, Klipra pegou tantos financiamentos pra essas aquisições que a coisa toda é um castelo de cartas. Basta uma brisa pra vir tudo abaixo, se é que você me entende. E ele vai junto.

— Então o cara comprou a Phuridell por recomendação da sua corretora, ou melhor, por sua recomendação. Três semanas depois, a empresa quebra, e agora é possível que tudo que ele construiu desabe por causa do conselho de um corretor. Não manjo muito de auditoria de empresas, mas três semanas é um tempo muito curto. Ele percebeu de que tinha comprado um carro usado sem motor. E que o lugar de aventureiros como você é atrás das grades.

Jens de repente se deu conta de onde Harry estava querendo chegar.

— Você não está dizendo que Ove Klipra...? Está de brincadeira!

— Bom, eu tenho uma teoria.

— Qual?

— A de que Ove Klipra assassinou o embaixador no hotel e armou pra ter certeza de que todas as suspeitas recaíssem sobre você.

Jens ficou de pé.

— Agora você está viajando de vez, Harry.

— Senta e me ouve, Jens.

O outro desabou de volta na cadeira com um suspiro. Harry se debruçou sobre a mesa.

— Ove Klipra é um cara agressivo, certo? Um homem de ação?

Jens hesitou.

— É.

— Imagine que Atle Molnes soubesse de algum segredo e estivesse exigindo uma grande soma em dinheiro justamente quando Klipra lutava pra suas finanças não afundarem.

— Que tipo de segredo?

— Digamos apenas que Molnes precisa de dinheiro e tem em mãos um material que pode complicar bastante a vida de Klipra. Em uma situação normal, Klipra talvez fosse capaz de dar um jeito na questão, mas, naquele momento difícil, ele não aguenta a pressão. Ele se sente como um rato encurralado. Está acompanhando?

Jens assentiu.

— Eles saem da casa de Klipra no carro do embaixador, pois o empresário deve ter insistido que a troca do material comprometedor pelo dinheiro deveria ser feita em um lugar mais discreto. O embaixador tem boas razões pra não se opor. Não acredito muito que Klipra já tivesse você em mente quando, ao chegar à agência bancária, sai do carro e despacha o embaixador pro hotel. Toma essa providência pra que depois, ao chegar lá, possa entrar despercebido. Mas então começa a pensar. Quem sabe não pudesse matar dois coelhos com uma cajadada só? Ele sabe que mais cedo, naquela mesma tarde, você e o embaixador tinham se encontrado, e que por isso você acabaria sendo um dos alvos da investigação policial. É aí que passa a cogitar a ideia: quem sabe o amável *herr* Brekke não tenha um álibi pra essa noite?

— Por que ele pensaria isso?

— Porque ele tinha pedido a você um relatório de auditoria para o dia seguinte. Você é o corretor dele há um bom tempo, o que significa que Klipra conhece um pouquinho dos seus hábitos no trabalho. Talvez até tenha ligado de um telefone público pra confirmar que você não estava recebendo ligações e que ninguém poderia dar a você um álibi. Fisgado pela ideia de incriminá-lo, ele quer ir mais longe e convencer a polícia de que você estará mentindo.

— As imagens do circuito interno?

— Como você presta serviços a ele regularmente como consultor de câmbio, ele deve ter feito várias visitas ao escritório e conhece o funcionamento do estacionamento. Talvez Molnes tenha mencionado de passagem que você o havia acompanhado até o carro, e Klipra sabia que isso apareceria em seu depoimento à polícia. Qualquer detetive que se preze também daria uma conferida nas imagens.

— Então Ove Klipra subornou o manobrista do estacionamento para, em seguida, matá-lo com ácido cianídrico? Desculpe, Harry, mas, pra mim, imaginar que Ove Klipra possa ter negociado com um garoto negro, comprado ópio e misturado com ácido cianídrico na própria cozinha já é pedir demais.

Harry pegou o último cigarro do maço; vinha guardando-o pelo máximo de tempo possível. Deu uma olhada no relógio. Não havia nenhuma razão para acreditar que Runa fosse ligar às cinco da manhã. Mas reparou que ainda assim Jens fazia questão de manter o telefone no campo de visão. O outro sacou o próprio isqueiro antes de Harry ter a chance de encontrar o seu próprio.

— Obrigado. Você sabe alguma coisa do passado de Klipra, Jens? Sabia que a vinda dele pra cá como megainvestidor foi, na verdade, uma fuga da Noruega depois que alguns boatos chocantes começaram a se espalhar por lá?

— O que eu sei é que ele nunca terminou o curso de engenharia que estava fazendo na Noruega. O resto é novidade pra mim.

— Você acha que um expatriado como ele, alguém que não faz parte dessa sociedade, tem algum escrúpulo em usar os meios que forem necessários pra se dar bem, especialmente quando esses meios são relativamente tolerados em toda parte? Faz mais de trinta anos que Klipra está em um dos negócios mais corruptos do mundo em um dos países mais corruptos do mundo. Nunca ouviu aquele ditado: "Em Roma como os romanos"?

Jens balançou a cabeça negativamente.

— O que estou dizendo é que, sendo um homem de negócios, Klipra joga com as mesmas regras de todos. E esse pessoal precisa se certificar de que não vai sujar as mãos, por isso contrata gente que faça o serviço sujo. Meu palpite é de que Klipra nem sabe como Jim Love morreu.

Harry deu uma tragada no cigarro. O gosto não lhe pareceu tão bom quanto imaginou que seria.

— Entendo — falou Jens, por fim. — O que não entendo é por que ele me culparia, se há uma explicação pra falência. Compramos a Phuridell de uma empresa multinacional que não tinha fixado o valor de suas dívidas em dólares, uma vez que recebia dólares de outras subsidiárias.

— Como é?

— Resumindo: Klipra assumiu a empresa justamente quando o dólar passou a ficar sob enorme pressão. Era uma bomba-relógio. Falei pra gente fazer logo a correção da dívida pela venda de dólar futuro, mas ele disse que ia esperar porque a moeda estava supervalorizada.

Sob condições normais de flutuação cambial, daria pra dizer que era um risco, caso se confirmasse o pior cenário. Mas a coisa foi pior do que o pior cenário. Quando, em um período de três semanas, o dólar quase dobrou de valor em relação ao *baht*, a dívida da empresa dobrou junto. A falência não aconteceu em três semanas, mas em três *dias*!

Jens pronunciou a última palavra com tanta ênfase que Hilde Molnes teve um espasmo e murmurou alguma coisa dormindo. Ele olhou para ela, preocupado, e esperou até que ela tivesse virado de lado e voltado a roncar.

— Três dias! — sussurrou, mostrando com o polegar e o indicador que era mesmo muito pouco tempo.

— Então você acha que não seria razoável da parte dele colocar a culpa em você?

Jens negou com a cabeça. Harry apagou o cigarro; tinha sido um anticlímax.

— Pelo que conheço de Klipra, ele não sabe muito bem o que significa "razoável". Você não devia subestimar a irracionalidade da natureza humana, Jens.

— O que você quer dizer?

— Quando está pregando um prego e acerta o polegar, o que você joga contra a parede?

— O martelo?

— E aí, como é a sensação de ser um martelo, Jens Brekke?

Às cinco e meia, Harry ligou para a delegacia de polícia e precisou ser transferido para três pessoas até encontrar alguém que falasse um mínimo de inglês. Essa pessoa lhe disse que não sabiam de nada e não haviam recebido qualquer informação a respeito do paradeiro de Runa.

— Ela vai aparecer — completou a pessoa.

— Com certeza vai — respondeu Harry. — Imagino que esteja hospedada em algum hotel. Daqui a pouco deve ligar pra pedir o café da manhã.

— Como é?

— Imagino que... deixa pra lá. Obrigado pela atenção.

Jens o acompanhou escada abaixo. Harry olhou para o céu; estava amanhecendo.

— Quando isso tudo tiver terminado, gostaria de pedir um favor a você — falou Jens. Respirou fundo e sorriu, acanhado. — Hilde aceitou meu pedido de casamento, e preciso de um padrinho.

Harry precisou de alguns segundos para se dar conta do que o outro queria dizer. A surpresa foi tão grande que, por alguns momentos, não soube o que responder.

Jens examinava as pontas dos próprios sapatos.

— Sei que parece estranho a gente se casar assim, logo depois da morte do marido dela, mas temos nossas razões.

— Sim, mas...

— Você vai dizer que me conhece há pouco tempo? Eu sei, Harry, mas eu não seria um homem livre agora se não fosse por você. — Ele ergueu o queixo e sorriu. — Enfim, pense no assunto.

Relâmpagos iluminavam o céu sobre os telhados a leste quando Harry conseguiu um táxi. O nevoeiro provocado pela fumaça dos escapamentos, que, imaginara Harry, desaparecia durante a noite, tinha apenas se assentado entre as casas. Agora se elevava com o sol nascente como parte de uma magnífica e avermelhada aurora. O carro seguia pela Silom Road, e os pilares do novo elevado projetavam sombras compridas e silenciosas, feito dinossauros adormecidos, sobre o asfalto tingido de vermelho-sangue.

Sentado na cama, Harry olhou para o criado-mudo. Apenas naquele momento lembrou-se das cartas, das quais tinha esquecido completamente. Apanhou o envelope mais recente e o abriu, usando sua chave para rasgar o papel. Talvez tivesse deduzido que as cartas eram de Runa pelo fato de os dois envelopes serem idênticos. A mensagem, digitada e impressa em uma impressora a laser, era breve e ia direto ao ponto:

Harry Hole. Posso vê-lo daqui. Não se aproxime. Ela será entregue de volta sã e salva quando você estiver no avião a caminho de casa. Sou capaz de encontrá-lo onde quer que esteja. Você está sozinho, totalmente sozinho. Número 20.

Sentia-se como se alguém estivesse lhe dando uma gravata e precisou ficar de pé para respirar.

Isso não está acontecendo, pensou. Não é *possível* que esteja acontecendo — não outra vez.

Posso vê-lo daqui... Número 20.

Ele sabe que eles sabem.

Você está sozinho.

Alguém tinha dado com a língua nos dentes. Tirou o telefone do gancho, mas o colocou de volta no lugar. Pense, pense. Woo não levara nada dali. Voltou a apanhar o fone e desencaixou o bocal. Ao lado do microfone que devia estar ali, havia um pequeno objeto preto semelhante a um chip. Harry já tinha visto um daqueles antes. Era um modelo russo, provavelmente melhor que os grampos usados pela CIA.

O chute no criado-mudo foi tão violento que mandou o móvel pelos ares, e a dor no pé que agora latejava neutralizou todas as outras que Harry sentia.

42

Quarta-feira, 22 de janeiro

Liz levou a xícara de café à boca e bebeu tão ruidosamente que Løken olhou para Harry com a sobrancelha arqueada, como se perguntasse de onde tinha saído aquela criatura. Estavam no Millie's Karaokê. No pôster na parede, uma Madonna platinada os observava com olhar ávido, enquanto uma versão para karaokê de "I Just Called to Say I Love You" tocava alegremente. Harry tentou desligá-la com o controle remoto. Tinham lido a carta, e ninguém ainda havia tomado a iniciativa de responder. Harry achou o botão certo, e a música parou de tocar de repente.

— Era isso que eu tinha a dizer — falou Harry. — Como vocês podem ver, temos um vazamento.

— E quanto ao grampo que você diz que esse Woo colocou no seu telefone? — perguntou Løken.

— Não explica como o cara sabe que estamos atrás dele. Não cheguei a falar muita coisa pelo telefone. De qualquer forma, sugiro que, a partir de agora, a gente se encontre aqui. Se descobrirmos o informante, talvez isso nos leve até Klipra, mas acho que não devemos começar por aí.

— Por que não? — quis saber Liz.

— Minha impressão é de que esse informante esteja tão bem disfarçado quanto Klipra.

— Sério?

— Ao escrever a carta, Klipra está revelando que tem acesso a informação privilegiada. Nunca faria isso se houvesse alguma chance de a gente descobrir quem a repassa.

— Por que não ir direto à pergunta mais óbvia? — retrucou Løken. — Como você sabe que o informante não é um de nós?

— Não sei. Mas, se for, já perdemos o caso, então vamos ter que correr o risco.

Os demais assentiram.

— Nem preciso dizer que o tempo trabalha contra nós. Também é desnecessário acrescentar que as estatísticas não são favoráveis à garota. Setenta por cento dos sequestros desse tipo acabam com a morte da vítima.

O detetive tentou dizer isso no tom mais neutro possível, evitando trocar olhares com os outros dois. Tinha certeza de que seus olhos deixavam transparecer tudo o que pensava e sentia.

— Então por onde começamos? — perguntou Liz.

— Por eliminação — respondeu Harry. — Descartando os lugares onde ela *não* está.

— Bom, enquanto o cara estiver com ela é improvável que o deixem atravessar qualquer fronteira internacional — começou Løken. — Ou que os dois façam check-in em um hotel.

Liz concordou.

— Ele provavelmente a levou pra algum lugar onde possam ficar escondidos por bastante tempo.

— Será que está agindo sozinho? — questionou Harry.

— Klipra não tem ligação com nenhuma das famílias da máfia tailandesa — informou Liz. — O tipo de crime organizado em que está envolvido não lida com sequestro. Não é tão difícil encontrar alguém que dê fim a um viciado em ópio como Jim Love, mas pra raptar uma menina branca, filha de um embaixador... Qualquer um que ele tentasse contratar faria uma varredura geral antes de pegar o serviço, pois saberia que toda a polícia seria mobilizada pra pegá-lo.

— Então você acha que ele está agindo por conta própria?

— Como eu disse, Klipra não tem relação com nenhuma das famílias. Nelas, o que manda são as lealdades e tradições. Mas Klipra deve ter lançado mão de terceirizados nos quais nunca poderia confiar cem por cento. Mais cedo ou mais tarde descobririam as razões pra ele querer a garota, o que talvez acabasse sendo usado contra ele. O fato de ter eliminado Jim Love sugere que nada vai detê-lo enquanto estiver tentando proteger a própria identidade.

— Certo, vamos supor que ele esteja operando sozinho. Onde poderia estar escondendo a garota?

— Em um monte de lugares — respondeu Liz. — Suas empresas devem possuir muitas propriedades, com certeza algumas delas desocupadas.

Løken tossiu alto, recuperou o fôlego novamente e engoliu.

— Faz um tempão que suspeito de que Klipra mantém um local secreto para seus encontros. Já o vi saindo com uns meninos de carro e só voltando na manhã seguinte. Nunca consegui descobrir onde é; certamente não tem registro nenhum. Mas é óbvio que tem que ser um esconderijo onde não seja importunado, e não muito longe de Bangkok.

— A gente não consegue encontrar um desses meninos pra perguntar onde fica? — sugeriu Harry.

Løken deu de ombros e olhou para Liz.

— A cidade é grande — ponderou ela. — Pela nossa experiência, esses meninos desaparecem como orvalho ao sol da manhã assim que saímos atrás deles. Além disso, teríamos de envolver muitas outras pessoas.

— Certo, esquece — falou Harry. — Não podemos correr o risco de que Klipra desconfie do que estamos fazendo.

Harry batia com uma caneta na borda da mesa. Para sua irritação, percebeu que sua mente não conseguira se livrar de "I Just Called to Say I Love You".

— Ou seja, pra resumir, o que a gente deduz é que Klipra realizou esse sequestro sozinho e está em algum esconderijo nos arredores de Bangkok.

— O que fazemos agora? — quis saber Løken.

— Vou a Pattaya — disse Harry.

Era um sujeito à margem na comunidade de imigrantes. Para Harry, ele não parecera ter muita importância no caso; era apenas mais um cidadão norueguês que tinha vindo para a Tailândia atrás de um clima melhor. Roald Bork não tinha mudado nada desde que Harry o havia encontrado no funeral: os mesmos olhos azuis cheios de vida e a corrente de ouro à mostra. Parado junto ao portão, viu Harry manobrar em frente à casa o grande Toyota quatro por quatro. A poeira assentou no caminho de cascalho enquanto Harry tentava se libertar do cinto de segurança e tirava a chave da ignição. Como sempre, estava despreparado para o calor do lado de fora do carro quando abriu a porta, e teve dificuldade para respirar. O ar era salgado ali, indicando que bem atrás das montanhas baixas ficava o mar.

— Escutei você vindo lá de baixo pela trilha — comentou Bork. — Uma máquina e tanto, essa aí.

— Aluguei o maior modelo disponível — falou Harry. — Aprendi que com isso é possível conseguir alguma prioridade no trânsito. O que é muito necessário, com esses malucos dirigindo pela esquerda.

Bork riu.

— Você achou a rodovia nova que eu falei pra você?

— Sim, achei. Só que ainda não está terminada, então foi bloqueada com sacos de areia em alguns pontos. Mas, como todo mundo estava passando por cima das barreiras, fui atrás.

— Isso me parece razoável — disse Bork. — Não exatamente legal, mas também não é ilegal. Não admira que a gente se apaixone por este país, né?

Tiraram os sapatos e entraram na casa. Harry sentiu nos pés descalços o choque do piso frio de pedra. Na sala, havia fotos de Fridtjof Nansen, Henrik Ibsen e da família real norueguesa. Em uma das imagens, um menino sentado sobre uma cômoda encarava a câmera com os olhos semicerrados. Devia ter uns 10 anos e segurava uma bola de futebol debaixo do braço. Documentos e jornais estavam organizados em pilhas bem-arrumadas sobre a mesa da sala de jantar e o piano.

— Venho tentando organizar um pouco minha vida — comentou Bork. — Descobrir o que aconteceu e por quê.

Apontou para uma das pilhas.

— Aquela é a papelada do divórcio. Fico olhando pra ela e tentando lembrar o que houve.

Uma moça adentrou o recinto com uma bandeja. Harry provou o café que ela despejou em sua xícara e ergueu a vista para encará-la, perplexo, ao se dar conta de que o café estava frio.

— Você é casado, Hole? — quis saber Bork.

Harry negou com a cabeça.

— Que bom. Fique bem longe desse negócio. Mais cedo ou mais tarde, elas acabam passando a perna em você. Tenho uma esposa que me arruinou e um filho que está tentando fazer a mesma coisa. E não consigo descobrir o que foi que eu fiz pra eles.

— Como você veio parar aqui? — perguntou Harry, tomando mais um gole. Na verdade, o café não era assim tão ruim.

— Vim fazer um trabalho pra Televerket quando estavam instalando umas centrais telefônicas pra uma empresa de telefonia tailandesa. Depois da terceira viagem, nunca mais voltei à Noruega.

— Nunca mais?

— Eu era divorciado e tinha tudo de que precisava aqui. Durante algum tempo, ainda acreditei de verdade que sentia falta do verão norueguês, com fiordes e montanhas e, bom, você sabe, tudo isso aí. — Indicou as fotos na parede com a cabeça, como se elas completassem o que ele queria dizer. — Aí voltei pra Noruega duas vezes, mas em ambas não fiquei mais de uma semana. Não conseguia suportar aquilo lá. Era só pôr os pés em solo norueguês pra começar a querer voltar pra cá. Agora já entendi que aqui é o meu lugar.

— O que você faz da vida?

— Sou um consultor na área de telecomunicações prestes a se aposentar. Pego trabalhos ocasionais, mas não muitos. Fico tentando estabelecer uma relação entre o tempo que me resta e o dinheiro necessário pra me sustentar. Não quero deixar nem um tostão pros abutres.

Ele riu e fez um gesto na direção dos papéis do divórcio, como se espantasse um mau cheiro.

— E quanto a Ove Klipra? Por que ele ainda está aqui?

— Klipra? Humm, acho que a história dele é parecida. Nem ele nem eu tínhamos boas razões pra voltar.

— Klipra provavelmente tinha razões muito boas pra não voltar.

— Esses boatos são uma grande bobagem. Se Klipra estivesse metido nesse tipo de coisa, eu jamais teria alguma coisa a ver com ele.

— Tem certeza?

Os olhos de Bork faiscaram.

— Alguns noruegueses vieram parar aqui pelas razões erradas. Como você sabe, sou meio que um veterano na comunidade norueguesa de Bangkok, e a gente se sente um pouco responsável pelo que os compatriotas fazem. A maioria de nós leva uma vida decente, e fizemos tudo que precisava ser feito. Esses malditos pedófilos destruíram a reputação de Pattaya de um jeito que, quando perguntam onde a gente mora, muitos passaram a responder com os nomes dos bairros, como Naklua e Jomtien.

— O que exatamente você quer dizer com "nós fizemos tudo que precisava ser feito"?

— Vamos dizer que dois voltaram pra casa e outro, infelizmente, nem isso conseguiu.

— Esse se jogou de uma janela? — sugeriu Harry.

A risada de Bork ressoou na sala.

— Não, não chegamos a esse ponto, mas foi provavelmente a primeira vez que a polícia recebeu uma denúncia anônima em tailandês com sotaque de Nordland.

Harry sorriu.

— Seu filho? — O detetive fez um gesto na direção da fotografia do menino sobre a cômoda.

Bork pareceu ter sido pego um pouco de surpresa, mas confirmou.

— Parece um moleque bacana.

— É, ele era. — Bork sorriu, o olhar triste, antes de repetir: — Ele era.

Harry deu uma olhada no relógio. Tinha demorado quase três horas para vir de Bangkok. Dirigiu feito um motorista inexperiente até os quilômetros finais, quando relaxou um pouco. Talvez na viagem de volta levasse só umas duas horas e pouco. Tirou três fotos da pasta, colocando-as sobre a mesa. Løken tinha feito ampliações de vinte e quatro por trinta centímetros para que o impacto fosse inegável.

— Acreditamos que Ove Klipra esteja escondido nos arredores de Bangkok. Você vai nos ajudar?

43

Quarta-feira, 22 de janeiro

A irmã de Harry parecia feliz ao telefone. Tinha conhecido um rapaz, Anders. Ele havia acabado de se mudar para Sogn, para o mesmo corredor do abrigo, e era um ano mais novo que ela.

— E usa óculos também, mas não faz mal, porque ele é lindo de morrer.

Harry riu, enquanto tentava visualizar o novo namoradinho de sua irmã.

— Anders é totalmente maluco. Ele acha que vão deixar a gente ter filhos. Imagina só.

Harry só imaginou; talvez conversas difíceis estivessem por vir. Naquele momento, porém, se sentia feliz por sua irmã parecer tão contente.

— Por que você está triste?

A pergunta de sua irmã veio acompanhada de um suspiro, como se não tivessem mudado de assunto, como se ela ainda estivesse falando que seu pai tinha ido visitá-la.

— Estou triste? — perguntou Harry, sabendo que sua irmã sempre conseguia diagnosticar seu estado de espírito melhor que ele próprio.

— Está, sim, tem alguma coisa deixando você triste. É a moça sueca?

— Não, não é Birgitta. É um assunto que está me chateando no momento, mas logo vai ficar tudo bem. Logo vou resolver tudo.

— Que bom.

Como sua irmã não falou mais nada, ficaram em um silêncio incomum. Harry disse que era melhor encerrarem a ligação.

— Harry?

— Oi?

Ele pôde perceber que ela reunia coragem para dizer algo.

— Você não acha que a gente pode deixar tudo pra lá?

— Tudo o quê?

— Sabe, aquele homem... Anders e eu, a gente... a gente está bem. Eu não queria mais pensar naquilo.

Harry ficou em silêncio. Então respirou fundo.

— Ele agrediu você.

A voz dela imediatamente deixou transparecer as lágrimas.

— Eu sei. Você não precisa me dizer isso de novo. Só estou dizendo que não quero mais pensar nisso.

Ela fungou, e Harry sentiu um aperto no peito.

— Por favor, Harry?

O detetive a imaginou do outro lado da linha, a mão apertando o fone com toda força.

— Não pense nisso. Não pense nisso. Vai ficar tudo bem.

Estavam deitados no capim-elefante havia quase duas horas, esperando o sol se pôr. A cem metros dali, à entrada de um bosque, havia uma pequena casa construída no estilo tailandês tradicional, em bambu e madeira, com um pátio no centro. A casa não tinha portão, apenas uma trilha de cascalho que levava à porta principal. Na frente, era possível ver algo semelhante a uma gaiola colorida pendurada em um poste. Era um *phra phum*, santuário dedicado ao espírito protetor de um determinado lugar.

— O dono precisa acalmar os espíritos pra que eles não se mudem pra dentro da casa — explicou Liz, esticando as pernas. — Então, oferece a eles comida, incenso, cigarros e assim por diante, pra que fiquem felizes.

— E isso basta?

— Não nesse caso.

Não tinham ouvido nem visto qualquer sinal de vida. Harry tentava pensar em outra coisa que não fosse o cenário que poderia encontrar lá dentro. O trajeto de carro de Bangkok até ali levara apenas uma hora e meia; no entanto, era como se tivessem desembarcado em outro mundo. Haviam conseguido estacionar atrás de uma cabana com um chiqueiro ao lado, à beira da estrada, e encontraram uma trilha que percorria uma encosta íngreme e arborizada até um platô onde, conforme a explicação de Roald Bork, ficava a casinha de Klipra. O bosque ali perto era verdejante, o céu, azul, e pássaros de todas as cores do arco-íris sobrevoavam o ponto onde Harry, deitado de costas, escutava o silêncio. De início, achou que tinha algodão nos ouvidos, até se dar conta de que, desde Oslo, não sabia o que era silêncio.

Quando a noite caiu, o silêncio se foi. Primeiro vieram os ruídos dispersos dos insetos que passavam raspando ou zunindo, uma orquestra sinfônica afinando os instrumentos. Em seguida, teve início o concerto de grasnidos e cacarejos, num crescendo, até que uivos e guinchos altos e estridentes vindos das árvores se somaram à orquestra.

— Esses animais estavam aqui esse tempo todo? — perguntou Harry.

— Não me pergunte — respondeu Liz. — Sou uma garota da cidade.

Harry sentiu uma coisa fria e escorregadia tocar sua pele e retraiu a mão.

Løken deu uma risadinha.

— São só os sapos saindo pro passeio noturno — falou.

E não deu outra: logo eram muitos, por todo lado, pulando para onde lhes desse na telha.

— Bom, desde que sejam só sapos, tudo bem — comentou Harry.

— Sapos também servem de comida — lembrou Løken, puxando um capuz preto para cobrir a cabeça. — Onde tem sapo, tem cobra.

— Está de brincadeira!

Løken deu de ombros.

Harry não estava nem um pouco a fim de saber a verdade, mas não conseguiu deixar de perguntar:

— Que tipo de cobra?

— Cinco ou seis diferentes tipos de naja, cobra-verde, víbora de Russell e outras tantas. Fique ligado. Dizem que, das trinta variedades mais comuns na Tailândia, vinte e seis são venenosas.

— Merda. E como a gente sabe quais são venenosas?

Løken dirigiu a Harry aquele olhar que o fazia se sentir como um recruta esforçado.

— Harry, se você levar em conta as probabilidades, acho que deve simplesmente partir do pressuposto de que todas são.

Eram oito horas.

— Estou pronta — disse Liz, impaciente, verificando pela terceira vez se sua Smith & Wesson 650 estava carregada.

— Com medo? — quis saber Løken.

— Só do chefe de polícia descobrir o que estamos aprontando antes de a gente terminar o serviço — respondeu a inspetora. — Sabe qual é a expectativa média de vida de um guarda de trânsito em Bangkok?

Løken pousou a mão no ombro dela.

— Certo, vamos nessa.

Mantendo a cabeça abaixada, Liz correu no meio da grama alta e desapareceu na escuridão.

Løken perscrutou a casa com seu binóculo, enquanto Harry cobria a parte da frente com o rifle de caçar elefantes que Liz havia pegado no depósito de armas da polícia com um revólver, um Ruger SP101. Ele não estava acostumado com coldre de perna, mas não se usa o de ombro em lugares onde jaquetas são impensáveis. A lua cheia, alta no céu, proporcionava luz suficiente para que distinguisse o contorno das janelas e das portas.

Liz piscou a lanterna uma vez: era o sinal de que estava em posição junto a uma janela.

— Sua vez, Harry — falou Løken, ao perceber a hesitação do detetive.

— Merda, por que você tinha que falar das cobras? — praguejou Harry, verificando se estava com a faca no cinto.

— Você não gosta delas?

— Bom, as que eu conheci me deixaram uma péssima impressão.

— Se for picado, não deixe de pegar a cobra pra poder receber o antídoto certo. Aí não vai ter problema se levar uma segunda picada.

Harry não conseguiu ver se Løken sorria no escuro, mas tinha o palpite de que sim.

Correu na direção da casa, que se destacava na escuridão da noite. Ao correr, tinha a impressão de que a silhueta feroz da cabeça de dragão no topo do telhado também se movia. E, apesar disso, o aspecto da casa era o de um lugar sem vida. Ele sentia o cabo da marreta na mochila batendo em suas costas. Tinha parado de pensar nas cobras.

Chegou à segunda janela, fez um sinal para Løken e se agachou. Fazia um bom tempo que não corria uma distância assim; provavelmente era por isso que seu coração agora batia tão rápido. Ouviu uma respiração leve ao seu lado. Era Løken.

Harry tinha sugerido gás lacrimogêneo, mas Løken havia rejeitado a ideia na mesma hora. O gás não os deixaria enxergar mais nada, e não tinham nenhuma razão para acreditar que Klipra estivesse esperando por eles com uma faca no pescoço de Runa.

Løken ergueu um dos punhos, o sinal combinado com Harry.

O detetive assentiu. Podia sentir a boca seca, um sinal de que a adrenalina percorria suas veias na dose exata. Apalpou a coronha da arma com a mão úmida. Certificou-se de que a porta abria mesmo para dentro antes de Løken preparar o golpe com a marreta.

A luz da lua reluziu no ferro, e, por um segundo, Løken pareceu um jogador de tênis prestes a sacar quando, enfim, a marreta desceu com enorme força e arrebentou a fechadura com um estrondo.

No instante seguinte, Harry estava dentro da casa, a luz da lanterna vasculhando a sala. Ele a viu imediatamente, mas o feixe de luz seguiu adiante, como se agisse por vontade própria. Prateleiras da cozinha, uma geladeira, um banco, um crucifixo. Não escutava mais o barulho dos bichos. Estava de volta a Sydney, e tudo que ouvia agora era o ruído das correntes, ondas batendo na lateral de um barco ancorado em uma marina e gaivotas grasnando sem parar, talvez porque Birgitta estivesse no convés, morta para sempre.

Uma mesa com quatro cadeiras, um armário, duas garrafas de cerveja, um homem no chão, imóvel, a cabeça sobre uma poça de sangue, a mão oculta no cabelo dela, uma arma sob a cadeira, um quadro que retratava um prato com frutas e um vaso sem flores. *Stilleben. Nature morte.* Natureza-morta. A luz da lanterna voltou para ela, e mais uma vez ele viu: a mão erguida, apoiada em uma das pernas da mesa. Ouviu a voz de Runa:

— Consegue sentir? A gente pode ter a vida eterna!

Como se ela estivesse tentando reunir energia para um último protesto contra a morte. Uma porta, um freezer, um espelho. Antes de não ver mais nada, Harry contemplou a própria imagem por um breve instante — uma figura vestida de preto, com um capuz cobrindo a cabeça. Estava parecendo um carrasco. Ele deixou a lanterna cair.

— Você está bem? — quis saber Liz, pousando uma mão em seu ombro.

Ele fez menção de responder, chegou a abrir a boca, mas não saiu nada.

— É Ove Klipra, com certeza — informou Løken. Estava agachado ao lado do morto, a cena iluminada por uma lâmpada no teto. — Que coisa. Pensar que espionei esse cara por meses.

Ele pôs a mão na testa de Klipra.

— Não toque nele! — Harry agarrou Løken pelo colarinho e o suspendeu do chão. — Não...! — Soltou-o em seguida. — Desculpe, eu... Só não toque em nada. Ainda não.

Løken não respondeu; apenas ficou olhando para Harry. Uma ruga profunda ocupou o espaço entre as sobrancelhas inexistentes de Liz.

— Harry?

O detetive desabou em uma cadeira.

— Acabou agora, Harry. Sinto muito, todos sentimos, mas acabou.

Harry balançou a cabeça. Liz se debruçou sobre ele e pousou a mão grande e quente em seu pescoço. Do jeito como sua mãe costumava fazer. Merda, merda, merda.

Harry ficou de pé, desvencilhou-se de Liz e saiu da casa. Podia ouvir os dois conversando aos sussurros lá dentro. Olhou para o céu, em busca de uma estrela, mas não conseguiu encontrar nenhuma.

Era quase meia-noite quando Harry chegou à porta da casa. Hilde Molnes o atendeu. Ele baixou os olhos; não havia telefonado antes e, pelo modo como ela respirava, sentiu que logo viriam as lágrimas.

Sentaram-se um de frente para o outro na sala de estar. Pelo que Harry podia ver, não tinha sobrado nada da garrafa de gim, mas ela parecia suficientemente sóbria. Hilde enxugou as lágrimas.

— Ela queria ser atleta de saltos ornamentais, sabe?

Harry assentiu.

— Mas não deixavam ela participar de competições normais. Alegavam que os juízes não saberiam como avaliar os saltos dela. Algumas pessoas diziam que era injusto. Que ela levaria vantagem com um braço só.

— Sinto muito — falou Harry. Foi a primeira coisa que disse desde que chegou ali.

— Ela não sabia — retomou Hilde. — Se soubesse, não teria falado comigo daquele jeito.

Hilde chorou, as lágrimas descendo pelas rugas junto à boca feito pequenos córregos.

— O que ela não sabia, *fru* Molnes?

— Que estou doente! — gritou Hilde, antes de cobrir o rosto com as mãos.

— Doente?

— E por que mais eu estaria me anestesiando desse jeito? Logo meu corpo terá sido consumido. Está podre, só há células mortas.

Harry não disse nada.

— Eu queria ter contado a ela — sussurrou Hilde, a voz escapando pelos dedos. — Os médicos me deram seis meses de vida. Eu queria esperar um dia bom pra contar. — Falava de forma quase inaudível agora. — Mas não tivemos nenhum.

Sem conseguir permanecer sentado, Harry se pôs de pé. Andou até a grande janela com vista para o jardim, desviando os olhos das fotos de família na parede, pois sabia quem encontraria ali. A luz da lua se refletia na piscina.

— Eles já ligaram, os caras pra quem seu marido devia dinheiro?

Hilde afastou as mãos do rosto. Os olhos estavam vermelhos, disformes de tanto chorar.

— Ligaram, mas Jens estava aqui e falou com eles. Depois disso eu não soube de mais nada.

— Então quer dizer que ele cuida de você, é isso?

Harry ficou pensando por que tinha feito aquela pergunta. Talvez fosse uma tentativa desastrada de consolá-la, de lembrá-la de que ainda tinha alguém com quem podia contar.

Hilde assentiu em silêncio.

— E agora vocês vão casar?

— Tem alguma objeção?

Harry se virou para ela.

— Não, por que deveria ter?

— Runa... — Hilde não conseguiu prosseguir, as lágrimas descendo de novo pelo rosto. — Não cheguei a sentir muito amor nessa vida, Hole. É pedir demais querer alguns meses de felicidade antes do fim? Será que ela não podia me conceder isso?

Harry viu uma pequena pétala que flutuava na piscina. Lembrou-se dos navios cargueiros da Malásia.

— Você o ama, *fru* Molnes?

No silêncio que se seguiu, ele quase ouviu uma fanfarra.

— Amor? Que importância tem isso? Imagino que sim. Acho que sou capaz de amar qualquer um que me ame. Você entende?

Harry olhou na direção do bar. Estava a apenas três passos de distância. Três passos, dois cubos de gelo e um copo. Fechou os olhos e chegou a ouvir o tilintar dos cubos de gelo no cristal, o gorgolejar da garrafa que vertia o líquido marrom e, por fim, o chiado da soda se misturando ao álcool.

44

Quinta-feira, 23 de janeiro

Eram sete horas da manhã quando Harry retornou à cena do crime. Às cinco, havia desistido de tentar dormir; vestira-se e pegara no estacionamento o carro alugado. Não havia mais ninguém na casa: com o trabalho já concluído por enquanto, a equipe de legistas não voltaria ali até pelo menos a próxima hora. Harry passou por baixo da fita laranja da polícia e entrou.

O lugar parecia muito diferente à luz do dia: silencioso e bem-conservado. As únicas evidências de que se tratava da mesma sala onde ele estivera na noite anterior eram o sangue e os contornos de dois corpos desenhados a giz no assoalho de madeira rústica.

Nenhuma carta havia sido encontrada, mas ninguém tinha dúvidas do que tinha acontecido. A questão era mais por que Ove Klipra havia atirado nela antes de se suicidar. Teria percebido que era o fim da linha para ele? E, se sim, por que não simplesmente a deixou ir embora? Talvez as coisas não tivessem saído como o planejado, talvez ele tivesse atirado porque ela tentara escapar ou dissera alguma coisa que o havia deixado fora de si. Mas depois dar um tiro em si mesmo? Harry coçou a cabeça.

Examinou o contorno a giz do corpo dela e o sangue que ainda não tinha sido lavado. O tiro disparado por Klipra com a arma encontrada na cena do crime, uma Dan Wesson, atingira Runa no pescoço. A bala havia atravessado o corpo da jovem, dilacerando a artéria de tal forma que o sangue tinha chegado até a pia da cozinha antes de o coração parar de bater. O médico mencionou perda imediata da consciência, pois o cérebro ficou sem oxigênio suficiente, e, depois de três ou quatro batidas do coração, ela estava morta. Um buraco na janela revelava o local de onde Klipra fez o disparo. Posicionado sobre a silhueta a giz do corpo do atirador, Harry confirmou que o ângulo batia.

Olhou para o chão.

No local da poça que estivera sob a cabeça de Klipra, o sangue formava um halo negro coagulado. E só. Ele havia atirado dentro da própria boca. Harry viu que o pessoal da perícia tinha marcado, também a giz, o ponto onde a bala atravessara a parede dupla de bambu. Imaginou Klipra se deitando, girando a cabeça e, antes de puxar o gatilho, olhando para Runa, talvez se perguntando onde ela estava naquele momento.

Harry foi até o lado de fora da casa e localizou o ponto de saída da bala. Espiou pelo buraco e viu o quadro bem à frente na parede oposta. Natureza-morta. Estranho; achou que dali fosse enxergar o contorno do corpo de Klipra. Seguiu adiante até o lugar onde ele, Liz e Løken tinham ficado deitados na grama no dia anterior, os passos firmes para espantar qualquer réptil no caminho, e dali chegou ao santuário doméstico que os tailandeses chamam de casa dos espíritos. Uma estatueta pequena e sorridente de Buda com uma barriga redonda feito um globo ocupava a maior parte do espaço, com algumas flores murchas em um vaso, quatro cigarros com filtro e algumas velas já usadas. Um furinho branco nas costas da estatueta de cerâmica indicava o ponto onde a bala tinha se alojado. Harry sacou o canivete suíço e extraiu dali um pedaço disforme de chumbo. Virou-se para olhar a casa. A trajetória da bala era uma linha reta horizontal. Ficava claro que Klipra estava de pé no momento em que se suicidou. Por que tinha pensado que ele havia se deitado?

Caminhou de volta até a casa. Algo estava errado. Tudo parecia muito bonitinho e arrumado. Harry abriu a geladeira. Vazia, nenhuma provisão para manter duas pessoas vivas. Quando estava investigando o armário da cozinha, um aspirador de pó caiu em seu dedão do pé. O detetive praguejou e tentou empurrá-lo de volta, mas o aspirador caiu de novo antes que ele pudesse fechar a porta. Examinando mais de perto, reparou que havia um gancho onde pendurar o aspirador.

Organização, ele pensou. Há organização aqui. Mas alguém andou perturbando a ordem das coisas.

Removeu as garrafas de cerveja de cima da tampa do freezer e o abriu. O vermelho-claro da carne armazenada ali reluziu. Não estava embalada, mas simplesmente estocada em peças grandes, o sangue congelado formando uma membrana escura em alguns pontos. Suspendeu uma delas e a examinou antes de logo colocá-la de volta no lugar, já praguejando contra sua imaginação mórbida. Parecia carne de porco normal.

Harry ouviu um ruído e voltou-se para a porta. Uma figura estacou ali, paralisada. Era Løken.

— Jesus, você me assustou, Harry. Tinha certeza de que não havia ninguém aqui. O que você está fazendo?

— Nada. Bisbilhotando por aí. E você?

— Vim ver se encontrava algum documento que a gente pudesse usar na investigação sobre pedofilia.

— Pra quê? O caso não vai ter que ser arquivado, agora que ele está morto?

Løken deu de ombros.

— Precisamos reunir provas substanciais de que fizemos a coisa certa, porque, não tenha dúvida, essa investigação vai se tornar o centro das atenções agora.

Harry encarou Løken. Será que ele parecia um pouquinho nervoso?

— Pelo amor de Deus, você tem as fotos. Quer prova melhor que essa?

Løken abriu um sorriso, mas não a ponto de exibir seu dente de ouro.

— Talvez você tenha razão, Harry. Provavelmente eu sou só um velho nervoso querendo me certificar de tudo. Achou alguma coisa?

— Isso — respondeu Harry, mostrando a bala de chumbo.

— Humm — Løken examinou o pedaço de metal. — Onde você o encontrou?

— Lá na casa dos espíritos. E não consigo entender como.

— Por que não?

— Porque isso significa que Klipra precisaria estar de pé quando atirou em si mesmo.

— E daí?

— Daí que, se fosse assim, haveria sangue espalhado pra todo lado no chão da cozinha. Mas não tem sangue nenhum dele, só no local onde estava caído. E mesmo assim não muito.

Løken segurou o projétil entre as pontas dos dedos.

— Nunca ouviu falar do efeito de vácuo em casos de suicídio?

— Como funciona?

— Quando uma vítima expele o ar dos pulmões pra colocar o cano da arma dentro da boca, acaba criando um vácuo ali, o que significa que o sangue vai escorrer pra dentro da boca, em vez de vazar pelo orifício de saída da bala. Dali desce pro estômago, deixando pra trás pequenos mistérios como esse.

Harry ficou olhando para o ex-militar.

— Essa é nova pra mim.

— Seria muito chato se você já soubesse tudo com trinta e poucos anos — retrucou Løken.

Tonje Wiig telefonou para dizer que todos os grandes jornais noruegueses haviam ligado para a embaixada e que os mais sedentos de sangue tinham anunciado a iminente chegada de seus repórteres a Bangkok. Na Noruega, as manchetes se concentravam, por ora, na filha do embaixador falecido recentemente. Ove Klipra, apesar do status que tinha na Tailândia, era um nome desconhecido em seu país natal. Era verdade que tinha dado uma entrevista ao *Kapital* alguns anos antes, mas, por não ter sido convidado nem por Per Ståle Lønning nem por Anne Grosvold para seus programas, escapara de uma maior exposição pública.

Os relatos davam conta de que ambos, "A Filha do Embaixador" e "O Desconhecido Magnata Norueguês", tinham sido mortos a tiros, provavelmente por ladrões.

Na Tailândia, porém, fotos de Klipra estampavam todos os jornais. A hipótese de latrocínio mantida pela polícia foi questionada pelo repórter do *Bangkok Post*, que argumentou que não se podia descartar a possibilidade de Klipra ter matado Runa Molnes e se suicidado em seguida. O jornal também especulava sobre as possíveis consequências para as obras na área dos transportes. Harry ficou impressionado.

Mas, tanto na Tailândia quanto na Noruega, os jornais destacavam o fato de que as informações divulgadas pela polícia tailandesa eram até então muito vagas.

Harry seguiu de carro até o portão da casa de Klipra e buzinou. Tinha de admitir que estava começando a gostar daquele jipe Toyota. O segurança apareceu, e o detetive abaixou o vidro da janela.

— Polícia. Liguei pra vocês — anunciou.

O rapaz dirigiu a Harry aquela olhada obrigatória típica dos seguranças antes de abrir o portão.

— Será que você podia abrir a porta da frente pra mim? — pediu o detetive.

O segurança pegou uma carona no estribo lateral do jipe, e Harry notou os olhos perscrutadores do rapaz. Estacionou na garagem. O segurança chacoalhou o molho de chaves.

— A porta principal fica do outro lado — falou, e Harry quase deixou escapar que já sabia. Quando o segurança inseriu a chave na fechadura e estava prestes a girá-la, virou-se para o detetive: — Eu já não encontrei o senhor alguma vez?

Harry sorriu. O que teria sido? A loção pós-barba? O sabonete que usara? Dizem que o olfato é o sentido para o qual o cérebro tem a melhor memória.

— Muito improvável.

O segurança sorriu também.

— Desculpe, senhor. Devo estar confundindo-o com outra pessoa. Não consigo diferenciar *farangs*.

Harry estava prestes a revirar os olhos, mas se deteve.

— Me diz uma coisa: você se lembra de um carro azul da embaixada ter vindo aqui pouco antes da morte de Klipra?

O segurança assentiu.

— Não tenho problemas pra lembrar de carros. Era um *farang* quem dirigia.

— E como ele era?

O segurança deu uma risada.

— É como eu disse, eu...

— Que roupa estava usando?

O outro balançou a cabeça.

— Terno?

— Acho que sim.

— Um terno amarelo? Amarelo-ovo?

O segurança franziu o cenho e ficou olhando para Harry.

— Ovo? Ninguém usa terno cor de ovo.

Harry deu de ombros.

— Bom, tem gente que usa.

O detetive foi até o corredor por onde Løken e ele tinham entrado, parou e examinou uma pequena marca em forma de círculo na parede. Aparentemente alguém havia tentado pendurar um quadro ali, mas tinha desistido enquanto fixava o parafuso.

Foi até o escritório, folheou os documentos, basicamente de forma aleatória, e ligou o computador, que pediu uma senha. Harry tentou "MAN U", de Manchester United. Incorreto.

Que língua educada, o inglês.

Tentou "OLD TRAFFORD". Incorreto de novo.

Uma última tentativa errada e o computador seria bloqueado automaticamente. Olhou ao redor, como que à procura de uma pista. Qual era a senha que ele mesmo usava? Deu uma risadinha. Claro. A senha mais usada na Noruega. Meticulosamente digitou as letras P-A-S-S-W-O-R-D, então pressionou Enter.

A máquina pareceu hesitar por um segundo. Em seguida, desligou sozinha, e Harry visualizou uma mensagem não muito educada: acesso negado.

— Merda.

Tentou desligar e ligar novamente o computador, mas tudo o que restou foi uma tela branca.

Folheou mais papéis e encontrou uma lista recente dos acionistas da Phuridell. Um nome novo, Ellem Ltd, aparecia na relação, com três por cento das ações. Ellem. Harry foi invadido por uma ideia maluca, mas a rejeitou.

No fundo de uma gaveta, encontrou o manual do dispositivo de gravação. Deu uma olhada no relógio e suspirou. Era bom começar logo a leitura. Meia hora depois, estava ouvindo a fita. A voz de Klipra balbuciava em tailandês na maior parte tempo, mas Harry conseguiu ouvi-lo mencionar Phuridell algumas vezes. Desistiu após três horas. A conversa com o embaixador no dia do crime simplesmente não aparecia em nenhuma das fitas. Aliás, tampouco havia alguma outra gravação daquele dia. Enfiou uma das fitas no bolso, desligou o gravador e fez questão de dar um chute no computador ao sair.

45

Sexta-feira, 24 de janeiro

Ele não sentiu grande coisa. Comparecer ao funeral foi como assistir à reprise de um programa de TV. O mesmo lugar, o mesmo padre, o mesmo caixão, o mesmo impacto da luz do sol nos olhos quando ele saiu para o dia claro, depois da cerimônia, e as mesmas pessoas paradas no topo da escada, olhando umas para as outras, desconfiadas. Quase as mesmas pessoas. Harry disse olá para Roald Bork.

— Foi você que descobriu os corpos, certo? — limitou-se a dizer.

Havia um véu cinzento encobrindo seus olhos; Bork parecia diferente, como se os últimos acontecimentos o tivessem envelhecido muito.

— Sim, fomos nós.

— Ela era tão jovem.

A frase soou como uma pergunta. Era como se ele pedisse a alguém que lhe explicasse como aquele tipo de coisa podia acontecer.

— Está quente — falou Harry, para mudar de assunto.

— Não tanto quanto no lugar pra onde Klipra foi — disse ele em tom casual, mas ao mesmo tempo duro, amargurado. Secou a testa com um lenço. — A propósito, percebi que precisava dar um tempo nesse calor. Já comprei a passagem.

— Vai pra Noruega?

— Sim, pra Noruega. O quanto antes. Liguei pro meu filho e disse que queria que a gente se encontrasse. Demorei um tempo pra perceber que não era ele ao telefone, mas o filho dele. Rá-rá. Estou ficando senil. Um avô senil, isso promete.

À sombra da igreja, juntos e mantendo distância dos demais, estavam Sanphet e a srta. Ao. Harry foi até eles e retribuiu os *wai* que os dois lhe dirigiram.

— Posso fazer uma pergunta rápida, srta. Ao?

Ela olhou de soslaio para Sanphet antes de assentir.

— É você quem organiza a correspondência na embaixada. Será que conseguiria lembrar se recebeu alguma coisa de uma empresa chamada Phuridell?

Ela refletiu um pouco antes de responder, com um sorriso pesaroso:

— Não lembro. São tantas cartas. Posso verificar na sala do embaixador amanhã, se você quiser. Talvez demore um pouquinho. Ele não era exatamente uma pessoa organizada.

— Não é no embaixador que estou pensando.

Ela agora o encarava com expressão de quem não estava entendendo. Harry soltou um suspiro.

— Nem sei dizer se isso é mesmo importante, mas será que você podia entrar em contato, caso encontre algo? — perguntou.

Ela desviou o olhar para Sanphet.

— Pode deixar, detetive — garantiu o motorista.

Quando Liz entrou apressada e completamente sem fôlego em sua sala, Harry estava à sua espera. Ela tinha gotas de suor na testa.

— Minha nossa! — exclamou. — Dá pra sentir o calor do asfalto atravessando a sola do sapato lá fora.

— Como foi a reunião?

— Boa, acho. Os chefes nos parabenizaram pela solução do caso e não fizeram nenhuma pergunta detalhada sobre o relatório. Até engoliram a história de que chegamos a Klipra por denúncias anônimas. Se o chefe chegou a desconfiar de algum procedimento duvidoso, preferiu não fazer alarde.

— Não achei mesmo que fosse fazer. Não teria nada a ganhar com isso, afinal.

— Acabo de ouvir cinismo em sua voz, sr. Hole?

— De jeito nenhum, srta. Crumley. Sou apenas um jovem e ingênuo detetive que está começando a entender as regras do jogo.

— Pode ser, mas bem lá no fundo o mais provável é que todo mundo tenha ficado aliviado com a morte de Klipra. Algumas revelações bem desagradáveis viriam à tona se o caso fosse a julgamento, não só pra certos chefes de polícia como também pras autoridades de ambos os países.

Liz jogou longe os sapatos e, satisfeita, recostou-se na cadeira. As molas rangeram, e o aroma inconfundível de pés suados se espalhou pela sala.

— Evidentemente, do jeito como acabou, a solução parece ter sido cômoda pra várias pessoas, você não acha? — disse Harry.

— Como assim?

— Sei lá. Acho que tem algo que não se encaixa.

Liz fitou os dedos dos pés e em seguida voltou a olhar para o detetive.

— Alguém já disse que você é paranoico, Harry?

— Já, claro, mas isso não quer dizer que os aliens *não* estejam atrás de você, certo?

Ela pareceu perplexa.

— Relaxa, Harry.

— Vou tentar.

— E aí, quando você vai embora?

— Logo que tiver conversado com o patologista e o pessoal da perícia.

— Pra que você precisa falar com eles?

— Só pra me livrar da paranoia. Sabe como é... umas ideias malucas que passaram pela minha cabeça.

— Certo — falou Liz. — Você já almoçou?

— Já — mentiu Harry.

— Ah, odeio comer sozinha. Não dava pra vir só pra me fazer companhia?

— Fica pra próxima.

Harry levantou e saiu da sala.

O jovem patologista limpava os óculos enquanto falava. Às vezes, as pausas eram tão longas que Harry se perguntava se o lento fluxo de palavras não tinha cessado por completo. Mas aí vinha mais uma, depois outra, e ele se libertava do bloqueio e seguia em frente. A impressão de Harry era de que o rapaz temia ser criticado por seu inglês.

— Fazia no máximo dois dias que o homem estava morto — explicou. — Neste calor, se passasse mais tempo que isso, o corpo... — o médico inflou as bochechas e, com os braços, completou a mímica — ... viraria um enorme balão de gás. E vocês teriam sentido o cheiro. Quanto à garota... — olhou para Harry e, de novo, inflou as bochechas. — Mesma coisa.

— Quanto tempo Klipra levou pra morrer depois do tiro?

O doutor umedeceu os lábios. Harry teve a impressão de que era capaz de sentir o tempo passando.

— Pouco.

— E ela?

O médico da polícia enfiou o lenço no bolso.

— Morte instantânea.

— Digo, seria possível que qualquer um dos dois tenha se movido depois do tiro, tido espasmos ou algo assim?

O doutor colocou os óculos, verificou se estavam limpos e voltou a tirá-los.

— Não.

— Li que, durante a Revolução Francesa, antes das guilhotinas, na época em que as decapitações ainda eram feitas manualmente, os condenados eram informados de que, às vezes, o carrasco errava, e aqueles que conseguissem ficar de pé e descer do patíbulo podiam se considerar livres. Parece que alguns tentavam se levantar sem a cabeça e caminhar alguns passos, mas logo caíam, pra grande júbilo da multidão, claro. Pelo que me lembro, um cientista explicou que, se grandes quantidades de adrenalina chegarem ao coração instantes antes da execução, o cérebro pode ser até certo ponto pré-programado, e os músculos meio que fazem uma hora extra. É o que acontece quando se corta a cabeça de uma galinha.

O médico sorriu.

— Muito divertido, detetive. Mas acho que isso é história pra boi dormir.

— Então como explicar isso?

Passou às mãos do médico uma foto mostrando Klipra e Runa deitados no chão. O médico olhou para a foto, então recolocou os óculos e a examinou detalhadamente.

— Como explicar o quê?

Harry apontou para a foto.

— Veja aqui. A mão dele está encoberta pelo cabelo dela.

O médico piscou, como se um cisco no olho o estivesse impedindo de enxergar o que Harry mostrava.

O detetive espantou uma mosca.

— Olha, você sabe que nosso subconsciente pode instintivamente tirar conclusões, não sabe?

O médico deu de ombros.

— Na hora em que vi isso, concluí instintivamente que Klipra devia estar deitado quando atirou em si mesmo, porque só assim sua mão estaria embaixo do cabelo dela. Mas o ângulo do tiro mostra que ele estava de pé. Como poderia ter atirado nela, se matado e caído de forma que sua mão ficasse embaixo do cabelo de Runa?

O médico tirou os óculos e retomou a limpeza das lentes.

— Talvez ela é que tenha dado os tiros — ponderou ele, mas Harry já não estava ali para ouvir.

Harry tirou os óculos escuros e semicerrou os olhos, que se acostumavam à penumbra do restaurante. Uma mão acenou, e ele se dirigiu a uma mesa debaixo de uma palmeira. A luz do sol fez reluzir a armação de aço dos óculos do sujeito que agora se levantava.

— Vejo que você recebeu minha mensagem — falou Dagfinn Torhus. Sua camisa tinha dois grandes círculos escuros nas axilas. O paletó estava pendurado no encosto da cadeira.

— A inspetora Crumley disse que você tinha ligado. O que o traz aqui? — perguntou Harry, oferecendo um aperto de mão.

— Compromissos administrativos na embaixada. Cheguei hoje de manhã pra resolver algumas questões burocráticas. E precisamos nomear um novo embaixador.

— Tonje Wiig?

Torhus deu um sorriso débil.

— Veremos. Muitas coisas devem ser levadas em consideração. O que a gente come neste lugar?

Um garçom já aguardava o pedido ao lado da mesa, e Harry o encarou como quem esperasse uma resposta.

— Enguia — disse o rapaz. — Especialidade vietnamita. Com vinho rosé do Vietnã e...

— Não, obrigado — interrompeu Harry, espiando o cardápio e apontando para a sopa de leite de coco.

— E uma água mineral, por favor.

Torhus deu de ombros e assentiu, indicando querer o mesmo.

— Parabéns. — Torhus começou a palitar os dentes. — Quando você vai embora?

— Obrigado, mas acho que ainda é cedo pra me dar os parabéns, Torhus. Falta amarrar uns fios soltos.

O outro parou de palitar os dentes.

— Fios soltos? Isso não faz parte da sua missão. Faça as malas e vá pra casa.

— Não é tão simples.

Os olhos azuis e implacáveis do burocrata faiscaram.

— Acabou, entendeu? O caso está resolvido. Todas as primeiras páginas dos jornais de Oslo estamparam ontem que foi Klipra quem matou o embaixador e a filha. Mas a gente vai sobreviver, Hole. Imagino que você se refira ao que disse o chefe de polícia aqui de Bangkok, que não consegue ver um motivo para os crimes, que Klipra talvez fosse simplesmente um lunático. *Tão* simples e *tão* incompreensível. Mas o importante é que as pessoas engulam a história. E elas estão engolindo.

— Então o escândalo já foi evitado?

— Sim e não. Conseguimos abafar a questão do hotel. O principal é que o primeiro-ministro não foi envolvido. Agora são outros assuntos que nos preocupam. A imprensa andou ligando pra cá pra perguntar por que o assassinato do embaixador não foi divulgado antes.

— E o que você respondeu?

— O que eu poderia responder? Dificuldades com a língua, mal-entendidos, informações incompletas da polícia tailandesa no início do caso, esse tipo de coisa.

— E eles engoliram isso?

— Não, não engoliram, mas tampouco podem nos acusar de estar divulgando informações falsas. No comunicado à imprensa, dissemos que o embaixador foi encontrado morto em um hotel, o que é correto. O que você disse a eles quando descobriu os corpos da filha e de Klipra, Hole?

— Nada. — Harry respirou fundo. — Olha, Torhus, encontrei revistas pornográficas na casa de Klipra que sugerem que ele era pedófilo. Isso não foi mencionado em nenhum dos relatórios da polícia.

— Sério? Ora, ora. — Nem por um instante o tom de voz indicou que Torhus pudesse estar escondendo alguma coisa. — Enfim, sua missão aqui na Tailândia terminou, e Møller quer você de volta o quanto antes.

As cumbucas de sopa de leite de coco fervente foram servidas, e Torhus olhou para a dele com desconfiança. Os óculos embaçaram com o calor.

— O *Verdens Gang* deve aparecer pra tirar um belo retrato seu na chegada ao Fornebu — comentou o diplomata, sarcástico.

— Experimente uma das vermelhas — falou Harry, apontando para as pimentas na sopa.

46

Sexta-feira, 24 de janeiro

Segundo Liz, Supawadee era a pessoa que resolvia a maior parte dos casos de homicídio na Tailândia. Seus instrumentos mais importantes eram um microscópio, alguns tubos de ensaio e papel tornassol. Sentado diante de Harry, ele estava radiante como o sol.

— É isso mesmo, Harry. Os pedaços de gesso que você nos forneceu contêm a mesma solução de cal da argamassa na chave de fenda encontrada no porta-malas do carro do embaixador.

Em vez de se limitar a dizer sim ou não à pergunta de Harry, ele repetia toda a questão em sua resposta, para que não houvesse mal-entendidos. Supawadee tinha excelente noção de linguística; sabia que, em inglês, perguntas e respostas podem soar complicadas para um tailandês. Se Harry pegasse um ônibus, começasse a desconfiar de que estava na linha errada e perguntasse a outro passageiro "Este *não* é o ônibus pra Hua Lamphong, *é*?", dependendo da pronúncia e da entonação, o tailandês poderia responder repetindo "é", querendo dizer que sim, o interlocutor estava certo e aquele *não* era o ônibus para Hua Lamphong. *Farangs* sabem que isso acontece. Pela experiência de Supawadee, muitos deles, não muito inteligentes, não se davam conta de como funcionavam essas perguntas e respostas, de modo que tinha chegado à conclusão de que era melhor repetir tudo tintim por tintim.

— Também está certo, Harry. O conteúdo do saco do aspirador de pó encontrado no esconderijo de Klipra era muito interessante. Continha fibras do carpete do porta-malas do carro e do terno do embaixador e também do paletó de Klipra.

Harry anotava tudo, cada vez mais animado.

— E quanto às duas fitas que mandei pra você? Você as enviou a Sydney pelo correio?

Supawadee ficou ainda mais radiante, se é que isso era possível, pois essa seria a melhor parte.

— Estamos no século XX, detetive, não tem mais essa de *enviar pelo correio*. As fitas demorariam pelo menos uns quatro dias pra chegar lá. Passamos as gravações pra uma fita DAT e as enviamos por e-mail pra esse especialista em áudio que você indicou.

— Nossa, dá pra fazer isso? — retrucou Harry, meio resignado, meio para deixar Supawadee feliz. Esse pessoal que gostava de informática sempre o fazia se sentir velho. — E o que diz Jésus Marguez?

— De início falei com ele que achava absolutamente impossível distinguir o local de onde uma pessoa estava telefonando com base em uma mensagem de secretária eletrônica. Mas seu amigo foi extremamente persuasivo. Falou um monte de coisas sobre frequência e hertz, o que foi bastante instrutivo. Por exemplo: você sabia que em um microssegundo o ouvido é capaz de distinguir um milhão de sons diferentes? Acho que ele e eu podíamos...

— Qual foi a conclusão, Supawadee?

— A conclusão dele é de que são duas pessoas diferentes nas gravações, mas há grande probabilidade de que ambos os registros tenham sido feitos no mesmo recinto.

Harry já sentia o coração batendo mais rápido.

— E quanto à carne no congelador?

— Você tinha razão de novo, Harry. A carne no congelador era de porco.

Supawadee piscou e riu, eufórico. Harry sabia que tinha mais por vir.

— E...?

— Mas o sangue não era só de porco. Havia um pouco de sangue humano.

— E você já sabe de quem?

— Bom, vai levar alguns dias pra gente chegar a uma resposta definitiva a partir do teste de DNA, mas já temos noventa por cento de certeza.

Se Supawadee tivesse um trompete à mão, pensou Harry, ele com certeza tocaria uma fanfarra antes de prosseguir.

— O sangue é do nosso amigo, *nai* Klipra.

Finalmente, Harry conseguiu falar com Jens no escritório.

— Como estão as coisas, Jens?

— Bem.

— Tem certeza?

— Como assim?

— Você parece... — Harry não conseguiu encontrar uma palavra que descrevesse o tom de voz do outro. — Você parece um pouco triste — concluiu.

— É. Não. Não é muito fácil falar sobre isso. Ela perdeu a família inteira e...

A voz sumiu.

— E você?

— Não comece.

— Qual é, Jens.

— É só que, se em algum momento eu quis pular fora desse casamento, isso agora é absolutamente impossível.

— Por quê?

— Meu Deus, eu sou a única pessoa que restou na vida dela, Harry. Sei que deveria estar pensando nela e em tudo que ela passou, mas em vez disso estou pensando em mim mesmo e nesse negócio em que estou me metendo. Óbvio que sou uma pessoa ruim, mas isso tudo me assusta. Entende?

— Acho que sim.

— Que inferno. Se se tratasse só de dinheiro... pelo menos disso eu entendo. Mas esse negócio de...

Jens ficou procurando a palavra.

— Sentimentos? — sugeriu Harry.

— Exato. Que merda. — Ele deu um sorriso triste. — Enfim, decidi que uma vez na vida vou fazer alguma coisa que não seja só por interesse próprio. E quero que você esteja lá e me dê um cutucão se perceber o mais leve sinal de resistência. Hilde precisa pensar em outras coisas, então a gente já definiu a data. Quatro de abril. Páscoa em Bangkok, que tal? Ela até já começou a ficar mais alegre; decidiu dar uma refreada na bebedeira. Você vai receber o convite pelo correio, Harry. E não esqueça: estou contando com você, então não me venha com palhaçada de pular fora.

— Se você acha que sou a opção mais adequada de padrinho, não consigo nem imaginar como é sua vida social, Jens.

— Já passei a perna em todo mundo que conheço pelo menos uma vez. Não quero que o padrinho mencione qualquer história do tipo em seu discurso, sabe?

Harry riu.

— Certo, me dê alguns dias e prometo pensar no assunto. Mas liguei pra pedir um favor a você. Estou tentando descobrir alguma coisa sobre uma empresa conhecida como Ellem Ltd, que consta da lista de acionistas da Phuridell, mas tudo que consegui encontrar no registro da empresa é uma caixa postal em Bangkok e a confirmação de que o valor do capital social foi pago.

— Deve ser um acionista relativamente novo. Nunca ouvi falar dessa empresa. Vou dar uns telefonemas e ver se consigo encontrar alguma informação. Ligo pra você.

— Não, Jens. Esse negócio é estritamente confidencial. Só Liz, Løken e eu sabemos disso, de modo que você não deve comentar isso com ninguém. Nem mesmo o restante do pessoal da polícia sabe. Nós três vamos fazer uma reunião secreta hoje à noite, então seria ótimo se você tivesse alguma coisa até lá. Ligo pra você, tudo bem?

— Certo. Parece coisa importante. Achei que o caso já estivesse morto e enterrado.

— Hoje à noite vai estar.

O ruído das britadeiras na rocha era ensurdecedor.

— Você é George Walters? — gritou Harry no ouvido do sujeito de capacete amarelo que os outros homens de macacão tinham lhe indicado. Ele se virou para o detetive.

— Sim, e você, quem é?

Vinte metros abaixo de onde estavam, o tráfego se arrastava lentamente, feito uma lesma. Mais uma tarde de engarrafamentos.

— Inspetor Harry Hole. Da polícia norueguesa.

Walters enrolou o desenho técnico que segurava e o entregou a um dos dois rapazes que o acompanhavam.

— Ah, certo.

Fez sinal para que o sujeito da britadeira desse um tempo na tarefa, e, quando a máquina foi desligada, o relativo silêncio que se seguiu invadiu os tímpanos.

— Uma Wacker — comentou Harry. — Modelo LHV5.

— Ah, conhece a máquina?

— Há alguns anos, durante o verão, trabalhei em um canteiro de obras. Detonei os rins operando uma dessas.

Walters assentiu. Tinha as sobrancelhas desbotadas pelo sol e a aparência cansada. As rugas já haviam deixado marcas profundas no rosto de meia-idade.

Harry apontou para a via de concreto que, como um aqueduto romano, cruzava a selva de pedra de casas e arranha-céus.

— Então esse é o novo elevado, a salvação de Bangkok?

— Sim — falou Walters, olhando na mesma direção de Harry. — Você está bem em cima dele.

O respeito com que falava do projeto, além do fato de que estava ali e não em algum escritório, era um indício, para Harry, de que o diretor da Phuridell encontrava mais satisfação na engenharia do que na administração; de que ficava mais empolgado ao ver o projeto ganhando forma do que se envolvendo com as dívidas da empresa.

— Lembra a Grande Muralha da China — arriscou Harry.

— Essa é uma obra pra unir as pessoas, não separá-las.

— Estou aqui pra fazer umas perguntas sobre Klipra e este projeto. E sobre a Phuridell.

— Trágico — respondeu Walters, sem especificar a que exatamente se referia.

— Você conhecia Klipra, sr. Walters?

— Não chegaria a afirmar isso. Nós nos encontramos em várias reuniões da diretoria, e ele me ligou uma ou duas vezes. — Walters colocou os óculos de sol. — Não passou disso.

— Ele ligou pra você uma ou duas vezes? A Phuridell não é uma empresa de porte respeitável?

— Temos mais de oitocentos funcionários.

— Você é o diretor e mal falava com o dono da empresa?

— Bem-vindo ao mundo dos negócios.

Walters perscrutou o elevado e a cidade, como se não tivesse interesse em nada mais.

— Klipra investiu uma quantia considerável na Phuridell. O que você está tentando me dizer é que ele não estava nem aí?

— Ele obviamente não fazia qualquer objeção ao modo como a empresa estava sendo administrada.

— Você sabe alguma coisa de uma empresa chamada Ellem Ltd?

— Conheço o nome da lista de acionistas. Temos tido outras preocupações ultimamente.

— Resolver o problema da dívida em dólares da empresa, por exemplo?

Walters se virou para Harry novamente. O detetive viu a própria imagem distorcida nas lentes dos óculos de sol do diretor.

— O que você sabe sobre isso?

— O que sei é que sua empresa precisa de refinanciamento, caso queira sobreviver. Como não é obrigada a divulgar informação nenhuma, uma vez que não está mais listada na bolsa, a empresa pode muito bem esconder os problemas do mundo exterior por um tempo, na esperança de que apareça um salvador com uma nova injeção de capital. Seria frustrante ter que jogar a toalha, logo agora que está em boa posição pra obter outros contratos no projeto do elevado, certo?

Walters sinalizou para os engenheiros que poderiam fazer uma pausa.

— Meu palpite é que esse salvador vai aparecer — retomou Harry. — Vai comprar a empresa por uma merreca e, quando os contratos começarem a surgir, provavelmente vai ficar muito rico. Quantas pessoas sabem da situação da Phuridell?

— Escuta aqui, cara...

— É Hole. A diretoria, claro. Mais alguém?

— Informamos a todos os acionistas. Além deles, não vemos razão pra que todo mundo fique sabendo de assuntos que não dizem respeito a mais ninguém.

— Quem você acha que vai comprar a empresa, sr. Walters?

— Sou o diretor administrativo — retrucou o engenheiro. — Sou empregado dos acionistas. Não me envolvo em questões relativas à propriedade da empresa.

— Mesmo que isso possa significar desemprego pra você e outros oitocentos funcionários? Mesmo que acabe perdendo a oportunidade de levar isso aqui adiante? — Harry indicou com o queixo a estrutura de concreto que se estendia a perder de vista sob a névoa.

Walters não respondeu.

— Na verdade, talvez isso aqui esteja mais pra estrada dos tijolos amarelos de O *mágico de Oz*. Conhece?

George Walters assentiu com um movimento da cabeça.

— Olha só, sr. Walters, liguei pro advogado de Klipra e pra alguns pequenos acionistas. Nos últimos dias, a Ellem Ltd comprou ações da Phuridell. Nenhum dos outros acionistas teria como refinanciar a empresa, então todos ficaram satisfeitos porque, mesmo deixando a Phuridell, não perderam todo o investimento. Você diz que não se envolve nas questões relativas à propriedade da empresa, mas me parece um sujeito responsável. E a Ellem é quem está no controle agora.

Walters tirou os óculos e esfregou os olhos com o dorso da mão.

— Vai ou não me contar quem está por trás da Ellem Ltd, sr. Walters?

A britadeira voltou a trabalhar, e Harry precisou chegar mais perto para escutar.

O detetive assentiu.

— Só queria ouvir isso da sua boca — respondeu, aos berros.

47

Sexta-feira, 24 de janeiro

Ivar Løken sabia que era o fim. Nem uma única fibra do seu corpo havia entregado os pontos, mas estava tudo acabado. O pânico vinha em ondas; atingia-o, recuava e, em seguida, atingia-o novamente. O tempo todo ele sabia que ia morrer. Era uma conclusão absolutamente racional, mas aquela certeza pingava dentro dele feito gelo derretendo. Quando pisou na armadilha em My Lai e ficou com uma estaca de bambu fedendo a merda espetada na coxa e outra no pé saindo pelo joelho, não pensou nem por um segundo que ia morrer. Quando, no Japão, tremendo de febre, disseram que seu pé precisaria ser amputado, e ele afirmou que preferia morrer, sabia que, na verdade, a morte não era uma alternativa naquele caso, que era algo impossível de acontecer ali. Ao ver a enfermeira chegando com o anestésico, arrancou a seringa da mão dela com um safanão.

Que idiota. Deixaram que ficasse com o pé. *Enquanto houver dor haverá vida*, ele rabiscou na parede sobre a cama do hospital. Permaneceu internado em Okabe por quase um ano até conseguir vencer a batalha contra o próprio sangue infectado.

Dizia a si mesmo que tinha vivido uma longa vida. Longa. Já era alguma coisa, enfim. E viu outros passando por coisa pior. Então para que resistir? Seu corpo respondia com um não, do mesmo jeito que ele respondera "não" a vida toda. "Não" quando, levado pelo desejo, esteve prestes a cruzar o limiar; "não" quando quase desabou ao ser dispensado das forças armadas; "não" quando a humilhação o atingiu e reabriu suas feridas; "não", sobretudo, quando quase fechou os olhos. Por essa razão, tinha visto tudo: guerras, sofrimento, brutalidade, coragem e humanidade. Tanto que podia dizer, sem medo de estar enganado, que tinha vivido uma longa vida. Nem mesmo agora fechava os olhos; mal piscava. Løken sabia que ia morrer. Se ainda lhe restassem lágrimas, teria chorado.

Liz deu uma olhada no relógio. Eram oito e meia, e ela e Harry estavam sentados no Millie's Karaokê fazia quase uma hora. Até o olhar da Madonna do pôster começava a parecer impaciente em vez de voraz.
— Cadê ele?
— Løken vai aparecer — disse Harry.
O detetive estava parado junto à janela; tinha suspendido a persiana e via o próprio reflexo sob a luz dos faróis dos carros que transitavam na lentidão da Silom Road.
— Que horas você falou com ele?
— Logo depois de falar com você. Ele estava em casa, dando uma organizada nas fotos e no equipamento fotográfico. Ele vai aparecer.
Pressionou o dorso das mãos contra os olhos, irritados e vermelhos desde que acordara naquele dia.
— Vamos começar — falou.
— Como assim?
— Precisamos repassar tudo — disse Harry. — Uma última reconstituição.
— Certo. Mas pra quê?
— Liz, a gente veio seguindo a pista errada o tempo todo.
Ele soltou a cordinha e a persiana desceu, fazendo um ruído parecido com o de algo caindo no meio de uma folhagem.

Løken estava sentado em uma cadeira, a fileira de facas na mesa à sua frente. Cada uma delas era capaz de matar um homem em questão de segundos. Estranha, de fato, a facilidade com que é possível matar outro ser humano. Tão fácil que parecia incrível, às vezes, que a maioria das pessoas conseguisse chegar à terceira idade. Um movimento circular, como o de quem descasca uma laranja, e tem-se uma garganta cortada. Esse método faz jorrar tanto sangue que a morte chega em segundos, pelo menos quando o assassinato é realizado por alguém que sabe o que está fazendo.

Uma punhalada nas costas exige precisão maior. Pode-se golpear de vinte a trinta vezes sem atingir nada em especial; a carne é estraçalhada sem maiores consequências. Mas, quando se conhece anatomia, quando se sabe como perfurar um pulmão ou o coração, a tarefa vira brincadeira de criança. Esfaqueando pela frente, o melhor é dar a estocada mais embaixo e puxar a faca para cima, de modo a entrar com a lâmina por baixo da caixa torácica e chegar aos órgãos vitais. Apunhalar pelas costas, porém, é mais fácil, basta atingir as laterais da coluna vertebral.

Quão fácil é atirar em uma pessoa? Muito. A primeira vez que ele tinha matado alguém havia sido com uma semiautomática na Coreia. Com o alvo em mira, puxou o gatilho e viu um sujeito tombar. Pronto. Nunca teve consciência pesada, pesadelos ou colapsos nervosos. Talvez porque se tratasse de uma guerra, mas ele não acreditava que isso explicasse tudo. Quem sabe lhe faltasse empatia? Um psicólogo certa vez explicou que ele era pedófilo porque tinha uma alma corrompida. Poderia ter dito simplesmente "má".

— Certo, ouça com atenção. — Harry se acomodou em uma cadeira diante de Liz. — No dia do assassinato, o carro do embaixador chegou à casa de Ove Klipra às sete horas, mas com outra pessoa dirigindo.

— Outra pessoa?

— É. O segurança não se lembra de ter visto ninguém de terno amarelo chegando.

— E daí?

— Você viu o terno, Liz. Aquilo faz um frentista de posto de gasolina parecer discreto. É possível alguém não se lembrar de um terno daqueles?

Ela meneou a cabeça, e Harry foi em frente.

— O motorista parou o carro na garagem, tocou a campainha da porta lateral e, quando Klipra atendeu, provavelmente deu de cara com um revólver apontado pra ele. O visitante entrou, fechou a porta e educadamente pediu que Klipra abrisse a boca.

— Educadamente?

— Estou tentando florear a história. Algum problema?

Liz comprimiu os lábios e pousou um dedo sobre eles.

— Aí o assassino enfiou o cano da arma na boca de Klipra, mandou que ele a fechasse e disparou, a sangue-frio e sem piedade.

A bala atravessou a nuca de Klipra e se alojou na parede. O assassino limpou o sangue e... bom, você sabe a lambança que isso faz.

Liz assentiu e fez um gesto para que ele prosseguisse.

— Resumindo: o personagem misterioso se livrou de todos os vestígios. Por fim, foi buscar a chave de fenda no porta-malas e, com ela, removeu a bala da parede.

— Como você sabe disso?

— Encontrei gesso no chão do corredor e um buraco deixado pela bala. A perícia comprovou que a solução de cal é a mesma encontrada na chave de fenda do porta-malas.

— E depois?

— Depois o assassino pegou de novo o carro e foi embora, tendo afastado o corpo do embaixador pra poder colocar a chave de fenda de volta no lugar.

— Então ele já tinha matado Molnes?

— Volto a esse ponto mais adiante. Antes de ir embora, o assassino trocou de roupa, vestiu o terno do embaixador, entrou no escritório, apanhou uma das duas facas Shan e as chaves do esconderijo de Klipra. Também fez uma ligação rápida do telefone do escritório, levando com ele a fita com a gravação da conversa. Aí meteu o corpo de Klipra no porta-malas e partiu dali por volta das oito.

— Está bem difícil de acompanhar essa história, Harry.

— Às oito e meia, ele deu entrada no hotel de Wang Lee.

— Qual é, Harry. Wang Lee reconheceu o embaixador como sendo a pessoa que fez o check-in.

— Wang Lee não tinha como suspeitar de que o homem morto na cama não fosse a mesma pessoa do check-in. Do outro lado do balcão só viu um *farang* de terno amarelo e com o rosto oculto atrás de um par de óculos escuros. E é bom lembrar que, na hora em que Wang Lee foi levado para identificar o embaixador, pode ter ficado um pouco perturbado com aquela faca enfiada nas costas.

— Pois é, e a faca?

— O embaixador foi morto com uma faca, sim, mas muito antes de eles chegarem ao hotel. Com uma faca da Lapônia, imagino, porque estava untada com gordura de rena. É possível comprar uma dessas em qualquer lugar de Finnmark, na Noruega.

— Mas o médico disse que o ferimento era compatível com uma lâmina de faca Shan.

— Sim. A lâmina de uma Shan é mais comprida e mais larga do que a da faca da Lapônia, o que tornou impossível perceber que outra faca havia sido usada antes. Preste atenção. O assassino chegou ao hotel com dois cadáveres no porta-malas e pediu o quarto mais distante possível da recepção, de modo a poder estacionar de ré e carregar Molnes pelos poucos metros que separavam o porta-malas do quarto. Também solicitou que não fosse incomodado até avisar que estava pronto. No quarto, voltou a trocar de roupa e vestiu o embaixador com o terno. Mas estava sob pressão e cometeu um erro. Lembra que comentei que o embaixador certamente devia estar ali pra encontrar uma mulher, pois tinha fechado o cinto com um furo mais apertado que o normal?

Liz estalou a língua no céu da boca.

— O assassino não reparou em qual era o furo e apertou demais o cinto na hora de fechá-lo — disse ela.

— Um erro insignificante, nada que viesse a causar grandes problemas, mas uma das muitas peças triviais que não se encaixavam nesse quebra-cabeça. Com Molnes na cama, o assassino enfiou com cuidado a faca Shan no ferimento antigo, deu uma limpada no cabo e removeu todos os vestígios.

— Isso explica também o motivo de não haver tanto sangue no quarto do hotel. O embaixador havia sido morto em outro lugar. Como o médico não percebeu isso?

— É sempre difícil dizer o quanto de sangue vai sair de um ferimento a faca. Depende de quais artérias são cortadas e do quanto a lâmina interrompe o fluxo sanguíneo. Nada ali parecia fora do comum. Por volta das nove, o assassino foi embora do hotel com Klipra no porta-malas, direto pro esconderijo.

— E ele sabia onde ficava? Então devia conhecer Klipra.

— O sujeito conhecia Klipra muito bem.

Uma sombra se projetou sobre a mesa, e diante de Løken se sentou um homem. Pela varanda aberta entrava o ruído ensurdecedor do trânsito lá fora, o recinto todo recendendo a fumaça de escapamento.

— Você está pronto? — perguntou Løken.

O gigante de trança o encarou, claramente surpreso por ouvi-lo falar tailandês.

— Estou — respondeu.

Løken sorriu, pálido. Sentia-se muito cansado.

— Então o que está esperando? Vamos logo com isso.

— Quando chegou ao esconderijo, o assassino abriu a porta e desovou o corpo de Klipra no freezer. Aí lavou e aspirou o porta-malas pra que a gente não conseguisse encontrar qualquer vestígio dos cadáveres.

— Certo, mas como você *sabe* disso?

— A perícia encontrou um pouco do sangue de Ove Klipra no freezer e fibras do carpete do porta-malas e das roupas dos dois mortos no aspirador de pó.

— Meu Deus. Então o embaixador não era um fanático por organização, como você afirmou quando examinamos o carro?

Harry sorriu.

— Percebi que não era no momento em que bati o olho na sala dele na embaixada.

— Será que escutei direito? Você acabou de dizer que cometeu um *erro*?

— Sim, você ouviu bem. — Harry levantou o dedo indicador. — Mas Klipra era um sujeito bem organizadinho. Tudo naquele esconderijo parecia tão limpo, tão arrumado, lembra? Tinha até um gancho no armário da cozinha pra pendurar o aspirador de pó. Mas, quando abri a porta, ele despencou. Como se o último a tê-lo usado não conhecesse as coisas por ali. Foi o que me fez mandar o saco do aspirador de pó pra perícia.

Liz meneava a cabeça lentamente enquanto Harry prosseguia.

— Quando vi toda aquela carne no freezer, me dei conta de que dava facilmente pra manter um homem morto ali dentro por semanas antes do corpo... — Harry inflou as bochechas e, com as mãos, demonstrou o que queria dizer.

— Tem alguma coisa errada com você — comentou Liz. — Melhor ir ver um médico.

— Você quer ouvir o restante ou não?

Ela queria.

— Aí o assassino voltou ao hotel, estacionou o carro, entrou no quarto e pôs a chave do carro no bolso de Molnes. Depois desapareceu na noite sem deixar rastro. Literalmente.

— Peraí! A gente levou uma hora e meia só de ida pra chegar ao esconderijo de Klipra, certo? É quase a mesma distância daqui. Nossa amiga Dim descobriu o corpo às onze e meia; portanto, de acordo com seu relato, duas horas e meia depois do assassino ter saído do hotel. Não daria de jeito nenhum pra ele ter voltado ao hotel antes do corpo de Molnes ser encontrado. Ou você esqueceu esse detalhe?

— Claro que não esqueci. Eu mesmo refiz o percurso de carro. Saí às nove, parei no esconderijo por meia hora e voltei.

— E?

— Cheguei ao hotel à meia-noite e quinze.

— Está vendo? A conta não fecha.

— Você se lembra do que Dim falou sobre o carro no interrogatório? Liz mordeu o lábio superior.

— Ela disse que não se lembrava de ter visto carro nenhum — continuou Harry. — Porque não havia mesmo. À meia-noite e quinze estavam todos na recepção à espera da polícia e não perceberam o carro do embaixador entrando de fininho.

— Meu Deus, achei que estávamos lidando com um assassino cuidadoso. A polícia já podia estar esperando por ele quando voltou.

— E ele foi cuidadoso, mas não tinha como adivinhar que o crime seria descoberto antes de voltar ao hotel. O combinado era que Dim só iria ao quarto quando fosse chamada, certo? Mas Wang Lee ficou impaciente e quase estragou tudo. O assassino certamente nem suspeitou do que estava acontecendo enquanto devolvia as chaves do carro a Molnes.

— Sorte, então?

— Esse sujeito não conta com a sorte pra nada.

Ele deve ser da Manchúria, pensou Løken. Talvez da província de Jilin. Durante a Guerra da Coreia, ouviu dizer que o Exército Vermelho recrutava muito de seus soldados naquela região, pois os rapazes dali eram muito altos. Não sabia qual era a lógica daquilo; eles afundavam mais na lama e se tornavam alvos maiores. A outra pessoa na sala, às suas costas, cantarolava baixinho e com a boca fechada. Løken achava que a canção era "I Wanna Hold Your Hand", mas não tinha certeza.

O chinês havia apanhado uma das facas da mesa, se é que se poderia chamar de faca um sabre curvo de setenta centímetros. Sopesou-o na mão, como um jogador de beisebol escolhendo o bastão, e, em seguida, sem dizer uma palavra, ergueu a arma acima da cabeça. Løken cerrou os dentes. Na mesma hora passou o agradável efeito de sonolência da sedação à base de barbitúricos; o sangue congelou nas veias, e ele perdeu o autocontrole. Enquanto gritava e puxava as tiras de couro que atavam suas mãos à mesa, atrás dele a melodia foi chegando mais perto. Uma mão o agarrou pelo cabelo, expondo seu pescoço com um puxão, e, em seguida, enfiou em sua boca uma bola de tênis. Løken sentiu a superfície felpuda em contato com a língua e o céu da boca; aquilo se encharcou de saliva feito papel mata-borrão e transformou seus gritos em gemidos débeis.

O torniquete no antebraço tinha sido apertado com tanta força que ele havia perdido toda a sensibilidade na mão fazia algum tempo. Por isso, quando o sabre desceu com um baque surdo e ele não sentiu nada, por um momento achou que o golpe errara o alvo. Foi então que viu sua mão direita surgir do outro lado da lâmina. Antes fechada, agora ela se abria devagar. Tinha sido um corte preciso. Løken podia ver os dois ossos seccionados despontando, brancos. Rádio e ulna. Já tinha visto os de outras pessoas, mas nunca os seus. Por causa do torniquete, não havia muito sangue. Dizem que amputações súbitas não doem, mas não é verdade. A dor era insuportável. Ele esperou pelo choque, pelo estado paralisante do vazio, mas de imediato essa possibilidade lhe foi negada. O sujeito que cantarolava fincou uma seringa em seu braço, fazendo a agulha atravessar o tecido da camisa, sem nem mesmo tentar achar uma veia. É o que torna a morfina algo tão maravilhoso. Não importa onde seja aplicada, ela funciona. Løken sabia que podia sobreviver àquilo. Por bastante tempo. Pelo tempo que eles quisessem.

— E quanto a Runa Molnes?

Liz palitava os dentes com um palito de fósforo.

— Ele podia ir atrás dela a hora que quisesse — falou Harry.

— E aí a levou ao esconderijo de Klipra. O que aconteceu depois disso?

— O sangue e o buraco de bala na janela sugerem que ela foi alvejada dentro da cabana. Provavelmente assim que os dois chegaram ali.

Quase chegava a ser fácil falar de Runa naqueles termos, como uma vítima de assassinato.

— Isso eu não entendo — disse Liz. — Por que ele sequestraria a moça e a mataria logo em seguida? Pensei que a ideia era usá-la pra prejudicar as investigações. E ele só teria como fazer isso com Runa Molnes viva. Antes de se submeter às exigências do cara, talvez você exigisse uma prova de que ela estava a salvo.

— E como eu poderia me submeter às exigências dele? — perguntou Harry. — Vá embora pra Noruega, e Runa voltará pra casa sorridente? E o sequestrador respiraria aliviado só com a minha promessa de que ele seria deixado em paz, mesmo sem ter à sua disposição outros recursos pra fazer chantagem? Você acha que isso teria acontecido? Acha que ele simplesmente ia deixar a menina...?

Harry se deu conta de como Liz olhava para ele e percebeu que tinha levantado a voz. Ficou em silêncio.

— Nunca achei isso, não. Só falei de como o assassino poderia estar pensando — disse Liz, ainda com os olhos fixos nele. Uma ruga de preocupação marcava novamente o espaço entre as sobrancelhas.

— Desculpe, Liz. — Pressionou o maxilar com as pontas dos dedos. — Deve ser cansaço.

Harry levantou e voltou para junto da janela. A combinação do ar frio de dentro com o ar quente e úmido do lado de fora tinha embaçado o vidro, gerando uma fina camada cinzenta de condensação.

— Ele não sequestrou Runa porque tinha medo de que eu estivesse descobrindo mais do que deveria. Ele não tinha nenhum motivo pra acreditar nisso; àquela altura eu não estava conseguindo enxergar um palmo à frente do meu nariz.

— Então qual teria sido o motivo? Confirmar nossa teoria de que Klipra era quem estava por trás do assassinato do embaixador e de Jim Love?

— Essa foi a motivação secundária — respondeu Harry, levando o copo à boca. — A motivação principal era que ele precisava matar Runa também. Quando eu...

Eles podiam ouvir os sons abafados de um baixo na sala vizinha.

— Fala, Harry.
— No instante em que vi Runa, ela já estava condenada.

Liz respirou fundo.

— São quase nove horas, Harry. Quem sabe você devia me contar quem é o assassino antes do Løken chegar?

Løken tinha trancado a porta do apartamento às sete e descido a rua em busca de um táxi que o levasse ao Millie's Karaokê. Logo avistara o carro. Era um Toyota Corolla, e o sujeito ao volante parecia ocupar o veículo inteiro. No banco do carona, enxergou a silhueta de outra pessoa. Ele então se perguntou se deveria ir até lá e descobrir o que queriam, mas decidiu primeiro testá-los. Achou que sabia o que eles queriam e por quem tinham sido enviados.

Løken conseguiu um táxi e, percorridos alguns quarteirões, confirmou que de fato estavam sendo seguidos pelo Corolla.

O taxista percebeu que o *farang* no banco de trás não era um turista e preferiu não oferecer as tradicionais massagens. Mas, quando Løken pediu que ele pegasse uns atalhos aqui e ali, aparentemente reviu a primeira impressão. O olhar dos dois se encontrou no retrovisor.

— City tour, senhor?
— É, city tour.

Dez minutos mais tarde, não havia mais nenhuma dúvida. O plano era claramente que Løken conduzisse os dois policiais ao local da reunião secreta. Ele se perguntava como o chefe de polícia tinha começado a desconfiar daqueles encontros. E por que considerava tão inoportuno que um de seus detetives cooperasse de forma irregular com investigadores estrangeiros. Podia não ser algo correto a se fazer, mas, no fim, tinha produzido resultados.

O tráfego estava parado na Sua Pa Road. O motorista ficou espremido no espaço entre dois ônibus e apontou para os pilares em construção. A queda de uma viga de aço havia matado um motorista na semana anterior. O taxista tinha lido a história nos jornais, com fotos e tudo. Meneou a cabeça, pegou uma flanela e limpou o painel, os vidros, a estatueta de Buda e a foto da família real para, em seguida, desdobrar o *Thai Rath* sobre o volante com um suspiro e abri-lo na seção de esportes.

Løken deu uma olhada pelo vidro traseiro. Apenas dois carros os separavam do Toyota Corolla. Conferiu o relógio. Sete e meia. Ia se atrasar, mesmo não conseguindo se livrar daqueles dois idiotas. Tomou uma decisão e tocou o ombro do motorista.

— Estou vendo um conhecido meu ali atrás — falou em inglês, fazendo mímica.

O motorista não acreditou muito nele, desconfiado de que o *farang* iria escapulir sem pagar.

— Volto num minuto — disse Løken, esgueirando-se porta afora.

Um dia a menos de vida, ele pensou, inalando gás carbônico suficiente para nocautear uma família de ratos. Saiu caminhando tranquilamente em meio ao tráfego na direção do Toyota. Um dos faróis dianteiros devia ter batido em alguma coisa, pois a luz incidia diretamente em seu rosto. Ensaiou o que ia dizer, ansioso por ver a cara de surpresa dos sujeitos. Estava a alguns metros apenas e já podia vislumbrar as duas figuras dentro do carro. De repente, sentiu certa insegurança. Alguma coisa na aparência daqueles dois não estava certa. Mesmo tendo em conta que policiais, em geral, não são lá muito inteligentes, no mínimo deviam saber que discrição é o primeiro mandamento quando se está seguindo alguém. O cara no banco do carona usava óculos escuros, apesar de o sol ter se posto havia algum tempo, e o gigante ao volante chamava a atenção. Løken estava prestes a dar meia-volta quando a porta do carro se abriu.

— Ei, amigo — disse uma voz suave.

Løken estava em uma enrascada. Tentou voltar para o táxi, mas um carro havia se espremido entre uma faixa e outra e bloqueado o caminho. Virou outra vez na direção do Corolla. O chinês estava vindo em sua direção.

— Ei, amigo — repetiu ele, enquanto os carros na pista contrária começavam a se mover. A voz soava como um sussurro dentro de um furacão.

Uma vez Løken matou um homem com as próprias mãos. Quebrou o pescoço dele, exatamente como foi ensinado no campo de treinamento em Wisconsin. Mas fazia muito tempo; ele era jovem. E estava apavorado. Agora não; estava apenas furioso.

Provavelmente aquilo não faria diferença alguma.

Quando sentiu os dois braços que o envolviam e os pés saindo do chão, teve certeza de que aquilo não faria diferença alguma. Tentou gritar, mas o aperto em seu corpo era tão forte que o deixava sem o ar necessário para que as cordas vocais vibrassem. Viu o céu estrelado rodopiar lentamente, e ele logo sumiu para dar lugar a um teto de carro estofado.

Sentiu o bafo quente no pescoço e olhou pelo para-brisa do Corolla. Viu o cara dos óculos de sol ao lado do táxi, passando algumas notas ao motorista pela janela. O aperto que o prendia afrouxou um pouco e, trêmulo, ofegante, Løken inalou o ar imundo como se fosse água pura de uma nascente.

O taxista subiu o vidro da janela, e o cara dos óculos escuros veio na direção do carro. Tirou os óculos e, ao sair da luz ofuscante do farol quebrado, Løken o reconheceu.

— Jens Brekke? — sussurrou, espantado.

48

Sexta-feira, 24 de janeiro

—Jens Brekke? — Liz não conteve o espanto.
Harry assentiu.
— Impossível! E o álibi, aquela maldita gravação em que ele liga pra irmã às oito?
— Jens ligou, sim, pra ela, mas não do escritório dele. Perguntei por que diabos ele ligaria pra casa da irmã workaholic em horário comercial. Ele respondeu que não lembrou que horas eram na Noruega.
— E?
— Você já ouviu falar de um corretor de câmbio que *não lembra* que horas são em outro país?
— Não entendi.
— Tudo se encaixou quando vi que Klipra tinha um aparelho semelhante ao de Brekke. Depois de atirar em Klipra, Jens ligou do escritório dele pra irmã, sabendo que ninguém atenderia, e levou a fita. A gravação informa o horário da ligação, mas não de onde foi feita. Em nenhum momento consideramos a possibilidade de que era de outro gravador. Mas posso provar que uma fita foi roubada do escritório de Klipra.
— Como?
— Lembra que, no início da tarde do dia 7 de janeiro, houve uma chamada pra Klipra do celular do embaixador? A gravação não aparece em nenhuma das fitas encontradas no escritório.
Liz riu.
— Aquele idiota fabricou um álibi impecável e ficou esperando na cadeia o momento certo de sacar seu trunfo da forma mais convincente possível?
— Será que ouço um tom de admiração em sua voz, inspetora?

— Puramente profissional. Você acha que ele tinha tudo isso planejado desde o início?

Harry deu uma olhada no relógio. Seu cérebro tinha começado a transmitir em código Morse a mensagem de que algo estava errado.

— Se há uma coisa de que tenho certeza nessa história é que Brekke planejou tudo. Nenhum detalhe foi deixado ao acaso.

— Como você tem tanta certeza?

— Ora — respondeu Harry, segurando um copo vazio diante do rosto —, porque ele me falou: Brekke odeia riscos. Só joga se souber que vai ganhar.

— Então imagino que você também saiba como ele matou o embaixador.

— Ele acompanhou Molnes até o estacionamento do subsolo. A recepcionista pode confirmar isso. Então pegou o elevador de volta, e a moça em quem ele passou uma cantada também pode atestar isso. Jens provavelmente matou o embaixador no estacionamento, quando Molnes entrava no carro, com uma punhalada da faca da Lapônia nas costas. Pegou as chaves e colocou o corpo no porta-malas. Em seguida, trancou o carro, foi até o elevador e esperou até que alguém apertasse o botão em outro andar e ele pudesse se certificar de ter uma testemunha de que havia retornado ao escritório.

— Inclusive passou uma cantada na mulher, pra garantir que ela se lembraria dele.

— Exato. Se aparecesse uma pessoa diferente, ele inventaria algum outro plano. Em seguida, bloqueou o recebimento de chamadas pra dar a impressão de que estava ocupado, desceu novamente de elevador, pegou o carro do embaixador e seguiu pra casa de Klipra.

— Mas as câmeras do circuito interno de tevê teriam flagrado o assassinato do embaixador no estacionamento.

— E por que você acha que aquela fita do circuito interno sumiu? Ninguém tentou sabotar o álibi de Brekke. Foi ele quem fez Jim Love entregar a fita. Na noite em que o encontramos na luta de boxe, ele estava com pressa de voltar ao escritório, não pra atender seus clientes americanos, mas porque queria encontrar Jim Love, ter acesso à cabine e gravar alguma coisa por cima da parte que mostrava o assassinato do embaixador. E depois reprogramar o timer, fazendo parecer que alguém estava tentando sabotar seu álibi.

— Por que ele simplesmente não sumiu com a fita original?

— Jens é um perfeccionista. Sabia que algum jovem e brilhante detetive cedo ou tarde perceberia que o horário da gravação não combina com as imagens.

— Sabia como?

— Ele usou a fita de outra noite pra gravar por cima das imagens comprometedoras. Em algum momento a polícia tomaria o depoimento das pessoas que trabalham no prédio, e alguém iria testemunhar que passou de carro pela câmera entre cinco e cinco e meia no dia 7 de janeiro. A prova de que a fita foi adulterada, claro, é o fato dessa movimentação *não* aparecer nas imagens. Com a chuva e as marcas de pneu molhado, nos demos conta disso mais rápido do que o esperado.

— Então você não foi tão esperto quanto ele queria que você fosse?

Harry deu de ombros.

— Isso aí, mas vou sobreviver. Jim Love não teve a mesma sorte. Recebeu seu pagamento em ópio envenenado.

— Porque era uma testemunha?

— É como eu disse: Brekke não gosta de correr riscos.

— E quanto à motivação do crime?

Harry bufou. O som pareceu o de um rolo compressor freando.

— Lembra que nos perguntamos se o direito de usufruto de mais de cinquenta milhões de coroas durante seis anos era motivo suficiente pra matar o embaixador? Não era. Mas parece que essa quantia convenceu Jens Brekke a matar três pessoas. De acordo com o testamento, Runa herdaria o dinheiro quando se tornasse maior de idade, mas, como o documento é omisso quanto ao que aconteceria em caso de morte da beneficiária, o dinheiro segue, obviamente, a linhagem sucessória dos herdeiros. Ou seja, a fortuna vai pras mãos de Hilde Molnes. O testamento agora deixou de ser obstáculo.

— E como Brekke vai forçá-la a dar o dinheiro a ele?

— Ele não precisa fazer nada. Hilde Molnes tem seis meses de vida. Tempo suficiente pros dois se casarem e pra Brekke se mostrar o perfeito cavalheiro.

— Quer dizer que o cara se livrou do marido e da filha pra poder herdar a fortuna quando a mulher morresse?

— E não é só isso — continuou Harry. — Jens já gastou o dinheiro.

Liz franziu o cenho.

— Ele comprou uma empresa quase falida chamada Phuridell. Se as previsões do Barclays Tailândia se confirmarem, talvez ela chegue a valer vinte vezes o valor pelo qual Jens a comprou.

— Então por que alguém ia querer vendê-la?

— De acordo com George Walters, diretor da Phuridell, o "alguém" na história são uns acionistas minoritários que se recusaram a vender sua parte das ações a Ove Klipra quando ele se tornou o acionista majoritário, pois sabiam que alguma coisa grande estava a caminho. Mas, quando Klipra saiu de cena, foram informados de que a dívida em dólar poderia quebrar a empresa e, por isso, aceitaram agradecidos a oferta de Brekke. O mesmo aconteceu com o escritório de advocacia que administra o espólio de Klipra. O valor total da aquisição é de cerca de cem milhões de coroas.

— Mas Brekke não botou a mão no dinheiro ainda.

— Walters diz que metade do dinheiro deve ser entregue no momento da assinatura, e a outra metade, em seis meses. Como Jens vai conseguir honrar a primeira parte, não sei. Provavelmente deu algum jeito de juntar essa grana.

— E o que acontece se daqui a seis meses Hilde não tiver morrido?

— Por alguma razão, desconfio de que Brekke vai se assegurar de que isso aconteça. É ele quem prepara os drinques dela...

Liz fitou o nada, pensativa.

— Não passou pela cabeça dele que poderia parecer suspeito se tornar o novo dono da Phuridell justo agora?

— Sim, e é por isso que Jens comprou as ações em nome de uma empresa chamada Ellem Ltd.

— Mas alguém podia acabar descobrindo que é ele quem está por trás do negócio.

— À primeira vista ele não está. A empresa foi registrada no nome de Hilde. Só que, claro, ele será o herdeiro quando ela morrer.

Os lábios de Liz formaram um "O" silencioso.

— Como você descobriu tudo isso?

— Com a ajuda de Walters. Mas comecei a suspeitar quando vi a lista dos acionistas da Phuridell na casa de Klipra.

— Sério?

— Ellem. — Harry sorriu. — De início pensei em Ivar Løken. No apelido dele na Guerra do Vietnã, LM. Mas a resposta era ainda mais banal.

— Desisto.

— De trás pra frente, Ellem vira Melle. O nome de solteira de Hilde Molnes.

Liz olhou para Harry como se ele fosse uma atração de zoológico.

— Você não existe — balbuciou.

Jens olhou para o mamão papaia que estava segurando.

— Sabe de uma coisa, Løken? A primeira mordida em um mamão papaia tem gosto de vômito. Já reparou?

Ele afundou os dentes na fruta. O suco escorreu pelo rosto.

— Na segunda mordida, o gosto é de xoxota.

Reclinou-se para trás e riu.

— Sabe, um mamão desses custa cinco *baht* aqui em Chinatown. Ou seja, nada. Qualquer um pode comprar. É um dos simples prazeres da vida. E, como acontece com outros simples prazeres da vida, a gente não dá valor até perdê-los. É como... — Jens gesticulou como se estivesse à procura de uma analogia adequada. — Como ser capaz de limpar a própria bunda. Ou bater uma punheta. Tudo que o cara precisa pra isso é ter pelo menos uma das mãos.

Suspendeu no ar a mão decepada, segurando-a pelo dedo médio, e a manteve à frente do rosto de Løken.

— Você ainda tem uma. Pense nisso. E pense em *todas* as coisas que não pode fazer sem as mãos. Eu mesmo já refleti sobre isso, então deixe eu ajudá-lo. Você não pode descascar uma laranja, não pode colocar a isca em um anzol, não pode acariciar o corpo de uma mulher nem abotoar as próprias calças. Pois é, nem mesmo dar um tiro na cabeça você pode, caso se sinta tentado a fazer isso. Vai sempre precisar de alguém pra ajudá-lo. Em tudo. Pensa só.

O sangue gotejava da mão, batia na beirada da mesa e respingava na camisa de Løken, sujando-a com pontinhos vermelhos. Jens pousou-a em cima da mesa. Os dedos apontavam para o teto.

— Por outro lado, com as duas mãos, não há limites para o que somos capazes de fazer. Dá pra estrangular uma pessoa, enrolar um baseado e segurar um taco de golfe. Sabe que a ciência médica tem avançado muitíssimo atualmente, né?

Jens esperou até ter certeza de que Løken não ia responder.

— Os caras conseguem costurar a mão de volta praticamente sem perder um nervo sequer. Vão puxando os nervos feito elásticos. Seis meses depois, mal dá pra saber que algum dia a mão foi amputada. Isso, claro, dependendo da rapidez com que a pessoa encontra um médico, e desde que não se esqueça de levar a mão.

Passando por trás da cadeira, Jens pousou o queixo no ombro de Løken e sussurrou em seu ouvido:

— Olha que bela mão. Linda, né? Quase igual à da pintura de Michelangelo. Qual era o nome mesmo?

Løken não respondeu.

— Você sabe, aquela que usaram na propaganda da Levi's.

Løken mantinha o olhar voltado para cima, fixo em um ponto qualquer do espaço. Jens soltou um suspiro.

— Está na cara que nenhum de nós dois entende de arte, né? Bom, quem sabe eu não compro uns quadros famosos quando tudo isso acabar? De repente isso pode despertar meu interesse. Aliás, quanto tempo você acha que temos antes que seja tarde demais pra reimplantar sua mão? Meia hora? Uma? Talvez um pouco mais, se a gente colocar ela no gelo, mas parece que não temos nenhum aqui hoje. Sorte sua que daqui até o Answut Hospital são só quinze minutos de carro.

Jens respirou fundo, aproximou a boca do ouvido de Løken e berrou:

— Cadê Hole e a policial?!

Løken teve um sobressalto e mostrou os dentes em um sorriso repleto de dor e ironia.

— Desculpe — disse Jens, limpando um pedacinho de mamão do rosto do outro. — É bem importante pra mim encontrar aqueles dois.

Os lábios de Løken se moveram em um sussurro rouco:

— Você tem razão...

— Oi? — disse Jens, inclinando-se para se aproximar da boca de Løken. — O que você disse? Fala alto!

— Você tem razão sobre mamão papaia. Tem mesmo cheiro de vômito.

Liz cruzou as mãos no topo da cabeça.

— A história do Jim Love. Não consigo imaginar Brekke na cozinha fazendo uma mistura de ácido cianídrico com ópio.

Harry sorriu.

— Brekke disse a mesma coisa sobre Klipra. Você está certa. Ele teve ajuda de alguém, de um profissional.

— Mas não dá exatamente pro cara colocar um anúncio procurando gente que faça esse tipo de serviço, né?

— Não mesmo.

— Quem sabe alguém que ele já conhecesse? Brekke costuma frequentar uns lugares suspeitos. Ou... — Liz se interrompeu ao perceber que Harry estava olhando para ela. — E agora, o que foi?

— Não é óbvio? Nosso velho amigo Woo. Ele e Jens estiveram juntos nessa o tempo todo. Foi Jens quem mandou o chinês colocar o grampo no meu telefone.

— Parece muita coincidência que o mesmo sujeito que trabalhava pros agiotas também trabalhasse pra Brekke.

— Justamente porque não é coincidência. Hilde Molnes me contou que os agiotas tinham ligado algumas vezes depois da morte do embaixador, mas não a importunaram mais depois que ela falou a respeito disso com Brekke. Duvido que Brekke metesse medo nos caras. Quando fomos à Thai Indo Travellers, o sr. Sorensen falou que Molnes não tinha nenhuma pendência ali. Talvez tenha dito a verdade. Meu palpite é de que Brekke pagou as dívidas do embaixador. Em troca de outros serviços, naturalmente.

— Os serviços de Woo.

— Exato. — Harry deu uma olhada no relógio. — Caramba, o que aconteceu com Løken?

Liz ficou de pé e suspirou.

— Vamos ligar pra ele. Quem sabe não tirou um cochilo e perdeu a hora?

Harry coçou o queixo, distraído.

— É, quem sabe.

Løken sentiu uma dor no peito. Nunca teve problemas de coração, mas conhecia os sintomas. Se fosse um ataque cardíaco, tinha a esperança de que fosse fatal. Ia morrer de qualquer jeito, mas seria ótimo poder privar Brekke do prazer de matá-lo. Embora talvez Brekke não sentisse prazer em estar ali. Talvez visse aquilo da mesma forma que ele — uma tarefa a cumprir. Um tiro, um homem tombando e pronto.

Olhou para o corretor. Viu que a boca dele se mexia e se deu conta, para sua surpresa, de que não conseguia ouvir nada.

— Então, quando Ove Klipra me pediu que saldasse a dívida em dólares da Phuridell durante um almoço e não pelo telefone, eu não pude acreditar no que estava ouvindo. Uma operação de cerca de meio bilhão e ele me dá a instrução assim, de boca, sem qualquer registro que pudesse ser rastreado! É o tipo de oportunidade pela qual uma pessoa pode passar a vida inteira esperando.

Jens limpou a boca com um guardanapo.

— Voltei pro escritório, fiz as transações em dólar no meu nome. Se a moeda se desvalorizasse, podia simplesmente transferir o negócio pra Phuridell e dizer que estava fixando o valor da dívida em dólares, como tínhamos discutido. Se o câmbio subisse, embolsava os lucros e negava que Klipra tivesse me pedido que saldasse dívida em dólares. Ele não tinha como provar nada. Adivinha o que aconteceu, Ivar. Tudo bem se eu chamá-lo de Ivar?

Ele amassou o guardanapo e o atirou em uma lixeira perto da porta.

— Claro, Klipra ameaçou levar o caso à diretoria do Barclays Tailândia. Expliquei que, pra acolher a queixa, o banco teria que ressarcir o prejuízo dele. Além disso, estaria perdendo seu melhor corretor. Em suma: não restava opção pros chefes senão me apoiar. Aí Klipra ameaçou usar seus contatos políticos. E sabe o que aconteceu? Ele nunca fez nada. Percebi que eu podia me livrar de um problema, Ove Klipra, e ao mesmo tempo assumir a empresa dele, Phuridell, que não demoraria a decolar no mercado como um foguete. E, quando falo isso, não é que eu espero ou acredito que isso vá acontecer, como esses patéticos especuladores da bolsa. Eu *sei* que vai acontecer. Vou garantir que aconteça. — Os olhos de Jens brilharam. — Do mesmo modo que tenho certeza de que esse Harry Hole e a mulher careca vão morrer hoje à noite. Vai acontecer. — Conferiu o relógio. — Peço desculpas pelo melodrama, mas *tempus fugit*, Ivar. O tempo urge, e já é hora de você pensar no que é melhor pra você, certo?

Løken o encarou com o olhar vazio.

— Nem está com medo, né? Faz o tipo durão? — Admirado, Brekke arrancou um fio solto de um buraco de botão na camisa. — Devo contar como eles vão ser encontrados, Ivar? Em algum ponto do rio, cada um deles amarrado a um poste com uma bala no corpo e o rosto todo em carne viva. Já tinha ouvido falar disso, Ivar? Não? Talvez o método ainda não existisse quando você era jovem. Eu mesmo nunca teria sido capaz de imaginar um negócio desses. Até que meu amigo Woo aqui me contou: a hélice de um barco pode esfolar uma pessoa, deixando só a carne à mostra. Está entendendo? É um truque que Woo aprendeu com a máfia local. Claro que as pessoas talvez fiquem se perguntando o que os dois teriam feito pra enfurecer a máfia desse jeito, mas nunca vão descobrir. Pelo menos não por você, depois de uma cirurgia gratuita e dos cinco milhões de dólares que vai ganhar pra me dizer onde eles estão. Afinal, você já tem tanta prática nesse negócio de desaparecer, assumir uma nova identidade e tudo mais, né?

Ivar Løken via os lábios de Jens se movendo e ouvia o eco de uma voz ao longe. Palavras como hélice de barco, cinco milhões e nova identidade flutuavam ao seu redor. Løken nunca havia se considerado um herói nem tinha desejado morrer como um. Mas sabia a diferença entre certo e errado e, mantendo-se dentro dos limites razoáveis, havia se esforçado para fazer o certo. Ninguém além de Brekke e Woo saberia se ele tinha encarado a morte de cabeça erguida ou não, nenhum veterano do serviço de inteligência ou do Ministério das Relações Exteriores se lembraria, entre uma cerveja e outra com os colegas, do bom e velho Løken, e de qualquer forma ele não se importava com isso. Não precisava manter uma reputação depois da morte. Sua vida tinha sido um segredo bem-guardado e, portanto, era provavelmente natural que sua morte também fosse assim. Ali não era o lugar para um gesto de grandeza, e Løken sabia que, caso entregasse a Brekke o que ele queria, só ganharia em troca uma morte mais rápida. E já não sentia mais nenhuma dor. De modo que aquilo não valia a pena. Ouvir os detalhes da proposta de Brekke não teria feito diferença alguma. Nada teria feito diferença. Pois, naquele momento, o celular no cinto de Løken começou a tocar.

49

Sexta-feira, 24 de janeiro

Quando Harry estava prestes a desligar, ouviu um clique e um novo tom de discagem e se deu conta de que a chamada estava sendo transferida da casa de Løken para o celular. Esperou, deixou tocar sete vezes e, por fim, desistiu, agradecendo a moça de tranças do caixa por tê-lo deixado usar o telefone.

— Temos um problema — falou ao voltar para a sala.

Liz tinha tirado os sapatos e inspecionava a pele seca do pé.

— O trânsito — disse ela. — Sempre o trânsito.

— A ligação foi transferida pro celular, mas ele não atendeu. Não estou gostando disso.

— Relaxa. O que pode ter acontecido com ele aqui, na pacífica Bangkok? Deve ter esquecido o celular em casa.

— Cometi um erro — constatou Harry. — Disse a Brekke que a gente ia se encontrar hoje à noite e pedi que ele descobrisse quem estava por trás da Ellem Ltd.

— Você fez o quê?

Liz tirou os pés de cima da mesa. Harry cerrou o punho e deu um murro na mesa, fazendo pular as xícaras de café.

— Merda, merda, merda! Queria ver como ele ia reagir.

— Reagir? Harry, isso não é um jogo!

— Eu não estava fazendo o jogo dele. Meu plano era ligar pra ele depois da reunião e marcar um encontro em algum lugar. Tinha pensado no Lemon Grass.

— Aquele restaurante aonde fomos?

— Fica perto daqui, e era melhor do que correr o risco de uma emboscada na casa dele. Seriam três contra um, e imaginei uma prisão à la Woo.

— Mas aí falou da Ellem e disparou o alerta — concluiu Liz com um gemido.

— Brekke não é burro, já tinha sentido a coisa feder bem antes disso. Voltou a falar aquela baboseira de me convidar pra padrinho do casamento. Estava me testando; queria ver se eu o tinha na mira.

Liz bufou.

— Quanta besteira! Se vocês dois estão levando a coisa pro lado pessoal, por favor, parem agora mesmo. Pelo amor de Deus, Harry, eu o considerava profissional demais pra isso.

Harry não respondeu. Sabia que ela estava certa: tinha se comportado como um amador. Por que diabos havia mencionado a Ellem Ltd? Podia ter inventado uns cem outros pretextos para o encontro. Talvez tivesse a ver com o que Jens lhe dissera; algumas pessoas gostam do risco pelo risco. Talvez ele fosse um desses especuladores que Brekke considerava tão patéticos. Não, não era isso. Ou pelo menos não só isso. Seu avô certa vez havia lhe explicado por que nunca se atirava em uma perdiz pousada no chão: não era bonito.

Teria sido essa a razão? Uma espécie de ética de caçador: alertar a presa antes de abatê-la em voo, dar a ela a chance simbólica da sobrevivência?

Liz interrompeu seus pensamentos.

— E aí, o que fazemos agora, detetive?

— Esperamos — respondeu Harry. — Vamos ver se Løken aparece em meia hora. Se não aparecer, vou ligar pro Jens.

— E se ele não atender?

Harry respirou fundo.

— A gente telefona pro chefe de polícia e mobiliza toda a força policial.

Liz cerrou os dentes e praguejou.

— Já contei a você como é ser guarda de trânsito?

Jens deu uma olhada no visor do telefone de Løken e soltou uma risada. O aparelho tinha parado de tocar.

— Bem legal esse seu telefone, Ivar. A Ericsson tem caprichado, você não concorda? Dá pra ver o número da pessoa que está ligando; então, se for alguém com quem você não queira falar, não precisa atender.

Ou muito me engano, ou alguém está se perguntando por que você não apareceu no encontro. Não deve ter um monte de amigos seus querendo falar com você a essa hora, não?

Jens arremessou o aparelho por cima do ombro e, com um passo ágil para o lado, Woo o pegou no ar.

— Descubra de onde é o número. Agora.

Jens foi se sentar ao lado de Løken.

— Essa cirurgia está começando a ficar meio que urgente, Ivar. — Ele tapou o nariz e olhou para o chão, onde uma poça havia se formado em torno da cadeira. — Sabe, sério mesmo, Ivar.

— Millie's Karaokê — disse Woo em inglês, cada sílaba bem pronunciada. — Eu sei onde é.

Jens afagou o ombro de Løken.

— Desculpe, mas a gente precisa ir agora, Ivar. Vamos ter que deixar o hospital pra depois, quando voltarmos.

Løken conseguiu ouvir o som dos passos ecoando e desaparecendo ao longe; esperou pelo deslocamento de ar da porta batendo. Mas isso não aconteceu. Em vez disso, ouviu o eco distante de uma voz em seu ouvido.

— Ah, sim, quase ia me esquecendo, Ivar.

Sentiu o hálito quente na têmpora.

— A gente vai precisar de alguma coisa pra amarrar os dois nos postes. Será que você poderia me emprestar esse torniquete? Eu trago de volta. Prometo.

Løken abriu a boca e soltou um urro, sentindo o muco se soltar da garganta. Outra pessoa tinha assumido o controle de seu cérebro, por isso sequer percebeu as tiras de couro sendo tiradas com um puxão enquanto via o sangue empoçar na mesa e ser absorvido pelas mangas da camisa até ficarem totalmente vermelhas. Não chegou a ouvir a porta se fechar.

Harry teve um sobressalto com as leves batidas na porta.

A careta foi involuntária quando ele viu que não era Løken, mas a moça de tranças que trabalhava no local.

— Sr. Harry? — Ele assentiu. — Telefone.

— Não falei? — disse Liz. — Cem *baht* como foi o trânsito.

Seguiu a garota até o telefone, o subconsciente registrando que ela tinha os mesmos cabelos muito negros e o mesmo pescoço esbelto de Runa. Ficou olhando para os pelinhos pretos na nuca. A moça se virou, um breve sorriso iluminou seu rosto, e ela estendeu a mão, indicando o aparelho. Ele assentiu e pegou o fone.

— Pois não?

— Harry? Sou eu.

Naquele momento, Harry pensou que podia sentir os vasos sanguíneos se dilatarem à medida que o coração bombeava sangue cada vez mais rápido para o corpo. Respirou fundo uma, duas vezes, para enfim poder falar com calma e clareza.

— Onde está Løken, Jens?

— Ivar? Ele está com as mãos ocupadas e não vai conseguir chegar pra reunião.

Pela voz do outro lado da linha, Harry percebeu que a máscara tinha caído; era Jens Brekke quem falava agora, o mesmo com quem tinha conversado no escritório naquela primeira vez. O mesmo tom zombeteiro e provocador de um sujeito que sabe que vai ganhar, mas antes quer se divertir, curtir os momentos que antecedem o golpe de misericórdia. Harry tentava adivinhar o que teria virado o jogo contra ele.

— Estava esperando sua ligação, Harry. — Aquela não era a voz de um homem desesperado, mas de alguém que estava no banco do motorista, com ar indiferente, dirigindo com uma mão só no volante.

— Bom, você está ganhando o jogo, Jens.

Jens riu.

— Parece que eu sempre ganho, Harry. Como se sente?

— Cansado. Onde está Løken?

— Quer saber o que Runa falou antes de morrer?

Harry sentiu o rosto formigar.

— Não — ouviu sua própria voz dizer. — Só quero saber onde está Løken, o que fez com ele e onde podemos encontrar você.

— Ah, esses são três desejos de uma vez só, Harry!

A risada de Jens fez vibrar o microfone interno de seu telefone. Mas alguma outra coisa disputava a atenção de Harry, algo que ele não conseguia identificar o que era. Jens parou de rir de repente.

— Você faz ideia do quanto me sacrifiquei pra executar um plano desses, Harry? Checar as coisas uma, duas vezes, pensar até nos menores imprevistos pra ser infalível? Isso sem falar do desconforto físico. Matar é uma coisa, mas você acha que eu gostei de passar aquele tempo todo na cadeia? Você pode não acreditar em mim, mas o que eu disse sobre ficar preso é verdade.

— Então pra que se preocupar até com os menores imprevistos?

— Já disse a você: eliminar riscos tem um custo, mas vale a pena, sempre vale. Botar a culpa no Klipra exigiu um trabalho árduo.

— Por que não tornar as coisas mais simples? Você poderia ter dizimado todos e botado a culpa na máfia?

— Você pensa como os fracassados que normalmente caça por aí, Harry. É igualzinho aos viciados em jogos de azar: perde a noção do cenário maior, das consequências. Claro que eu podia ter matado Molnes, Klipra e Runa com métodos mais simples sem deixar vestígios, mas isso não teria sido suficiente. Porque, quando eu herdasse a fortuna dos Molnes e a Phuridell, ficaria bastante óbvio que eu tinha motivação pra matar os três. Três assassinatos e um suspeito cuja motivação servia pra todas as vítimas. Até a polícia resolveria um caso desses, não acha? Mesmo sem conseguir encontrar qualquer porcaria de prova, vocês seriam capazes de tornar minha vida bem desagradável. Então precisei criar um cenário alternativo pra vocês, um cenário no qual uma das vítimas fosse o assassino. Uma solução que não podia ser tão difícil que você não chegasse a ela, nem tão fácil a ponto de deixá-lo insatisfeito. Você devia me agradecer, Harry. Melhorei muito sua imagem quando estava no encalço de Klipra, não?

Harry não estava escutando; tinha voltado no tempo, à ocasião em que ouviu a voz de outro assassino. Daquela vez, o barulho da água havia sido a pista definitiva para encontrá-lo, mas agora tudo que Harry conseguia ouvir era o zumbido débil de uma música que poderia estar tocando em qualquer lugar.

— O que você quer, Jens?

— O que eu quero? Ora, o que eu quero? Acho que só bater um papo.

Pra me segurar do outro lado da linha, ocorreu a Harry. Ele quer me manter ocupado falando ao telefone. Pra quê? Ouviu o som de uma bateria sintetizada e um clarinete.

— Mas, se quer que eu seja mais exato, só liguei pra dizer...

Harry distinguiu "I Just Called to Say I Love You" ao fundo.

— ... que sua amiguinha vai querer muito uma plástica no rosto. O que você acha, Harry? Harry?

Balançando de um lado para o outro, o fone desenhava um arco no espaço logo acima do chão.

A passos largos pelo corredor, Harry sentiu a doce descarga de adrenalina como se tivesse sido injetada em suas veias. A moça das tranças se encostou na parede, assustada, quando ele deixou cair o fone, sacou a Ruger SP101 emprestada do coldre na panturrilha e destravou arma com um movimento ágil. Será que ela entendeu quando ele gritou para que ligasse para a polícia? Não tinha tempo de pensar naquilo agora; Jens estava bem ali. Harry arrombou a primeira porta com um pontapé e se deparou com quatro rostos sobressaltados sob a mira do revólver.

— Perdão.

Ao abrir a porta seguinte, sentiu tanto medo que quase deu um tiro. No centro da sala de karaokê, um tailandês baixinho de pele morena, usando um terno prata brilhante e óculos escuros de filme pornô, fazia uma pose com as pernas afastadas e as mãos nos quadris. Harry demorou alguns segundos para entender o que ele estava fazendo, mas, a essa altura, o Elvis tailandês já tinha engasgado no meio de "Hound Dog".

Harry deu uma olhada na direção do corredor. Deviam ser pelo menos umas cinquenta salas no total. Um alarme soava dentro de sua cabeça, em algum lugar, mas, de tão sobrecarregado, o cérebro ignorava o alerta. Agora Harry podia ouvi-lo em alto e bom som. Liz! Merda, merda, merda. Jens o fizera perder tempo com aquela conversa ao telefone.

Disparou pelo corredor e, ao dobrar a esquina, viu que a porta da sala onde ele e Liz tinham esperado Løken estava aberta. Não pensou em mais nada; não teve medo nem esperanças, apenas correu, ciente de que havia chegado àquele ponto em que não hesitaria mais em matar. Não parecia mais um pesadelo; não era como tentar correr com água pela cintura. Irrompeu na sala e viu Liz caída atrás do sofá. Voltou-se com a arma em punho, mas era tarde demais. Alguma coisa o acertou nos rins; ele soltou todo o ar de uma vez só e, no instante seguinte, sentiu o aperto forte de uma gravata, viu de relance o cabo de um microfone e sentiu o cheiro do hálito avassalador.

Harry desferiu uma cotovelada e acertou em alguma coisa; ouviu um gemido.

— *Tay* — disse uma voz, e em seguida Harry sentiu o punho vindo de trás, atingindo-o logo abaixo do ouvido, deixando-o zonzo. Percebeu que o estrago na mandíbula tinha sido sério. Logo o cabo do microfone voltou a apertar seu pescoço. Enfiou um dedo entre o cabo e o pescoço, mas era inútil. A língua, inerte, parecia estar sendo expulsa da boca. Talvez nem precisasse pagar a conta do dentista; tudo já começava a ficar escuro.

Seu cérebro zunia. Harry não aguentava mais, tentou decidir-se pela morte, mas o corpo não lhe obedecia. Instintivamente, ergueu um braço no ar, mas não haveria redinha de limpar piscina capaz de salvá-lo desta vez. Só lhe restava rezar, como se, de pé sobre a ponte em Siam Square, implorasse pela vida eterna.

— Para!

O cabo em torno do pescoço afrouxou, e o oxigênio desceu para os pulmões feito uma enxurrada. Mais, ele precisava de mais! Parecia que o ar na sala não era suficiente; Harry tinha a sensação de que seus pulmões estavam prestes a explodir dentro do peito.

— Solta ele!

Tendo conseguido com esforço ficar de joelhos, Liz apontava a Smith & Wesson 650 para Harry. Harry podia sentir Woo escondendo-se atrás dele e voltando a asfixiá-lo, mas tinha conseguido colocar a mão esquerda entre o cabo e o pescoço.

— Atira nele — grunhiu Harry, com voz de Pato Donald.

— Larga! Agora!

As pupilas de Liz estavam escuras de medo e fúria. Um filete de sangue escorria do ouvido dela, descendo pelo pescoço decote adentro.

— Ele não vai largar. Você vai ter que matá-lo — sussurrou Harry, a voz rouca.

— Agora! — insistiu Liz, gritando.

— Atira! — berrou Harry.

— Cala a boca!

A mão de Liz vacilou enquanto ela tentava manter o equilíbrio.

Harry se reclinou para trás, recostado em Woo. Era como se apoiar em uma parede. Liz tinha lágrimas nos olhos, e a cabeça pendia para a frente. Harry conhecia aqueles sintomas. Era uma concussão grave, e eles tinham pouquíssimo tempo.

— Liz, me escuta agora!

O aperto tornou-se mais forte, e Harry ouviu o som do cabo cortando a pele da mão.

— Suas pupilas estão muito dilatadas, Liz; você não vai demorar a entrar em choque! Escute o que estou dizendo! Você precisa atirar agora, antes que seja tarde demais! Já, já vai perder a consciência!

Um soluço escapou dos lábios dela.

— Vai se foder, Harry! Eu não consigo. Eu...

O cabo do microfone entrava na carne como se ela fosse manteiga. Ele tentou cerrar o punho, mas talvez alguns nervos tivessem sido rompidos.

— Liz! Olha pra mim, Liz!

Ela piscou uma, duas vezes, e olhou para ele com os olhos embaçados.

— Maravilha, Liz. Você só precisa errar o tiro em mim pra acertar nele!

Ela olhava para Harry de boca aberta, então baixou a arma e caiu na risada. Harry tentou segurar Woo, que avançou na direção de Liz, mas era como querer parar uma locomotiva. Já estavam em cima dela quando alguma coisa explodiu no rosto de Harry. A dor lancinante viajou por seus canais nervosos; uma dor diferente dessa vez, que queimava. Ele sentiu o perfume de Liz e o corpo dela cedendo sob o peso do chinês, que os esmagou no chão. Um estrondo ecoou pela porta aberta e pelo corredor. Depois, silêncio.

Harry estava respirando. Preso entre Liz e Woo, sentia o peito subir e descer. Isso só podia significar que estava vivo. Algo gotejava continuamente. Tentou reprimir a lembrança; não tinha tempo para aquilo agora, para a corda molhada, o frio, a água salgada pingando no convés. Não estava em Sydney. Os pingos caíam na testa e nas pálpebras de Liz. Foi quando ouviu a risada dela novamente. Os olhos de Liz se abriram; eram duas janelas negras em molduras brancas numa parede vermelha. Seu avô empunhava um machado, golpes surdos, abafados, o baque de quando a madeira tombava na terra dura e repisada. O céu era azul, a grama fazia cócegas em suas orelhas, uma gaivota voava, entrando e saindo de seu campo de visão. Ele queria dormir, mas o rosto ardia, podia sentir o cheiro da própria carne na pólvora que havia queimado seus poros.

Com um gemido, rolou de lado, saindo daquele sanduíche humano. Liz gargalhava, os olhos abertos, e ele deixou que ela continuasse a dar risadas.

Virou Woo, deitando-o de costas. O rosto tinha a expressão paralisada de surpresa; o queixo caído protestava contra o buraco de bala na testa. Mas o barulho dos pingos continuava. Voltou-se para a parede e viu que não era sua imaginação. Madonna tinha mudado a cor do cabelo. A trancinha de Woo, agora grudada no alto do pôster, dava à cantora um visual punk, gotejando o que parecia uma mistura de *eggnog* e suco de frutas vermelhas. Era aquilo que caía no tapete grosso e respingava de leve.

Liz ainda ria.

— Dando uma festa? — Harry ouviu uma voz dizer da porta. — Nem convidaram Jens? E eu pensando que a gente fosse amigo...

Harry não se virou; seu olhar perscrutava desesperadamente o chão à procura da arma. Com o golpe de Woo por trás, ela devia ter ido parar debaixo da mesa ou atrás da cadeira.

— Está procurando isso aqui, Harry?

Claro. Girou o corpo lentamente e se viu encarando o cano de sua própria Ruger SP101. Fez menção de abrir a boca para dizer alguma coisa quando percebeu que Jens estava prestes a atirar. Ele segurava a Ruger com as duas mãos e já tinha se inclinado um pouco à frente, preparando-se para absorver o coice da arma.

Harry lembrou-se do policial caindo da cadeira, no Schrøder's, os lábios úmidos, o sorriso desdenhoso que ele guardou apenas para si, mas que estava ali. O mesmo sorriso invisível com que a comissária de polícia pediria um instante de silêncio.

— A brincadeira acabou, Jens — ouviu-se dizer. — Você não vai conseguir se safar dessa.

— A brincadeira acabou? Quem ainda diz isso? — Jens soltou um suspiro e balançou a cabeça. — Você anda vendo muito dessas merdas de filmes de ação, Harry.

Ele colocou o dedo no gatilho.

— Mas certo, tudo bem, agora acabou mesmo. Você apenas tornou as coisas muito melhores do que eu tinha planejado. Quem você acha que vai levar a culpa quando encontrarem um capanga da máfia e dois policiais mortos por balas que saíram de suas armas?

Jens semicerrou um olho para mirar em Harry, algo bem desnecessário a uma distância de três metros. Esse cara nunca deixa nada para o acaso, pensou Harry, fechando os olhos e respirando fundo inconscientemente, preparando-se para o tiro.

Seus tímpanos foram estraçalhados. Três vezes. Nada para o acaso. Harry sentiu o baque das costas contra a parede ou o chão, não sabia dizer, e o cheiro de pólvora penetrou em suas narinas. Cheiro de pólvora. Não entendeu mais nada. Jens não tinha disparado três vezes? Por que ainda sentia o cheiro?

— Merda!

Parecia alguém gritando debaixo de um edredom.

A fumaça se dissipou, e ele viu Liz sentada, as costas apoiadas à parede, uma mão segurando a arma fumegante, a outra na barriga.

— Meu Deus, ele me acertou! Você está aí, Harry?

Estou?, perguntou-se Harry. Lembrava-se vagamente de ter sentido um impacto no quadril, o qual fez seu corpo girar.

— O que aconteceu? — gritou Harry, ainda surdo.

— Eu atirei primeiro. Acertei ele. Tenho certeza de que acertei, Harry. Como ele escapou?

Harry se levantou, derrubando as xícaras de cima da mesa até finalmente conseguir se firmar de pé. A perna esquerda estava dormente. Dormente? Apalpou o quadril e viu que as calças estavam encharcadas. Não quis nem olhar. Estendeu a mão.

— Me dá a arma, Liz.

Seus olhos estavam fixos na porta. Sangue. Um rastro de sangue no chão. Por ali. Por ali, Hole. É só seguir a trilha que ele deixou para você. Virou-se para Liz. Uma rosa vermelha brotava entre os dedos dela, manchando a camisa azul. Merda, merda, merda!

Ela gemeu e passou ao detetive sua Smith & Wesson 650.

— Pega esse cara, Harry.

Ele hesitou.

— E isso é uma ordem!

50

Sexta-feira, 24 de janeiro

A cada passo que dava, era obrigado a fazer um esforço extra com a perna, rezando para que não cedesse. Diante de seus olhos, tudo flutuava; ele sabia que aquilo era seu cérebro tentando escapar da dor. Mancando, deparou-se com a mesma moça de antes, que parecia posar para O grito, os lábios sem emitir som algum.

— Chame uma ambulância! — gritou Harry, e ela despertou. — Um médico!

No momento seguinte, ele estava lá fora. O vento tinha cessado; fazia calor, um calor opressivo. Um carro tinha parado atravessado na pista, deixando marcas de derrapagem no asfalto, estava com a porta aberta, e o motorista, do lado de fora, agitava os braços. Apontava para o alto. Harry também ergueu os braços e cruzou a via correndo, sem olhar, na esperança de que os motoristas, percebendo que ele não estava nem aí para o trânsito, freassem. Ouviu-se um guincho de pneu. Harry olhou para onde o homem tinha apontado. Uma caravana de silhuetas cinzentas de elefantes surgia diante dele. Seu cérebro parecia um rádio de carro com defeito, entrando e saindo de sintonia, e um toque solitário de trombeta invadiu a noite. Harry sentiu o deslocamento de ar do rolo compressor que, com aquele som agudo, quase arrancou sua camisa ao passar por ele com um estrondo.

Recuperou-se, o olhar agora perscrutando os pilares de concreto. A estrada dos tijolos amarelos. O novo elevado de Bangkok. E por que não? Parecia lógico, de certa forma.

Uma escada de ferro conduzia a uma abertura no concreto a uns quinze ou vinte metros acima dele. Pela abertura, dava para ver um pedaço da lua. Com a coronha da arma entre os dentes para iniciar a subida, percebeu que seu cinto pendia da calça e tentou não pensar no que uma bala que tinha cortado seu cinto poderia ter feito com seu quadril. Começou a subir, o ferro dos degraus pressionando o corte em sua mão feito pelo cabo do microfone.

Não consigo sentir nada, pensou Harry, praguejando porque o sangue que cobria sua mão feito uma luva vermelha tornava a escada escorregadia. Posicionou o pé direito no degrau e deu um impulso, colocou o pé no próximo, mais um impulso. Melhor agora. Desde que não desmaiasse. Deu uma olhada para baixo. Dez metros? Melhor mesmo não desmaiar. Para o alto e avante. E, de repente, escuridão. De início achou que eram seus olhos e parou, mas, voltando-os para baixo, percebeu que conseguia enxergar os carros, além de ouvir uma sirene de polícia cortando o ar feito a lâmina de uma serra. Voltou a olhar para cima. A abertura no topo da escada estava escura; dali não podia mais ver a lua. Teria o céu ficado nublado? Um pingo acertou o cano da arma. Mais uma chuva pré-monções? Harry avançou para o degrau seguinte, o coração aos pulos, lutando, fazendo o melhor que podia.

Pra que tudo isso?, pensou o detetive, olhando para baixo. Logo apareceria o primeiro carro de polícia. Jens provavelmente tinha saído em disparada pela estrada-fantasma, rindo feito um maníaco, e àquela altura já estaria descendo por outra escada, dois quarteirões adiante, para, em seguida, como num passe de mágica, se perder no meio da multidão. A porra do Mágico de Oz.

O pingo escorreu pela coronha até chegar aos dentes cerrados de Harry.

Três pensamentos lhe ocorreram ao mesmo tempo. O primeiro foi que, se Jens tivesse visto que ele saíra vivo do Millie's Karaokê, provavelmente não estaria em fuga. Jens não tinha escolha; precisava terminar o serviço.

O segundo pensamento foi que pingos de chuva não tinham aquele gosto doce e metálico.

E o terceiro, que não havia ficado nublado. Alguém lá em cima bloqueava a abertura. Alguém que estava sangrando.

A partir daí, tudo voltou a acontecer muito rápido.

A esperança de Harry era que a mão esquerda não estivesse tão ferida e ele tivesse força suficiente para se manter agarrado ao degrau. Pegou a arma da boca com a direita, viu faíscas vindas do degrau acima e ouviu o assobio da bala ricocheteando. Sentiu algo atingindo a perna da calça antes de, enfim, mirar no círculo negro lá em cima, disparar e sentir o coice da arma. Um cano de revólver reluziu, e Harry esvaziou o tambor naquela direção. Continuou a apertar o gatilho. Clique, clique, clique. Que porra de amador ele era.

De novo conseguiu vislumbrar a lua, deixou a arma cair e, antes de ouvi-la bater no chão, já havia retomado a subida da escada. Logo estava lá em cima. A via em construção, as caixas de ferramentas e o maquinário pesado surgiram banhados à luz amarelada de um balão ridiculamente grande que alguém tinha pendurado ali, acima deles. Jens estava sentado sobre um monte de areia, os braços cruzados sobre a barriga, oscilando o corpo para a frente e para trás e gargalhando.

— Merda, Harry, você estragou tudo mesmo. Olha isso aqui.

Descruzou os braços. O sangue vertia de seu corpo, borbulhante, espesso e reluzente.

— Sangue escuro. Isso significa que você acertou o fígado, Harry. Meu médico vai me mandar cortar o álcool. Nada legal.

As sirenes da polícia soavam cada vez mais próximas. Harry tentou manter a respiração sob controle.

— Eu não me importaria tanto, Jens. Ouvi dizer que o conhaque que servem nas prisões tailandesas é horroroso.

Mancando, o detetive se aproximou de Jens, que apontava uma arma para ele.

— Ora, ora, Harry, também não precisa exagerar, só é um pouco doloroso. Nada que uma grana não dê jeito.

— Sua munição acabou — disse Harry, ainda caminhando na direção do outro.

Jens soltou uma risada e tossiu.

— Boa tentativa, Harry, mas receio que quem gastou todas as balas foi você. Eu sei contar, sabe?

— Sabe mesmo?

— Rá-rá. Achei que tinha contado a você. Números. É com essas coisas que eu ganho a vida. — Ele exibiu para Harry os dedos da mão livre. — Duas em você e na sapatona naquela espelunca e três na escada. Sobrou uma pra você, Harry. É sempre bom ter uma reserva, sabe como é.

Harry estava a apenas dois passos de distância.

— Você anda vendo muito dessas merdas de filmes de ação, Jens.

— Célebres últimas palavras.

Jens endireitou a postura e, com cara de quem se desculpava pelo que ia fazer, puxou o gatilho. O clique foi ensurdecedor. A expressão dele passou da suposta pena à descrença.

— Só nessas merdas de filmes de ação que toda arma tem seis balas, Jens. Isso aí é uma Ruger SP101. Só tem cinco.

— Cinco? — Ele olhou para a arma. — Cinco? Como você sabe disso?

— É com essas coisas que eu ganho a vida.

Harry já enxergava as luzes azuis na via lá embaixo.

— Melhor você me entregar a arma, Jens. A polícia costuma atirar na hora quando vê alguém com uma.

A expressão no rosto de Jens era de puro atordoamento quando entregou a arma a Harry, que a enfiou na cintura. Talvez tenha se distraído porque, sem o cinto, o revólver foi parar na perna da calça, talvez estivesse muito cansado, ou talvez tenha relaxado ao ver nos olhos de Jens o que pensou ser um olhar de rendição. Cambaleou para trás quando o soco o atingiu, surpreso com a agilidade de movimentos do outro. Sentiu a perna esquerda vergar e, no momento seguinte, a cabeça bater no concreto com um baque.

Ficou fora do ar por um segundo. Não podia perder a consciência. O rádio tentou desesperadamente sintonizar alguma estação. A primeira coisa que viu foi o brilho de um dente de ouro. Piscou. Não era um dente de ouro; era a luz da lua refletida em uma faca da Lapônia. Em seguida, a lâmina, ávida, desenhou um arco descendente na direção dele.

Harry nunca saberia dizer se agiu por instinto ou se houve algum processo cognitivo. Ergueu a mão esquerda e, com os dedos abertos, foi ao encontro do aço reluzente. A lâmina perfurou a palma da mão com facilidade. Com a faca enfiada até o cabo, Harry recuou a mão até conseguir desferir um pontapé com a perna boa. Acertou o alvo bem no ponto de onde jorrava o sangue negro; Jens se curvou, gemeu e tombou de lado no monte de areia. Harry ficou de joelhos com esforço. Jens estava encolhido em posição fetal, as mãos na barriga. Se ele gritava de dor ou dava gargalhadas, era difícil dizer.

— Porra, Harry. Dói tanto que chega a ser sensacional.

Alternava engasgos, grunhidos e risadas.

Harry ficou de pé. Olhou para a faca que despontava dos dois lados da mão, sem saber qual seria a atitude mais sensata: tirá-la ou deixá-la ali para estancar o sangue. Ouviu alguém gritar alguma coisa em um megafone na rua lá embaixo.

— Sabe o que vai acontecer agora, Harry?

Jens tinha fechado os olhos.

— Na verdade, não.

Jens fez uma pausa para se recuperar.

— Deixa eu explicar a você então. Todo um bando de policiais, advogados e juízes vai faturar bastante com essa história. Isso vai me custar caro, Harry, seu filho da mãe.

— Como assim?

— Como assim? De novo bancando o escoteiro norueguês, agora? É possível comprar qualquer coisa na vida. Quando se tem grana. E eu tenho grana. Além do mais... — Ele tossiu. — Tem uns políticos aí com capital investido no setor da construção civil que não querem ver o projeto do elevado ir pro ralo.

Harry negou com a cabeça.

— Não dessa vez, Jens. Não dessa vez.

Jens arreganhou os dentes; a expressão de dor era um misto de sorriso e careta.

— Quer apostar?

Qual é, pensou Harry. Não faça nada de que vá se arrepender depois. Deu uma olhada no relógio, um reflexo adquirido ao longo dos anos de profissão. Horário da prisão para preencher o relatório.

— Tem uma coisa em que fiquei pensando, Jens. A inspetora Crumley achou que eu tinha entregado demais o jogo quando perguntei sobre a Ellem Ltd. E talvez tenha mesmo. Mas já fazia um bom tempo que você sabia que eu estava de olho em você, certo?

Ele tentou se concentrar em Harry.

— Fazia algum tempo. Por isso nunca entendi por que você se esforçou tanto pra me livrar da prisão preventiva. Por que, Harry?

Harry estava zonzo e precisou se sentar em uma das caixas de ferramentas.

— Bom, talvez eu ainda não tivesse percebido que sabia que era você. Talvez quisesse ver qual seria sua próxima cartada. Talvez quisesse atraí-lo pra fora da toca. Não sei. Como você descobriu que eu sabia?

— Alguém me contou.

— Impossível. Até hoje à noite eu não tinha dito nada a ninguém.

— Alguém descobriu sem você dizer.

— Runa?

O rosto de Jens estava trêmulo, e saliva branca se acumulava nos cantos da boca.

— Quer saber, Harry? Runa tinha aquilo que alguns chamam de intuição. Prefiro chamar de capacidade de observação. Você precisa aprender a esconder melhor seus pensamentos. Não baixar a guarda pro inimigo. É incrível como uma mulher se dispõe a colaborar, se a gente ameaça arrancar o que faz dela uma mulher. Você...

— Que ameaça você fez?

— Mamilos. Ameacei cortar os mamilos dela. Que tal, Harry?

Harry desviou o rosto, fitou o céu e fechou os olhos, como se esperasse pela chuva.

— Falei alguma coisa errada? — O detetive sentiu o ar quente ferver nas narinas. — Ela estava esperando por você, Harry.

— Em que hotel você se hospeda quando está em Oslo? — sussurrou o detetive.

— Runa disse que você iria salvá-la, que você sabia quem a tinha sequestrado. Chorou feito um bebê e tentou reagir se debatendo com a prótese. Muito engraçado. Aí...

Ruído de metal vibrando. Clang, clang, clang. Já estavam subindo a escada. Harry fitou a faca que ainda estava em sua mão. Não. Olhou ao redor. A voz de Jens invadia seus ouvidos como um ruído irritante. Sentiu um formigamento suave na barriga, um leve zunido na cabeça, a sensação de quem toma um porre de champanhe. Não faça isso, Hole, segura a onda. Mas já podia sentir o êxtase da queda livre. E se jogou.

A fechadura da caixa de ferramentas cedeu no segundo pontapé. A britadeira era uma Wacker, leve, não pesava mais que vinte quilos, provavelmente, e bastou pressionar o botão para que ligasse. Jens calou a boca no mesmo instante, os olhos se arregalando à medida que, gradualmente, o cérebro compreendia o que estava prestes a acontecer.

— Harry, você não pode...

— Abra bem.

O rugido da máquina trepidante abafou o tráfego lá embaixo, os gritos no megafone e o ruído vindo da escada de ferro. Harry se debruçou sobre Jens, as pernas afastadas, o rosto ainda voltado para o alto e os olhos fechados. Estava chovendo.

Harry desabou na areia. Deitou-se de barriga para cima e ficou olhando o céu; estava na praia com ela, e ela perguntava se ele não podia passar um pouco de protetor solar em suas costas, pois tinha uma pele sensível. Não queria ficar queimada. Queimada, não. Então ouviu vozes falando alto, coturnos batendo no concreto e o clique de armas lubrificadas sendo engatilhadas. Ele abriu os olhos, a luz apontada para o seu rosto o cegou. A lanterna então se moveu, e ele vislumbrou os contornos do rosto de Rangsan.

Harry sentiu o cheiro da própria bile e, finalmente, a boca e o nariz foram invadidos pelo conteúdo de seu estômago.

Epílogo

51

Liz acordou ciente de que a primeira coisa que veria seria o teto amarelo com a rachadura em formato de T. Fazia duas semanas que vinha olhando para aquela rachadura. Por causa da fratura no crânio, não a deixavam ler nem ver TV, só ouvir rádio. O ferimento a bala logo estaria curado, segundo os médicos, pois não havia atingido nenhum órgão vital.

Nenhum órgão vital para ela, pelo menos.

Um médico tinha vindo perguntar se ter filhos era algo que estava em seus planos. Ela fez que não com a cabeça, sem querer ouvir o resto, e o médico concordou em não dizer mais nada. Haveria tempo suficiente para as más notícias mais tarde; agora ela tentava se concentrar nas boas. Como não ter de passar os anos seguintes como guarda de trânsito. E a visita do chefe de polícia para dizer que ela podia tirar umas semanas de folga.

Seu olhar vagou casualmente até o parapeito da janela. Tentou virar a cabeça, mas tinham montado um aparato que mais parecia uma plataforma de petróleo junto à sua cabeça, o que tornava qualquer movimento impossível.

Ela não gostava de ficar sozinha; nunca gostou. Tonje Wiig fez uma visita no dia anterior e perguntou se ela sabia o que havia acontecido com Harry. Como se ele pudesse ter feito contato telepático com Liz enquanto ela estava em coma. Mas a inspetora percebeu que a preocupação de Wiig não era meramente profissional e preferiu ficar quieta. Disse apenas que ele logo daria as caras.

Tonje Wiig pareceu muito solitária e deprimida. Bom, ela sobreviveria. Era do tipo que sobrevivia sempre. Tinha sido informada de que era a nova embaixadora e assumiria o posto em maio.

Alguém tossiu. Liz abriu os olhos.

— Como vão as coisas? — disse uma voz rouca.

— Harry?

O clique de um isqueiro, e ela sentiu cheiro de fumaça de cigarro.

— Então você está de volta? — perguntou ela.

— Só estou tentando manter a cabeça fora d'água.

— O que você anda fazendo?

— Experimentos — respondeu ele. — Vendo se consigo descobrir um método infalível de se perder a consciência.

— Disseram que você fugiu do hospital.

— Não havia mais nada que pudessem fazer por mim lá.

Ela riu com cuidado, deixando o ar sair em espasmos curtos.

— O que ele disse? — quis saber Harry.

— Bjarne Møller? Está chovendo em Oslo. Parece que a primavera deve chegar mais cedo este ano. Fora isso, nada de novo. Ele mandou um oi pra você e pediu que eu dissesse que as pessoas estão respirando aliviadas nos dois países. O diretor Torhus apareceu por aqui com flores e perguntou por você. Pediu que eu desse os parabéns.

— O que Møller disse? — insistiu Harry.

Liz soltou um suspiro.

— Tudo bem. Repassei sua mensagem, e ele foi checar.

— E?

— Você sabe que é bem improvável que Brekke tenha alguma coisa a ver com o estupro da sua irmã, não sabe?

— Sei.

Liz podia ouvir o crepitar do cigarro quando Harry tragava.

— Talvez você devesse deixar isso pra lá, Harry.

— Por quê?

— A ex-mulher de Brekke não entendeu a razão daquelas perguntas. Disse que o abandonou porque o achava um *chato* e por nenhum outro motivo. E... — Liz respirou fundo. — E Brekke nem estava em Oslo no dia do estupro.

Ela tentou detectar a reação de Harry àquela informação.

— Sinto muito — completou.

Escutou a guimba caindo no chão e o calcanhar de uma sola de borracha esmagando-a contra o piso.

— Bom, só queria ver como você estava — falou o detetive.

Pés de cadeira foram arrastados no chão.
— Harry?
— Estou aqui.
— Mais uma coisa. Volte. Prometa pra mim que vai voltar. Não fique perdido por aí.
Ela conseguia escutar a respiração dele.
— Eu vou voltar — falou Harry, a voz monótona, como se estivesse cansado de repetir o mesmo refrão.

52

Observou a poeira dançando no feixe de luz solitário que se esgueirava por uma rachadura nas tábuas de madeira acima dele. A camisa estava agarrada a seu corpo como uma mulher apavorada, o suor ardia em seus lábios, e o fedor do chão de terra provocava náuseas. Mas então passaram-lhe o cachimbo; com uma das mãos ele segurou a piteira, colocou o ópio, manteve o cachimbo firme enquanto o acendia, e a vida tornou-se tranquila novamente. Depois da segunda tragada, eles começaram a aparecer: Ivar Løken, Jim Love e Hilde Molnes. Na terceira, vieram os demais. Exceto uma pessoa. Puxou a fumaça para dentro dos pulmões, reteve a respiração até o ponto em que achou que ia explodir, e, enfim, ali estava ela. Parada na porta da varanda, o sol iluminando a lateral do rosto. Dois passos depois, ela flutuou no ar, um arco perfeito das solas dos pés às pontas dos dedos das mãos, uma curvatura delicada, de uma lentidão sem fim, rompendo a superfície com um leve beijo e mergulhando mais e mais fundo até a água se fechar sobre ela. Borbulhou; uma onda tocou a borda da piscina. Então a água se aquietou; a superfície verde mais uma vez refletia o céu como se ela nunca tivesse estado ali. Harry tragou uma última vez, deitou na esteira de bambu e fechou os olhos. Foi quando ouviu o som suave das braçadas na piscina.

Este livro foi composto na tipografia
Sabon LT Std, em corpo 11/15, e impresso em
papel off-white no Sistema Digital Instant Duplex
da Divisão Gráfica da Distribuidora Record.